Tableau d'avancement IV

Un Canada français
à ré-inventer

Gilles Paquet

INVENIRE
Ottawa, Canada
2017

© 2017 INVENIRE

Catalogage avant publication de Bibliothèque et Archives Canada

Paquet, Gilles, 1936-, auteur
    Tableau d'avancement IV : un Canada français à ré-inventer
/ Gilles Paquet.

Comprend des références bibliographiques.
Publié aussi en format électronique.
Tableau d'avancement IV.
ISBN 978-1-927465-38-7 (couverture souple).--ISBN 978-1-927465-39-4
(PDF)

    1. Canada francophone. 2. Canadiens français.
I. Titre.
FC137.P373 2017   305.811'4   C2017-905274-8
                                                C2017-905275-6

Publié par Invenire
260 Metcalfe Street
Suite 2A
Ottawa, Canada K2P 1R6
www.invenire.ca

Mise en pages et maquette de couverture : Sandy Lynch
Image sur la couverture : bas-relief du Chien d'Or, à Québec
Photographie : Dominique St-Arnaud

Imprimé au Canada par Imprimerie Gauvin

Distribution :
Commoners' Publishing
631 Tubman Crescent
Ottawa, ON K1V 8L6 Canada
Téléphone : 613-523-2444
Télécopieur : 888-613-0329
sales@commonerspublishing.com
www.commonerspublishing.com

« *On s'instruit* contre quelque chose, *peut-être même*
contre quelqu'un, *et déjà* contre soi-même.
C'est ce qui donne, à mes yeux, tant d'importance
à la raison polémique ».

Gaston Bachelard

« *No one is interested in something you didn't do* ».

Gord Downie

« *Why should things be easy to understand?* »

Thomas Pynchon

TABLE DES MATIÈRES

Propos d'étape dans l'enquête   i
    Un iconoscope ancré dans quatre expériences   ii
    Critiques à plusieurs voix de la trilogie   vi
    Une feuille de route   ix

Introduction   **Une démarche critique qui n'exclut
    pas l'imagination**   1
    La culture du Canada français et les trois
      premiers *Tableaux*   2
    L'omnibus canadien-français et ses handicaps   6
    Au-delà du manichéisme juridique :
      le monde des contrats moraux   21

Partie I   **Le terrain des opérations**   29

Chapitre 1 **Un Canada français empêtré dans
    ses représentations**   33
    La peur de la décentralisation et indications
      pour s'en sortir   33
    Mythes amphigouriques : la Grande
      Noirceur et la Révolution tranquille 37
    La rupture de 1967 et le conservatisme
      linguistique au premier degré   60

Chapitre 2 **Difficultés d'apprentissage aigües**   73
    La peur de l'incertitude et indications
      pour s'en sortir   74
    La dissonance cognitive   88
    Le bilinguisme officiel forcé pour Ottawa :
      une saga révélatrice   93
    Acte I (septembre 2014)   94
    Acte II (décembre 2014)   108
    Conclusion, coda et postscriptum   124
    En guise de conclusion à la Partie I et
      de transition à la Partie II   127

Partie II   **La ré-imagination du Canada français**   135

Chapitre 3   **Le Canada français dans sa diaspora**   139

Petit, ouvert, dépendant, balkanisé
et kaléidoscopé   140

Les œillères   149

Un pari obligatoire sur la
gouvernance culturelle   159

Chapitre 4   **Le Canada français dans
ses temps sociaux**   167

Une mosaïque de temps sociaux   168

L'accès à une conscience qui déborde
la méso-communauté   172

Un pari sur la polyphonie   177

Conclusion   **Avant un programme ...
de l'imagination et des prérequis**   189

Le travail en quatre étapes   192

Un mini-coup d'état en trois mouvements   197

Propos d'étape dans l'enquête

« une espèce d'espoir que les yeux peuvent qui sait?
voir ce qui ne se voit pas »

Alexandre Vialatte

Introduction

Ce n'est pas le moindre paradoxe de ce livre que l'auteur sente le besoin de commencer par une sorte de mise au point avant de continuer son voyage. On aurait pu croire qu'après mon livre de 1999 – *Oublier la Révolution tranquille* – et les quelques 900 pages de la trilogie des *Tableaux d'avancement I, II, III*, le sens général du projet était bien arrêté (Paquet 1999, 2008, 2011, 2014). Or tel n'est pas le cas.

L'aventure d'*Oublier la Révolution tranquille*, et puis ensuite celle des *Tableaux* ont été conçues comme une *enquête sur le Canada français*. L'exploration s'est définie et affinée en cours de route au fil des croisées de chemins et des déconvenues. À aucun moment il ne s'est agi de faire l'autopsie d'une expérience consommée : je voulais sonder une expérience en train de s'accomplir en temps réel.

Évidemment, il y avait au départ une série de questions lancinantes, et un croquis assez grossier emprunté aux explorateurs antérieurs et à leurs sherpas. Mais ce qui a déclenché ce voyage est le caractère insatisfaisant des cartographies traditionnelles qui présentaient cette *terra incognita* complexe sous forme de chromos ou de chimères inspirés par fables ou idéologies. Fondamentalement, l'objectif était, au fil du voyage, de

i

construire une cartographie moins imparfaite, et de reconstituer une chronique qui débarbouille les faits des ajouts fantaisistes.

Un iconoscope ancré dans quatre expériences

Je ne partais pas les mains vides. Je pouvais compter sur l'expérience de divers terrains que j'avais pratiqués en tant qu'économiste-historien ou comme journaliste au cours des décennies antérieures – expériences dont mon iconoscope a été dérivé.

Un iconoscope est une sorte d'appareil d'optique rudimentaire, inventé au 19ᵉ siècle, ayant la capacité d'accentuer les différences pour permettre de mieux les apprécier. L'iconoscope que j'ai utilisé dans les trois premiers tomes des *Tableaux d'avancement* a émergé de quatre expériences.

D'abord, celle de ma vie au pied de la Pente Douce à Québec dans les années 1940 et 1950 – un moment où le milieu se transformait à la vitesse Grand V. Il s'agissait d'une communauté urbaine tricotée serrée où la société civile avait une valence relativement importante à côté des relations marchandes et de l'espace politique. Cette communauté va être en mutation continue au cours de ces décennies en conséquence du fait que, dans les années 1940, autant de gens s'urbaniseront au Québec que dans tout le siècle qui a précédé. Ce choc a été déterminant.

Voilà qui va secouer ce soubassement socio-culturel touffu et riche : encore attaché au religieux par certains liens, mais aussi à l'humus d'où montait une fronde continue – qu'elle vienne de ceux qui, dans les années 40, vivaient dans la clandestinité dans mon quartier parce qu'ils avaient refusé les règles de la *Conscription*, ou des lecteurs du *Front ouvrier* en train jeter les bases d'un syndicalisme revendicateur dans les années 50. Cette vie communautaire demeurait cependant grandement animée par la *philia* et avait évidemment des inconvénients : le contrôle social y était parfois un tantinet incommodant. Mais en contrepartie, il y avait un tissu de rapports interpersonnels fort riches, distillant une sorte de contre-société associative diffuse et informelle qui mobilisait les membres de la communauté, et l'alimentait culturellement de multiples façons.

Ensuite, il y a eu l'expérience de l'université – une expérience informée par des maîtres qui disaient encore haut et fort que l'économie s'apprenait dans les tramways, qu'il fallait observer ta trame de la socio-économie et de la politie en tant que processus institués – des arrangements toujours en train de se modifier pour forger des armistices efficaces entre les forces du milieu et celles émergeant des divers groupes poursuivant des objectifs différents.

Mes travaux avec Albert Faucher au début des années 60 (Faucher et Paquet 1966), et avec Jean-Pierre Wallot ensuite (des travaux qui, dans ce dernier cas, se poursuivront pendant 40 ans – voir le livre synthèse de ces travaux Paquet et Wallot 2007) m'ont permis d'explorer l'évolution du Canada depuis la fin du 18e siècle jusqu'au milieu du 20e siècle. Ces travaux ont sondé les divers sous-procès de la socio-économie (démographie, finance, production et échange, État, répartition des revenus et de la richesse, groupes sociaux et leurs motivations) qui s'entremêlent pout tisser la trame de la socio-économie, et ont analysé les divers armistices qui ont marqué l'évolution de cette trame institutionnelle du Canada et du Canada français. De ces travaux a émergé un appareil d'analyse qui a servi ensuite dans mes enquêtes sur le Canada français (Paquet 2016a).

Et puis il y a eu, en parallèle, mon expérience journalistique de près de 30 ans – de la fin des années 70 au milieu des années 2000. Ce travail d'observation et d'analyse à chaud m'a amené à sonder la socio-économie charnelle en actes. Dans les entrevues que j'ai pu réaliser pendant plus d'une décennie à Radio-Canada, ou ensuite dans mes éditoriaux dans le quotidien *Le Droit* dans les années 90, et puis dans mes commentaires hebdomadaires à TV Ontario entre 1995 et 2006, j'ai appris à débroussailler des problèmes complexes au jour le jour. Mais le journalisme m'a aussi donné l'occasion de faire des expériences de synthèse – un tour radiophonique du pays (Paquet 1979), et une synthèse préliminaire de l'histoire socio-économique du Canada et du Canada français (Paquet 1980-81) – ainsi que de faire rapport épisodiquement sur certaines tendances en émergence pour des revues d'opinions tout au long de ces années (Paquet 1984). Ce travail journalistique m'a permis de mettre beaucoup de chair sur les perspectives générales, et de faire le pont entre les cadres conceptuels et le vécu.

Finalement, il y a eu ma participation directe au débat critique sur la Révolution tranquille avec mon livre de 1999 – une participation qui s'est continuée cahin-caha au cours des 15 ans qui ont suivi (et sur laquelle j'ai fait un rapport préliminaire dans la Partie III du *Tableau II*), mais qui a continué depuis (Paquet 2016b, 2016c).

Cette remise en question de la Révolution tranquille n'était ni la première, ni la seule, mais elle m'a permis de mettre le doigt sur les dimensions névralgiques de cette 'cassure' mythifiée dans les représentations de l'expérience du morceau principal du Canada français – le Québec.

En dénonçant le caractère fumeux de certaines interprétations du phénomène, j'ai été amené à repenser son avant et son après, à plus pleinement apprécier le dynamisme entrepreneurial passé du Canada français, à sonder la profondeur de l'incompréhension qu'on en avait, et à mieux comprendre l'intérêt qu'il y avait à déborder de la québécitude pour comprendre le Québec (à extirper le reste du Canada français de ses combats douteux) – pour mieux voir les futuribles du Canada français moderne.

Cette réflexion sur le Canada français moderne a été révélatrice. Il est devenu clair que la fermeture des perspectives dans nombre de fragments du Canada français avait eu des effets toxiques : le repli sur soi permettant l'émergence de divers intégrismes locaux, et en arrivant à faire perdre de vue toute l'importance de la diaspora canadienne-française et des expériences variables qu'elle avait engendrées. Plus important encore peut-être est le fait que cette réflexion a permis de mettre en lumière la lourde hypothèque de fétichismes (comme celui de la langue parlée à la maison) qui ont eu un rôle central dans l'aveuglement qui a dévoyé la notion même de développement des diverses communautés du Canada français.

La réalité d'un Canada français pluriel – bouillonnant de communautés qui débordent largement le carcan légal ou l'étiquette administrative dans lesquels les juristes voudraient les enfermer – est un thème qu'on a abordé dans le *Tableau III*. Ce qui est sorti de ces questionnements : un Canada français condamné à vivre dans un monde de concurrence darwinienne où les conditions de progrès sont l'antifragilité par l'ouverture, la flexibilité, la collaboration et la métamorphose (Frank 2011; Taleb 2012; Paquet et Wilson 2016).

Ces quatre expériences ont agi comme autant d'éclairages complémentaires qui ont exposé les multiples prisons mentales qui peuvent si facilement débiliter les efforts d'analyse du Canada français, ont pointé du doigt les divers clergés qui en ont été les obscurantistes prédicateurs, et ont fait comprendre que de nouvelles perspectives s'imposent – plus dynamiques que celles défendues par les apôtres du repli derrière des remparts légaux illusoires.

Fédérer ces diverses expériences en un éclairage intégré pose problème.

D'abord, conceptuellement, cette exploration requière une approche qui ne saurait produire que des fruits baroques aux formes irrégulières : à éviter donc des réponses trop simples qui ne sauraient mener qu'à des impasses. Ensuite, cette sorte de quête exploratoire réclame un modicum de *capacité négative* (comme disait Keats) – capacité de continuer même quand les difficultés sont grandes, et d'éviter de sombrer dans le découragement – ce dernier écueil étant naturellement exploité par les apôtres du repli sur soi. C'est la situation décrite par Roy Lewis (Lewis 1960) dans un livre satirique qui met en scène une communauté de singes arboricoles où Edward, le père génial, découvre le feu, et convainc sa famille de descendre des arbres, et de développer un mode de vie plus gratifiant. Dans ce nouveau monde, les nouvelles situations créent défis, et de nouveaux obstacles doivent être surmontés. Or, chaque fois qu'un événement malséant survient, l'oncle Vania monte au créneau, et articule les récriminations véhémentes des malcontents qui dénoncent le progrès, et sont les animateurs d'un mouvement prêchant le retour aux arbres.

Les juristes – surtout les civilistes – ont joué un rôle prédominant dans le mouvement de retour aux arbres qui survit au cœur du Canada français. Leur cadre de référence ne jure que par les droits, les règles, les lois et les constitutions, et un ordre institutionnel qu'ils prétendent conformer par décret et couler *dans le ciment*. Leur outillage mental les amène à privilégier un certain *conservateurisme administratif* (*administrative conservatorship*), à chercher à préserver les acquis plutôt qu'à aider les citoyens à progresser – et à privilégier, au nom des valeurs traditionnelles, cette préservation même après la date de péremption de certaines institutions (Terry 2003). Ces prisons mentales ont souvent condamné la socio-économie à ne pas évoluer même quand l'évolution était nécessaire : cela vient souvent du fait que le droit retarde sur la culture, et en arrive trop souvent à bannir congénitalement l'imagination.

Critiques à plusieurs voix de la trilogie

En 2016, quelques collègues ont eu la gentillesse de commenter les trois premiers *Tableaux d'avancement* dans les pages de *www.optimumonline.ca* (livraison de décembre 2016). Ceux qui prendront le temps de lire ces commentaires verront qu'ils ont été critiques de diverses façons : d'abord, comme c'était prévisible, certains auraient voulu que je consacre davantage de place à l'État; ensuite, on a trouvé l'approche baroque et l'analyse systémique relativement compliquées; et puis, on a trouvé le ton trop critique et ironique; enfin, le manque d'une attention suffisante aux valeurs et à la société civile a été souligné.

La première de ces critiques vient d'un vieux fond de foi en l'État que Clinton Archibald note en passant – avec nostalgie – et dont Rod Leggett fait son cheval de bataille. Plus ou moins directement, ces deux politologues enregistrent leur réticence par rapport à la notion de *gouvernance*. Le fétichisme de l'État en fait l'équivalent du Veau d'or pour les politologues. De là à en faire la condition nécessaire du développement, il y a cependant un grand pas. Les moments de totalitarisme et de contre-démocratie qui se cachent derrière le paravent de l'État intrusif peuvent fort bien être présentés comme 'efficaces' ou 'nécessaires' à l'aide d'arithmétiques fumeuses. C'est comme pour l'État d'exception.

Mais ces évaluations sont toujours partielles et partiales. Systématiquement, on fait la partie belle aux grands projets scintillants et aux locomotives arrivant toujours à l'heure, à coups de métaphores, sans trop porter attention aux énormes coûts de ces bouffées étatiques pour la socio-économie et ses fondements.

La plupart du temps, dans les décennies subséquentes à ces énervements étatiques – à cause de l'inertie que l'État réussit à injecter dans la socio-économie par ses basses œuvres, et des rationalisations ronflantes que les inconditionnels de l'État sont capables d'inventer pour couvrir d'un voile pudique les décisions désastreuses – on vit des descentes aux enfers qu'on met beaucoup de soins à occulter. C'est le cas pour la socio-économie québécoise des années 70 aux années 90 telle que décrite par Pierre Fortin (Fortin 2009) – celui-là même que Leggett, dans son texte, a appelé à la barre comme témoin de la Couronne à l'aide de certains autres écrits où la « descente aux enfers » est à toute fin utile gommée.

Pour moi, l'État dans sa concrétisation traditionnelle est surtout un écran de fumée derrière lequel se cachent la centralisation, la hiérarchie, la contre-démocratie et la chasse aux rentes. Pas question de nier que, dans l'aveuglement de l'instant, l'État ait pu paraître indispensable à certains moments, mais les avantages qu'on lui attribue si aisément à court terme ont le plus souvent été grandement surévalués, et les coûts qu'il a imposés à moyen et à long terme ont été trop facilement occultés. Comme dirait Régis Debray, personne n'a jamais vu un État – c'est un rapport entre les hommes dont l'institution ne saurait cacher la toxicité.

La seconde de ces critiques par Andrea Courtney porte sur les difficultés de l'approche baroque et de l'usage de l'analyse des systèmes. Or, c'est un détour nécessaire si l'on veut débusquer les forces qui se cachent derrière le voile de l'État, et prospecter les réseaux de pouvoirs qui s'y replient. Ces réseaux sont complexes, et leur cartographie commande qu'on prenne en compte les effets indirects et les causalités obliques. Cela rebute les cœurs simples pour qui les seuls liens cause-effet au premier degré comptent. Peut-on améliorer la présentation et dire les choses plus simplement? Il faudra essayer.

La troisième critique à laquelle Archibald et Courtney font écho porte sur le ton polémique de mon argumentaire. C'est ma réaction pavlovienne à la prévalence de la molle pensée et à l'érosion de la pensée critique. L'idée de vaporiser d'adverbes toutes les propositions afin de les dégriffer et de les immuniser ainsi contre le déboulonnage, me semble un procédé déplorable destiné à tuer la délibération sérieuse et la contestation robuste. Or la délibération est essentielle à la clarification des idées. Si l'on veut vraiment mettre au test des propositions inacceptables, tout effort pour les immuniser en les amollissant ne peut que permettre que prospère la confusion dans les débats et dans les esprits. Je ne crois pas pouvoir ou devoir corriger ce travers nécessaire.

La quatrième critique – celle de Gary Caldwell – souligne les diverses manières dont il peut être dit que les *Tableaux* sont incomplets, et il a raison. J'ai dit trop peu sur la famille, sur l'érosion de la pensée critique et comment la réparer, sur la moralité à réinventer aussi, etc. Beaucoup avait été dit dans Paquet (1999), et un peu à propos du rapport à l'Autre, au Nouveau et à l'Incertain dans le *Tableau II* – mais c'est vraisemblablement insuffisant.

Un cinquième point auquel touche Archibald est l'omniprésence des fausses représentations (fausse conscience, idéologie, intégrisme linguistique, ainsi que le persiflage qu'on a construit sur ces bases) qui jouent un rôle fondamental et toxique dans le discours traditionnel sur le Canada français. Voilà qui est au centre de toute la mythocratie autour de la Révolution tranquille ou des actions locales des taupes aveugles et obstinées (obstinées parce qu'aveugles) : l'action de prétendus définisseurs de situation qui partout dans le Canada français concoctent des stratégies inconsidérées ne pouvant que mener à la perdition des groupes qui les proposent. On se croirait en plein 18 brumaire de Louis-Napoléon Bonaparte – un livre éclairant de Karl Marx sur la situation en France au milieu du 19e siècle et qui le demeure dans notre société de spectacle. Il faudra faire une place plus grande à ces phénomènes.

Finalement, il y a la remarque de Courtney sur les dangers d'utiliser l'ironie. C'est évident. Mais comment exposer autrement les observateurs englués dans des discours catatoniques au premier degré – les institutionnalistes traditionnels – et ceux qui ne veulent laisser aucune place à l'imagination comme les juristes. Il est bien difficile, comme dit le proverbe somalien, d'éveiller les gens qui font seulement semblant de dormir. L'ironie permet parfois de les déstabiliser, et de faire qu'ils se trahissent.

Une feuille de route

L'objectif de ce volume IV est triple :
- mieux préciser le fil conducteur qui a guidé le grand voyage qu'a représenté la construction des trois premiers volumes;
- imaginer un peu plus avant comment va pouvoir se construire la diaspora canadienne-française dont j'ai parlé à la fin du *Tableau III*; et
- débusquer les ennemis de l'intérieur et de l'extérieur qui menacent, et vont continuer de menacer l'avènement de cette diaspora revigorée qui viendrait insuffler une âme à ce corps disparate.

Pas question d'abandonner le projet initial, mais de synthétiser un argumentaire qui s'est souvent épivardé au fil des sous-enquêtes dans toutes sortes de chemins de traverse, et de dégager certaines indications sur lesquelles on pourrait se baser pour pousser plus loin une prospective mieux focalisée.

Le seul test de la qualité de ces indications est leur valeur heuristique :
- leur capacité à guider l'enquête qui veut construire cette diaspora canadienne-française antifragile comme stratégie de sortie des ornières actuelles dans lesquelles les divers morceaux du Canada français sont embourbés;
- leur capacité à inspirer un design efficace pour les contours et la trame de cette diaspora qui restent à imaginer, et de la façon dont le Québec et le reste du Canada français vont en bénéficier;
- leur capacité à aider les sciences humaines à faire face aux défis de la prospection et de l'exploration des possibles, de manière qu'elles ne se contentent pas de faire l'autopsie des événements morts alors que leur vocation est de dessiner des vies possibles.

Pour réussir,
- ces prospections et explorations doivent d'abord demeurer des *esquisses toujours ouvertes* à l'amélioration et à la contestation parce que l'apprentissage social est continu, et qu'il est peu probable que la *fata morgana* qui va allumer

l'imagination va nécessairement créer le miracle – l'action
engendrée par cet imaginaire va seulement contribuer,
souvent par des voies imprévues, à faire naître le nouveau
qui autrement n'aurait pas émergé;

- ensuite, il faudra aussi que ce *Tableau IV* montre aussi
clairement que possible comment les morceaux actuels du
Canada français vont y trouver leur compte, et comment
la diaspora pourrait y acquérir une existence porteuse de
vision plus large et de stratégies plurielles plus prometteuses
qui exhaussent et catalysent l'expérience des parties;

- enfin, il va s'agir d'identifier ceux qui, à l'intérieur et à
l'extérieur, par fausse conscience ou par pur esprit de
sabotage, vont vouloir miner ce travail de construction de la
diaspora. Il faudra exposer le travail de sape des gentilités
locales déterminées à continuer à défendre bec et ongles des
conservatismes entièrement ancrés dans un temps qui n'est
plus le nôtre, et à refuser de repenser des arrangements sur
lesquels leur autorité fragile leur semble encore être fondée;

- mais il faudra aussi combattre, à l'autre bout du continuum,
l'obstructionnisme des unanimistes – ceux qui veulent
encastrer et embaumer les communautés existantes dans
un carcan unique qui va empêcher chacune de faire usage
de tous ses degrés de liberté. Sans oublier le groupe le plus
toxique : ceux qui pensent pouvoir se débarrasser, morceau
par morceau, du Canada français – en commençant par
les communautés les plus petites et les plus vulnérables.
L'immigration massive et sans discrimination et l'idéologie
multiculturaliste sont les armes les plus importantes de ce
groupe (Paquet 2012).

Dans chacun de ces cas, l'incomplétude institutionnelle – c'est-
à-dire le manque d'une diaspora plus fortement connectée, d'un
esprit et d'une action au pluriel, d'un régime d'engagement au
niveau de l'ensemble, et d'un blocage aux forces obstructionnistes
– est le talon d'Achille qui empêche que se constituent avec le
temps les conditions nécessaires à la résilience et à l'antifragilité
de la diaspora et de ses parties (Thévenot 2006).

Conclusion

J'ai dit ailleurs comment l'aide de certains collègues de l'Université d'Ottawa et de son entourage a été importante dans ce long et ambitieux projet. Au moment de conclure ce périple, Il me semble important d'ajouter un nom – celui de Linda Cardinal, celle qui a attiré mon attention sur ces questions épineuses il y a une vingtaine d'années.

Je ne me serais pas engagé dans ce qui a été mon livre sur la Révolution tranquille de 1999 sans nos conversations animées. Tout au long de ces années de conversations irrégulières, nous nous sommes trouvés le plus souvent en profond désaccord dans nombre de d'échanges conceptuels ou tactiques. Pour avoir attiré mon attention sur ces problèmes et n'avoir jamais permis que mes propos hérétiques (pour elle) sur ces questions entament notre amitié, il me semble important, en fin de parcours, de lui dire merci.

Références

Tableaux d'avancement

Paquet, Gilles. 2008. *Tableau d'avancement (I) – Petite ethnographie interprétative d'un certain Canada Français.* Ottawa : Presses de l'Université d'Ottawa.

Paquet, Gilles. 2011. *Tableau d'avancement II – Essais exploratoires sur la gouvernance d'un certain Canada français.* Ottawa : Invenire.

Paquet, Gilles. 2014. *Tableau d'avancement III – Pour une diaspora canadienne-française antifragile.* Ottawa : Invenire.

Dossier commentaires sur les *Tableaux d'avancement, www. optimumonline.ca,* 46(4), Décembre 2016, p. 36-57 :

Archibald, Clinton. « Les dires d'un trublion à propos du Canada français »

Caldwell, Gary. « The missing dimensions in Paquet's Opus »

Courtney, Andrea E. « The perils of mixing baroque governance, systems thinking, and irony »

Leggett, Rod. « An institutional response to Paquet »

Autres références

Faucher, Albert et Gilles Paquet. 1966. « L'expérience économique du Québec et la Confédération », *Journal of Canadian Studies*, 1(3) : 16-30.

Fortin, Pierre. 2009. « Six observations sur la croissance québécoise à la manière de Gilles Paquet » dans C. Andrew, R. Hubbard, et J. Roy (sld). *Gilles Paquet, homo hereticus*. Ottawa : Presses de l'Université d'Ottawa, p. 284-299.

Frank, Robert H. 2011. *The Darwin Economy*. Princeton, NJ : Princeton University Press.

Lewis, Roy. 1960. *What we did to Father*. Londres, R.-U. : Hutchinson.

Paquet, Gilles. 1979. *La socio-économie canadienne*. Dix émissions de 75 minutes diffusées à l'été de 1979. Transcriptions faites par la Maison de Radio-Canada, 250 p.

Paquet, Gilles. 1980-81. *Histoire économique du Canada*. Vingt-cinq émissions de 60 minutes diffusées automne-hiver 1980-81, Transcriptions faites par la Maison de Radio-Canada, 537 p.

Paquet, Gilles. 1984. « Bilan économique d'une dépendance », *Autrement*, n° 60, p. 29-36.

Paquet, Gilles. 1999. *Oublier la révolution tranquille – Pour une nouvelle socialité*. Montréal, QC : Liber.

Paquet, Gilles. 2012. *Moderato Cantabile – Toward Principled Governance for Canada's Immigration Policy*. Ottawa, ON : Invenire.

Paquet, Gilles. 2016a. « La socio-économie québécoise en mutation : une méso-analyse aventureuse » dans Meunier, E.-Martin (sld). *Le Québec et ses mutations culturelles*. Ottawa, ON : Presses de l'Université d'Ottawa, p. 111-146.

Paquet, Gilles. 2016b. « Notes caustiques sur la Grande Noirceur », *www.optimumonline.ca*, 46(3) : 43-56.

Paquet, Gilles. 2016c. « La Révolution tranquille en tant que sur-objet », *Argument*, 18(2) : 30-36.

Paquet, Gilles et Jean-Pierre Wallot. 2007. *Un Québec moderne 1760-1840 : Essai d'histoire économique et sociale*. Montréal, QC : HMH.

Paquet, Gilles et Christopher Wilson. 2016. *Intelligent Governance – A prototype for social coordination*. Ottawa, ON : Invenire.

Taleb, N. Nicholas. 2012. *Antifragilee – Things that gain from disorder*. New York, NY : Random House.

Terry, Larry D. 2003. *Leadership in Public Bureaucracies – The Administrator as Conservator*. Armonk, NY : M.E. Sharpe.

Thévenot, Laurent. 2006. *L'action au pluriel – sociologie des régimes d'engagement*. Paris, FR : Éditions La Découverte.

INTRODUCTION
Une démarche critique qui n'exclut pas l'imagination

« Pour pouvoir écrire, il faut avoir longtemps rêvé »

Anne Hébert

A u cœur des *Tableaux*, il y a toujours eu en priorité *la recherche d'un régime d'engagement qui convienne*. Or, cette quête ne pouvait commencer que par un état des lieux tels qu'ils semblaient émerger à partir de trois belvédères : le point de vue de certains politiques, de certains intellectuels et de certaines institutions – même si ces perspectives étaient toutes partielles et partiales, et embrumées par les intérêts. J'en avais prévenu le lecteur dès l'introduction du *Tableau (I)*.

Derrière ces perspectives, presque toutes dominées par des lectures du Canada français à travers les lentilles d'une *culture seconde* (distillée par les intellectuels et déformée par les idéologies), j'ai suggéré qu'on pouvait détecter le *noyau dur de la culture première* dont les idéologies ne retenaient que des chromos distordus. Ce noyau dur me semblait avoir émergé clairement de mes travaux en histoire économique (*Tableau (I)* : 5-8). La conclusion du *Tableau (I)* posait le défi central du régime d'engagement à redéfinir pour le Canada français dans notre monde moderne.

La culture du Canada français et
les trois premiers *Tableaux*

Cette culture de base du Canada français a gardé une cohérence particulière tout au long des deux derniers siècles : une culture individualiste, dynamique et entrepreneuriale.

On peut préciser ce qui conforme le noyau dur de la culture du Canada français :

- rationalité sélective, et limitée des agents, et représentations mentales imparfaites;
- apprentissage collectif relativement rapide mais avec bien des erreurs;
- mécanisme de sélection adoptant les patterns les plus viables de représentations, de règles et de conventions, compte tenu du milieu en évolution;
- entrepreneurship économique, social et politique au cœur du processus d'adaptation des représentations et des comportements;
- dynamique d'adaptation par les agents et d'adoption par le milieu au cœur de la co-évolution;
- capacité remarquable à distiller des régimes qui assurent l'accommodement dynamique.

La culture qui se cristallise autour de ce noyau dur est une organisation de pratiques (équipements, rôles et structures, identités et objectifs) qui adopte un certain style (c'est-à-dire, une façon de s'intégrer en un tout), et définit et révèle des habiletés à répondre de façon créatrice aux défis économiques, politiques et sociaux. Elle bricole de manière continue, et privilégie les points de repère, les points d'ancrage, les mécanismes de coordination qui se sont révélés à l'usage les plus performants. Dans ce composite, l'ajustement des comportements suffit quand l'environnement est relativement stable, mais l'ajustement des représentations est nécessaire quand les changements sont plus dramatiques (Spinosa *et al.* 1997).

Au Canada français, on a vu se développer un monde culturel (théorie, structure, technologie) d'un style particulier où esprit d'entreprise, solidarité et citoyenneté sont ancrés dans ce que Charles Péguy, et André Burelle après lui, appellent des *patries charnelles* – famille, paroisse, quartier, village, communauté, ethnie, nation. Cette vision de la culture canadienne-française personnaliste et communautaire (Burelle 1996) est celle qui est aux fondements des forces vives, des compétences et des pratiques du groupe canadien-français. C'est de là que le groupe canadien-français tire sa force, mais aussi sa diffraction. En effet, un Acadien et un Québécois voient tout aussi clairement ce qui les fait se ressembler et se distinguer. Il y a parenté par la langue et *distinguo* forgé par la différence des contextes, mais reste le noyau dur commun enraciné dans un capital social du même type.

L'apprentissage collectif qui transforme de façon continue cette culture ne se fait pas nécessairement toujours avec souplesse. Il y a souvent des blocages créés par des conflits de stratégies :

• tension entre des stratégies de repli et de dépassement;
• hiatus de l'ultramontanisme et ses effets d'écho;
• la déconnexion entre les élites et le peuple;
• des ajustements à plusieurs vitesses;
• conflits autour de la division du travail public/privé/ civique;
• le perpétuel conflit d'un grand et d'un petit Canada français;
• la collusion « tacite » des élites fédéraliste et autonomiste pour habiller la césure démographique de 1960 du Québec d'oripeaux révolutionnaires.

De tous ces handicaps, le dernier a peut-être été le plus toxique : l'érosion du capital social par l'État intrusif qui a été, au Québec, le côté sombre de la Révolution tranquille (Paquet 1999). Voilà qui a donné naissance à une velléité de nationalisme civique à saveur étatique pour remplacer un nationalisme communautaire qui n'avait pourtant pas mal servi le groupe canadien-français. Je me souviens du support vibrant de la communauté québécoise pour celle de Maillardville dans les années 1950. Ce genre de lien s'est distendu depuis. D'où le besoin pour le Canada français d'aujourd'hui de se *resoucher* dans sa culture séculaire tout en accommodant les impératifs d'une culture *civique* capable d'inclure la pluralité des perspectives des nouveaux arrivants.

Ce dernier accommodement est en train de se faire, mais bien lentement dans les diverses communautés du Canada français – chacune à sa manière, mais selon un pattern ou un style qui reste commun. Et l'effet cumulatif de ces ajustements, qui ne gomment pas les patries charnelles, prépare le prochain avatar de la culture du Canada français.

Voilà ce que révèle le dossier documentaire et un examen attentif des archives : le Canada français n'a été ni infiniment plus astucieux que ses voisins ni tellement moins efficace dans la définition de ses institutions, et dans les ajustements au fil du temps. De même que la nature a une capacité d'ajustement et de transformation pour assurer sa résilience, la culture du Canada français a montré ces mêmes capacités et cette même résilience.

Cette réalité fugace n'est cependant pas facile à épingler. Il faut un travail ethnographique considérable pour définir exactement ce qui fait l'unité de la culture du Canada français, et en montrer la trace au cœur des divers morceaux du territoire et la pérennité au fil des décennies. La tentation est donc grande soit de nier cette réalité périssable, soit de lui substituer une stylisation moins compliquée pour mettre un peu d'ordre dans ce chaos.

Le *Tableau II* construit la prochaine étape de l'enquête sur une problématique gouvernance (esquissée en quelques pages), et procède à quatre familles de sous-enquêtes pour identifier les forces les plus importantes qui empêchent d'y voir clair (les cosmologies dominantes, l'outillage organisationnel en vogue, le brouillard engendré par les mythes de la Grande Noirceur et de la Révolution tranquille et les pathologies qui s'en sont suivies, et les incapacités à faire face imaginativement aux défis de l'innovation, de l'incertitude et de la collaboration). La conclusion du *Tableau II* débouche sur une invitation à intervenir de manière pratique, précise et ergonomique, par la mise en place d'*affordances* – des dispositifs susceptibles d'aider les personnes à moins mal penser, de faciliter la collaboration et le travail d'innovation et d'exploration en gouvernance.

Le *Tableau III* va plus loin : ne se contentant plus de chercher des *affordances,* il entreprend de penser le Canada français autrement, c'est-à-dire, comme une réalité composite et désarticulée, des entités baroques marquées par une socialité diffractée et des liens ténus entre ses composantes. Ce Canada français est toujours en train, dans ses divers morceaux, d'inventer des moyens de se gouverner mieux en se métamorphosant avec créativité – tout en gardant une mémoire collective des origines et un engagement plus ou moins profond à préserver certains liens avec ces origines au moment d'inventer une gouvernance hybride qui promet progressivité et antifragilité. Progressivité veut ici dire grande capacité à se transformer et à innover, et antifragilité, une capacité à s'ajuster de mieux en mieux et de plus en plus vite à des chocs de plus en plus importants.

Le premier tiers du *Tableau III* examine la gouvernance sous toutes ses coutures de manière à bien illustrer où se trouvent les points où les pressions peuvent le mieux s'exercer. Mais il n'a pas dit suffisamment clairement la centralité de la notion de *stewardship* – notion sur laquelle la gouvernance est bâtie : un processus (ni une tâche, ni une position) auquel toutes les personnes et groupes de tous les niveaux de l'organisation doivent prendre part, et dont l'objectif est que l'on fasse en sorte que (1) la nouvelle gouvernance décentralisée fonctionne bien; (2) l'apprentissage collectif soit effectif; et (3) résilience et antifragilité s'ensuivent (Paquet 2009c : 195ss; Paquet 2016 : 194ss; Paquet 2017)

Dans le second tiers du *Tableau III*, on présente cinq laboratoires délibérément disparates pour permettre au lecteur d'entrer dans l'action au pluriel, et de comprendre que l'approche gouvernance ouvre la porte à des interventions prometteuses.

Ces coups de sonde sont autant de gros et petits scaphandres lancés dans des eaux plus ou moins profondes et troubles et des situations complexes que la Canada français a vécu – mutations, impasse de l'impolitique, hoquets de gouvernance, et bonheur – sans objectif plus ambitieux que d'aider à mieux apprécier la *réactique* du Canada français dans ses morceaux, et d'illustrer le pouvoir heuristique de l'approche gouvernance.

Dans le troisième tiers, on propose certaines inculpations : on cherche à identifier les sources de dysfonctions dans le processus de décision collective, de coups d'État contre élus et instances citoyennes, ainsi que les sources d'impostures et de corruptions. Ces infamies et pathologies ne peuvent pas toujours être attribuées à des personnes. Ce sont souvent des groupes, des mauvaises habitudes, des errements, des systèmes qu'il faut mettre en cause.

En conclusion du *Tableau III*, on esquisse en quelques pages des éléments d'un manifeste pour un Canada français antifragile qui annonce, sans le dire explicitement, ce *Tableau IV*.

L'omnibus canadien-français et ses handicaps

Cette démarche, malgré le volume des analyses qu'elle a produites, demeure malgré tout incomplète de bien des manières. Les commentateurs ont souligné certaines lacunes dont j'ai parlé dans le propos d'étape, mais le grand manque, me semble-t-il, dans mon invitation au voyage est qu'il est devenu clair, en cours de route, qu'*une invitation ne saurait suffire.*

Les notions de gouvernance et de *stewardship* ont beau être centrales, elles ne sont pas encore bien comprises, et soulèvent bien plus l'antagonisme que la sympathie chez les juristes et les politologues en particulier.

Ce qui plus est, le confort intellectuel dans le *statu quo* et la complaisance dans les atermoiements autour du statut de victime perpétuelle semblent être suffisamment grands pour que les coûts de l'action au pluriel apparaissent prohibitifs, et pour que l'idée d'inventer un nouveau régime d'engagement au pluriel semble poser un défi herculéen. Tout ce dont on semble capable c'est de rêver à se soustraire aux affres de la collaboration, et de fantasmer sur les joies de faire cavalier seul. C'est le règne des rêvasseries à peu de frais : dès qu'il s'agit de construire un pays ailleurs qu'en chanson, il y a un manque navrant d'initiatives et d'initiateurs disponibles.

La culture de base à la source du dynamisme du Canada français depuis des siècles semble s'être récemment avachie. L'omnibus canadien-français, dans nombre de ses parties, semble paralysé par un mélange de victimologie et d'aveuglement, mais surtout par un manque phénoménal d'imagination et de courage, et une grande paresse intellectuelle.

Pour sortir de cette catatonie, et embrayer le Canada français sur la construction, le mouvement, la métamorphose et le dépassement, il semble qu'il faille *d'abord* reconnaître certains handicaps et réfléchir à la manière de les surmonter :

- d'abord, celui de *l'illusion de totalité* dans laquelle les *élites locales* des communautés au Canada français ont choisi de s'enfermer, et qui les paralysent au moment de jauger la force de frappe de leurs interventions et leurs coûts sociaux;
- ensuite, celui du manque d'une saine appréciation de l'importance de *l'attitude design* et du bon usage des

mécanismes et de l'outillage mental à mettre en place pour faciliter le passage vers un régime d'engagement qui va permettre à la diaspora canadienne-française d'émerger et de jouer son rôle de dynamo du Canada français.

L'illusion de totalité et la myopie des élites locales

Dès les premières pages du *Tableau (I)*, j'ai noté qu'une illusion de totalité – qui selon Jean Paulhan (Paulhan 1945 : 27) amène souvent l'esprit laissé à son libre jeu prendre « pour un tout chacune des observations fragmentaires, qu'il lui est donné de faire ». Ce travers a marqué des générations d'historiens et de spécialistes de sciences humaines dans leur définition du Canada français – et en un sens toute la culture seconde. Cette ondée de fausse conscience a fait que s'est cristallisée une connaissance déformée qui ne correspond en rien aux réalités.

Tout cela a commencé *bravado forte par* certains travaux pointus sur quelques petites communautés par quelques sociologues américains dans le premier tiers du 20ᵉ siècle. Ces travaux ont obnubilé un grand pan de l'intelligentsia canadienne et québécoise, et ont propagé un éventail de mythes à propos du Canada français (Paquet 2008 : 8-9). En conséquence, on a été amené à prendre pour acquis, par exemple, tant dans l'intelligentsia francophone qu'anglophone, que le Canada français était en retard culturellement et économiquement par rapport au Canada anglais. C'est le message de Creighton, Lower et Ouellet et compagnie qui va être considéré comme avéré dans une bonne portion du 20ᵉ siècle.

Dans la plupart des segments du Canada français, les élites locales ont aussi, par l'opération du principe de Don Quichotte, contribué par des simplifications indues, des fantasmes et des généralisations fumeuses, à engendrer des mises en scène de psychodrames de type *réalisme magique* qui en sont arrivées à substituer des chromos au réel, des images fortes à une réalité infiniment plus complexe (Onfray 2014).

Encore plus récemment, on a systématiquement glissé du réel au surréel :

- on a présenté des mesures de la vitalité des communautés de langue officielle en situation minoritaire fondées strictement sur la langue parlée à la maison (et non sur la communauté) qui en sont venues à se présenter comme plus vraies que le réalité communautaire;

- dans le même esprit, on a prétendu que la survie de la macro-communauté franco-ontarienne dans son entier dépendait de la survie de l'Hôpital Montfort – un petit hôpital communautaire à Ottawa;
- ou encore, on a focalisé l'attention sur l'importance qu'Ottawa cherche à se faire désigner *officiellement bilingue* (un statut infiniment mal défini qui pourrait servir de base pour les récriminations les plus déraisonnables) sans avoir montré comment les services bilingues ne sont pas adéquats à Ottawa, et pourquoi il faudrait un outil aussi déstabilisant.

Dans chaque cas, une certaine paranoïa a permis qu'on prenne l'idée fumeuse comme plus réelle que la réalité concrète. S'en est suivie une certaine colonisation des esprits : les représentations des élites de certaines communautés en sont arrivées à tomber cul par-dessus tête dans le spectacle et le théâtre, à tout réduire à des combats symboliques autour d'enjeux pas très substantiels, et à mesurer le progrès à l'aune des succès des minorités à imposer leur *dominium* dans des domaines largement symboliques.

La stratégie de repli sur soi des élites s'est donnée pour objectif de conserver le *statu quo* contre vents et marées. Obnubilées par l'idée de la consécration légale et de l'embaumement des *acquis* à perpétuité, ces élites sont devenues généralement imperméables à l'idée même de la diaspora et à toute argumentation qui voudrait considérer la nécessité de métamorphoses pour ajuster non seulement les stratégies, mais les groupes eux-mêmes aux contraintes changeantes du milieu.

L'attitude design et les mécanismes manquants[1]

L'un des grands impératifs imposés par le contexte en turbulence a été de forcer les observateurs raisonnables à chercher à créer non plus des organisations à l'image de celles du passé – mises en place pour commander et contrôler – mais plutôt des

---

[1] Cette section utilise librement des segments du chapitre 3 de Paquet, 2013.

organisations souples et adaptables dont l'objectif est d'être des engins d'intelligence (au sens de la CIA) et d'innovation capables d'être en apprentissage continu et source de productivité toujours accrue.

Au cœur de cette quête est une nouvelle philosophie du *stewardship* pour remplacer l'ancienne philosophie fondée sur la hiérarchie et la coercition. Cela implique une attitude design et une habileté à assembler des principes, des mécanismes et des stratagèmes en des arrangements destinés à assurer trois capacités (Paquet 2016 : 194ss) :

- celle de donner un sens à l'expérience des gens et des groupes en les replaçant dans un contexte plus vaste où chacun a une meilleure conscience des raisons pour lesquelles il agit, et une meilleure prise en compte de la manière dont les autres intervenants voient les choses;
- celle de contribuer à la construction et au maintien d'interfaces opérationnelles avec les autres membres de la communauté, avec tous les paradoxes qu'elles créent et les autocritiques qu'elles commandent; et
- celle de promouvoir la confiance et d'inspirer l'honnêteté dans les rapports entre membres de la communauté.

Pour ce faire, l'architecte organisationnel moderne compte sur les nouvelles technologies de l'information et de la communication, sur le bon usage de la collaboration et des réseaux, mais surtout sur des façons inédites pour engendrer les motivations nécessaires – non seulement par des incitations et récompenses externes, mais encore par des contrats moraux qui misent sur les motivations internes (Koller 2010; Paquet et Ragan 2012).

Quant au style, il s'agit de la façon dont tous ces éléments s'entre-ajustent et assurent une coordination heureuse, en définissant comment et pourquoi certaines activités importent plus ou moins. Il donne son unité et sa personnalité à l'organisation, et contribue à supporter certaines pratiques et soutenir une certaine culture organisationnelle (Spinosa *et al.* 1997). Il s'agit là d'une composante qui ne peut émerger que d'une attitude différente de celle focalisée sur la simple facilitation de la décision – une attitude qui domine pour le moment dans les études de management.

1) Attitude design

Au cours des dernières décennies, les études en management se sont focalisées sur une approche de plus en plus sophistiquée à la prise de décision : on en est arrivé à définir le gestionnaire comme une personne faisant face à des choix entre différents possibles. On présume qu'il est facile de définir ces possibles, et que la difficulté est de choisir. Or, voilà une attitude qu'il est difficile de défendre en gouvernance. Se contenter d'observer les options disponibles au premier regard, et d'examiner la désirabilité de ces possibles qui sautent aux yeux, en présumant que c'est tout ce qui est possible, ne saurait suffire. Il faut travailler à explorer beaucoup plus sérieusement ce que pourrait être vraiment un éventail beaucoup plus riche des *possibles envisageables*.

Or, voilà qui réclame une attitude focalisée non plus sur la décision, mais sur le *design* parce que tous les possibles imaginables et envisageables ne sont pas donnés d'entrée de jeu. Ils doivent être découverts, construits, inventés. Comme le suggèrent Boland et Collopy (Boland et Collopy 2004 : 9), « *the design attitude is the source of those inventions* ». Le défi est exactement le même que celui de l'architecte professionnel face à un bâtiment public à construire. C'est pourquoi Boland et Collopy ont choisi de construire leur livre sur la gouvernance autour d'une intervention du célèbre architecte Frank Gehry (Gehry 2004).

L'architecte doit inventer une forme d'édifice (comme le *designer* doit inventer une forme d'organisation), et pour ce faire il doit réussir des arbitrages complexes et difficiles entre des impératifs de « faisabilité » (produire ce qui est techniquement et fonctionnellement possible), de « viabilité » (ce qui est susceptible de devenir partie d'un prototype promis à la résilience), et de « désirabilité » (c'est-à-dire, qui s'ajuste aussi aux besoins des parties prenantes, et a un sens pour elles) (Brown 2009).

Voilà qui nécessite un vocabulaire et un outillage mental nouveaux, et qui commande surtout une attitude inédite : une approche qui ne se contente plus de tenter d'imposer l'uniformité et l'efficacité, mais cherche plutôt à comprendre et à coordonner la variabilité, la complexité et l'efficience (effectiveness) comme le suggérait Dee Hock, le designer de VISA (Hock 1999).

Comme je l'explique en conclusion de *Gouvernance collaborative* (Paquet 2011) le caractère insatisfaisant des cadres d'analyse braqués sur la prise de décision vient de leur réductionnisme et de l'hypothèse qu'on a à prendre pour acquis toute la structure et le fonctionnement en place. L'attitude *design* présume que bien des choses peuvent et doivent être modifiées, et compte sur le bricolage de la gouverne comme principal levier pour recadrer les perspectives et modifier les comportements.

L'attitude *design* ouvre non seulement à l'exploitation des ressources matérielles et symboliques en place, mais encore (et de manière plus importante) à l'exploration d'un univers révélé par la relaxation de postulats ne correspondant aucunement à une vue réaliste du terrain des opérations. Ce faisant, elle invite à l'invention de combinaisons et de formes inédites. En conséquence, la gouvernance et le *stewardship* sont redéfinis comme « systèmes d'enquête », alimentant un apprentissage collectif qui, par ses multiples boucles (à divers niveaux) enclenche un processus d'expérimentation (Sabel 2001). Un mélange judicieux de prototypes toujours plus ambitieux, avec lesquels on se permet de jouer, fait qu'on peut espérer développer des approches de plus en plus compréhensives, et ouvertes sur toutes sortes de dimensions (psycho-sociales, morales, etc.) souvent occultées. Ne pas le faire a causé la ruine des initiatives les mieux intentionnées.

Ce travail à l'aide de prototypes (par tâtonnement, et mobilisant la collaboration de partenaires nombreux et distants dont les jeux avec les prototypes vont être à la source de l'innovation – Schrage 2000) est au cœur de l'exploration qui va faire que la gouvernance restaurée va ouvrir la porte à des sensibilités exhaussées. Or, un nouveau prototype est un changement technique qui, comme tous les changements techniques, modifie l'éventail des choix disponibles, et donc les choix faits par les acteurs – des choix qui, avec le temps, deviennent des habitudes, et modifient les références et les valeurs (Mesthene 1970).

La lente revitalisation du régime de gouvernance par la perspective *design* réclame une double révolution dans les esprits :

- une appréciation exhaussée de la puissance de l'auto-organisation et de l'importance du contexte comme forces avec lesquelles il ne suffit pas de composer à contrecœur dans l'évolution des systèmes sociaux, mais dont il faut faire le meilleur usage possible;

- et une conscience renouvelée de l'importance du *design* organisationnel au cœur du bricolage dans l'évolution des régimes de gouvernance.

Restaurer la gouvernance signifie rien de moins que de transformer le pilote automatique, les multiples boucles d'apprentissage, l'intelligence collective. On a commencé à le comprendre dans certains cercles restreints du monde de la gouvernance corporative, mais cela n'a pas suffi pour que la rationalité instrumentale soit déplacée par une sorte de rationalité plus vaste – *design rationality*, rationalité axiologique, rationalité écologique, etc. (Schön et Rein 1994; Martin 2009; Gigerenzer 2008; Smith 2008). Les sciences humaines souffrent de cette prison mentale : elles ont adopté la cosmologie positiviste des sciences physiques au moment où celles-ci l'abandonnaient, et entraient audacieusement dans le monde de la mécanique quantique, de la complexité et du chaos (Paquet 2009a). À moins de changer de paradigme, les sciences humaines demeureront handicapées.

2) Éléments de grammaire du design[2]

Pour une gouvernance et un *stewardship* réussis, il s'agit de rassembler l'information, et de mobiliser les motivations et énergies des partenaires potentiels, pour faire qu'émerge un appareil de gouverne qui sache réconcilier les cadres de référence et les objectifs contrastés des divers partenaires obligés. L'objectif ici est de fixer les idées sur les principes, mécanismes et stratagèmes utiles – un volet à compléter par des contrats moraux pour en arriver à modifier l'architecture de nos organisations pour les rendre davantage habitables (Paquet 2016).

Principes

Le premier est le principe de démocratie ou le principe du maximum de participation. C'est le principe qui assure non seulement le maximum de connaissance mise en commun, mais qui, aussi, à cause de cette ouverture même, fait qu'il est davantage probable qu'on va honorer des engagements pris au vu et au su de tous, à cause de la légitimité qui émerge de processus

---

[2] Cette section reprend largement une petite portion du chapitre 8 de Gilles Paquet, 2005 – un livre désormais épuisé.

plus inclusifs. Il s'ensuit une sorte d'engagement accru qui arc-boute l'action collective.

Le second est le principe de la vérité des prix et des coûts. C'est un principe simple de transparence et de limpidité qui permet à tous les acteurs de prendre les décisions les plus sages parce qu'ils sont bien informés des coûts d'opportunité. On en tire le corollaire que tout ce qui fausse la vérité des prix et des coûts (comme la gratuité artificielle) peut être porteur de mauvaise gouvernance.

Le troisième est le principe de subsidiarité. Ce principe suggère que les décisions les plus sages sont prises par ceux qui sont le plus directement concernés. On va donc privilégier les procédures qui reportent au niveau le plus bas et le plus local possible la prise de décision, et n'accepter de déporter la décision à un niveau supérieur (plus éloigné des instances individuelles et locales) que si c'est indispensable. Autant de décentralisation que possible, mais autant de centralisation que nécessaire.

Le quatrième est le principe de concurrence. C'est le principe de l'anti-monopole. Quand un intervenant quelconque a le choix entre plusieurs sources d'approvisionnement, il y a infiniment moins de chance qu'il soit exploité. Non seulement la concurrence est source d'efficacité, mais elle est aussi un catalyseur d'innovation et d'apprentissage les plus rapides possible.

Le cinquième est le principe de multistabilité. Il s'agit d'un principe important dans l'architecture des systèmes ouverts. Il suggère que la meilleure manière de stabiliser un système différencié est de le segmenter en sous-systèmes, et de permettre à celui des sous-systèmes le plus apte à le faire de s'occuper des ajustements nécessaires quand il y a choc ou perturbation. Voilà qui permet de faire ces ajustements nécessaires à des coûts moindres, puisque tout le système n'est pas forcé de se modifier.

C'est en croisant habilement ces divers principes qu'on peut faire en sorte que l'architecture de la gouvernance assure que la coordination efficace se fasse. Selon le cas, on verra que l'un ou l'autre des principes peut dominer. Vérité des prix et des coûts et abolition du monopole des guildes sont les fondements d'une saine réforme de la santé; la participation est à la base du renouveau de la société civile et de la résolution de la crise de la philia, et de l'entraide, etc. (Paquet 2004a).

La bonne gouvernance vise à assurer cette cohérence minimale : une coordination qui va produire un mélange heureux de stabilité, de résilience, d'innovation et d'apprentissage. La panoplie de moyens pour y parvenir est grande, mais il y a eu convergence au cours des dernières années sur l'ensemble de principes d'architecture mentionnés plus haut dans la construction des instances de gouvernance. Deux ensembles de principes inspirés de travaux au niveau national et au niveau mondial illustrent bien cette convergence (Paquet 2004b; Paquet 2008; Paquet 2009b)[3].

[3] Certains principes sont à toutes fins utiles équivalents. C'est le cas pour (a), (c), et (e). Le langage est un peu différent (et les logiques souvent disparates), mais on souscrit à des arrangements qui impliquent le maximum de participation (a), la délégation de la prise de décision au niveau le plus proche des réalités locales qui puisse s'en acquitter bien (c), et la reconnaissance du principe de spécialisation ou de découpage des responsabilités pour les assigner à l'instance la mieux habilitée à s'en occuper (e).

Pour ce qui est de (b), il s'agit là d'instanciations du principe de transparence et d'imputabilité sous des oripeaux différents.

Quant à (d), il s'agit de principes inversés qui rappellent le caractère relationnel de la gouvernance et l'importance des conflits-concours qui vont devoir la supporter. L'insistance sur la concurrence au niveau domestique vient du fait que c'est un facteur crucial d'innovation, et qu'un gouvernement national peut la dompter; l'insistance au plan mondial sur une certaine solidarité (qu'aucune autorité mondiale n'est là pour assurer) vient du fait qu'un ciment social minimal est nécessaire pour arc-bouter un minimum de collaboration. Dans l'un et l'autre cas, c'est un mélange de concurrence et de réciprocité pour assurer la gouvernance collaborative.

Des nuances s'imposent évidemment entre les deux niveaux à cause de l'importance relative de l'efficacité et de la légitimité. Au niveau domestique, la spécialisation et la multistabilité sont recherchées pour des raisons d'efficacité dynamique, et la concurrence presse dans la même direction. Au plan international, spécialisation et équilibres entre domaines viennent du danger d'institutions envahissant les champs voisins, et de gaspillage par hyper-concurrence. De là, l'importance de l'équilibre des institutions pour assurer une légitimité à ces constellations d'agences internationales qui n'ont pas un gouvernement mondial qui les encadre et qui donc, peut forcer les arbitrages nécessaires. Les circonstances varient de secteurs en secteurs, de régions en régions, et selon la taille, le pouvoir de négociation et le contrôle des activités clés des divers acteurs. En conséquence, l'importance relative de chacun de ces principes ne sera pas nécessairement la même partout et toujours.

L'acharnement à vouloir tout standardiser, considéré comme de bon aloi dans l'application des normes est souvent dans ces forums la source de conflits quasi-impossibles à régler : il faudrait plutôt s'entendre pour parler de « compatibilité des normes », trouver des moyens d'injecter plus de souplesse

Niveau national	Niveau mondial
a. maximum de participation	a. démocratisation
b. vérité des prix	b. responsabilité politique
c. subsidiarité	c. subsidiarité
d. concurrence	d. solidarité
e. multistabilité	e. spécialisation / équilibre entre institutions

En effet, il est devenu clair grâce à l'expérience du GATT (auquel les économistes réfèrent souvent comme le *General Agreement on Talking and Talking*) que la tolérance pour l'ambiguïté, la patience, et le manque de pouvoir exécutoire ne sont pas nécessairement des vices. C'est le flou consubstantiel des ententes auxquelles en arrivait le GATT, et les lenteurs de leur mise en application, qui ont permis de faire tellement de progrès dans la seconde partie du 20e siècle.

Légalisme, pouvoir exécutoire et mécanismes formels d'adjudication peuvent être des empêchements à un multilogue[4] fructueux, à cause même du fait qu'ils mettent un couteau sous la gorge des participants, qu'ils manufacturent une urgence indue à conclure.

Finalement le degré de préparation et de disposition à faire le saut dans un accord contraignant peut fort bien faire en sorte de bloquer les accords possibles : les divers pays – n'ayant pas atteint le niveau de capacités nécessaires pour faire le saut avec bonheur – pourraient peut-être accepter de s'engager dans un processus plus souple qui mènerait à une participation graduelle et graduée à ces accords. C'est là où la largeur du corridor des compatibilités, l'élasticité des échéanciers, et la tolérance pour les retards à se mettre en règle vont faire toute la différence : en permettant un apprentissage et une convergence plus lents, ces caractéristiques organisationnelles, dénoncées par les technocrates, acquièrent un grand pouvoir de réconciliation, et sont générateurs de cohérence (Paquet 2012b).

dans les accords, et inventer des moyens inédits et ajustés aux circonstances pour régler les différends.

[4] Multilogue est un terme maintenant répandu dans la littérature spécialisée en gouvernance pour connoter une conversation à plusieurs. Il est aussi utilisé pour décrire la nature des conversations et interactions utilisant des outils de collaboration ouverts comme les wikis.

Dans la plupart des dossiers, c'est un dosage astucieux des cinq principes qui va permettre de confectionner des arrangements organisationnels fondés sur le support d'un éventail d'acteurs aussi grand que possible, sur un dosage viable de transparence et d'imputabilité économique, politique et sociale, sur un degré de subsidiarité qui n'en détruira pas la logique d'ensemble et les cohérences nationales et locales, sur un mélange pratique de concurrence et de réciprocité, et sur un degré de spécialisation, de multi-stabilité, mais aussi d'équilibre entre domaines et institutions qui soit considéré comme acceptable. Pas surprenant que ce genre d'équilibre subtil soit rarement atteint d'un coup, et même jamais.

Mécanismes

Ces principes généraux indiquent certaines directions générales dans le *design* des organisations, mais ces principes doivent s'incorporer dans des mécanismes efficaces pour que l'organisation soit apprenante. Or, il n'y a pas encore de catéchisme du bon *design* organisationnel. A *fortiori*, dans un univers où le contexte joue un rôle tellement important, le même mécanisme peut fort bien ne pas jouer également, ou également bien ou mal – selon les circonstances.

C'est ainsi qu'une amélioration du niveau de vie peut, selon les circonstances (amélioration plus ou moins rapide que l'accroissement des expectatives), soit engendrer la paix sociale, soit déclencher une grande frustration et une révolution.

Le premier ensemble de mécanismes joue au niveau du forum, du dialogue et de l'inclusion. Il n'y a aucun doute que la création de lieux et d'espaces de dialogue constitue un mécanisme puissant de collection, de production et de partage de l'information, mais aussi d'imitation et d'interaction.

Reste à déterminer le degré optimal de souplesse qui (tout en permettant entrée et sortie libres dans tous les forums et clubs, pour éviter les servitudes) soutienne l'esprit de corps, et façonne une identité suffisamment forte pour assurer l'*affectio societatis* seule capable de garantir la résilience et la robuste capacité d'apprendre et de se transformer qui peuvent assurer la pérennité de l'organisation. C'est le défi de construire une communauté forte sur des liens relativement ténus.

Le second ensemble prend la forme de contrats moraux (Paquet 1992). Il s'agit de l'ensemble des arrangements informels qui émergent des interactions entre individus et groupes, et qui constituent autant de contraintes que les participants choisissent volontairement de s'imposer. Ces contrats moraux ou ligatures nouvelles varient en forme et en contenu, et constituent la trame des partenariats les plus divers, même si ces arrangements demeurent souvent tacites ou informels.

Ces contrats moraux et conventions sont la trame de la gouvernance. Quelles que soient les sphères d'activité (secteur privé, public ou civique) des multitudes de contrats moraux forgent le capital de confiance sur lequel se construisent les réseaux de collaboration. Ils constituent une forme de ciment social fort important pour la coordination efficace à des coûts réduits. La confiance et les contrats moraux sont des substituts pour le droit et les litiges.

Le troisième ensemble de mécanismes est relié au processus d'apprentissage et de recadrage. Dans bien des situations considérées comme sans issue, la bonne coordination passe par une reconnaissance explicite que les diverses parties en présence (qui ont chacune une portion de l'information, des ressources et du pouvoir) voient le monde à travers des prismes, des cadres de référence différents. On peut souvent, par syncrétisme de ces divers points de vue, découvrir des moyens inédits d'atteindre les objectifs poursuivis.

Mais cet apprentissage des moyens ne suffit souvent pas. Seule une réflexion critique et un multilogue sur le caractère limitant et disparate de ces cadres de référence permettent de comprendre ce qui est à la source de la déconcertation, et empêchent la coordination efficace. Et seul un effort de recadrage permet de susciter les arrangements de part et d'autre dans la définition des objectifs, et donc est susceptible de résoudre l'impasse. Cet apprentissage à plusieurs boucles (boucle des moyens, boucle des fins) se fait le plus souvent par l'expérimentation avec de nouveaux prototypes qui aident à redéfinir les situations. Cette capacité à recadrer peut être plus ou moins encouragée, et ce faisant, des rigidités et des blocages peuvent s'ensuivre.

Le quatrième ensemble porte sur les liens entre les croyances aux actes. En effet, les actions des intervenants ne sont pas fondées seulement sur les diktats de la rationalité instrumentale. Elles émergent en bonne part du contexte social et des croyances qu'il colporte. Ces croyances jouent non seulement un rôle de filtre pour empêcher de voir ce qu'on ne veut pas voir, et de grille pour interpréter le monde, mais encore sont au cœur des engagements des divers agents. Elles sous-tendent des mécanismes psycho-sociaux qui enclenchent ou enrayent l'action.

C'est ainsi que le déni, la dissonance cognitive, la sous-estimation systématique des coûts d'une opération pour se convaincre qu'il faut tenter le coup, etc., sont autant de mécanismes qui jouent différemment pour les divers groupes, et vont expliquer des blocages, mais aussi des bascules dans des contextes où souvent des éléments relativement inimportants vont avoir un impact déclencheur déterminant à certains moments.

Les blocages ou déblocages viennent souvent de mécanismes de contagion et de causalité cumulative qui sourdent des interactions dans le forum. Tout un ensemble de mécanismes de mimétisme, d'agrégation d'actions rationnelles pointues et myopes, cascades, synchronismes, etc., déclenchent des effets cumulatifs souvent sans aucune commune mesure avec le déclic originel. Ces phénomènes de foule peuvent fort bien enclencher des bascules importantes (Granovetter 2000; Paquet 2012b).

Le cinquième ensemble de mécanismes est celui des mécanismes à sûreté intégrée (*fail-safe mechanisms*) qui visent à empêcher que le multilogue tourne mal : soit en consensus mous qui ne mènent nulle part, soit en sabotage de la réflexion collective par des mauvais coucheurs.

Voilà qui fait que, si le processus de réflexion collective dérape hors d'un certain corridor de solutions acceptables, et met le système en danger, un certain nombre d'actions seront prises par défaut, si l'on peut dire. Ce réalisme – qui reconnaît la possibilité en pratique de comportements opportunistes et destructeurs, et qui s'assure que l'on met des taquets pour empêcher le sabotage du processus de réflexion collective et les pats destructeurs – joue un rôle crucial[5].

---

[5] Un exemple de tels mécanismes en contexte micro-organisationnel pourrait être la définition de « majorité » dans un tribunal d'arbitrage où il y a un représentant des travailleurs, un représentant du patronat, et un président du tribunal censément neutre. Dans un tel contexte, si l'on s'entend sur la définition de « majorité » comme soit (1) deux voix sur trois (si deux des parties s'entendent

Ces cinq familles de mécanismes (et bien d'autres) jouent concurremment. Le contexte va souvent faire qu'un mécanisme va jouer dans un sens ou dans l'autre, que les mécanismes vont s'enclencher ou se bloquer mutuellement. Il ne s'agit donc pas de lois immuables, mais de constellations de mécanismes qui peuvent jouer ou non, avec force ou non. Voilà qui explique comment des régimes de gouvernance apparemment raisonnables ont engendré des situations intenables, et comment des arrangements apparemment peu prometteurs se sont avérés heureux.

Stratagèmes

Pour fixer les idées, on peut suggérer que quatre familles de stratagèmes peuvent servir de points de repère : la lumière, le sermon, la carotte et le bâton.

En soi, faire la lumière ne change rien, mais c'est quand même un instrument puissant. Une fois certains faits établis, certains coûts mis en lumière, certaines malversations exposées, c'est le point de bascule. C'est ainsi que les comptabilités mafieuses des universités – qui cachent l'allocation croisée des ressources vers certains secteurs au détriment de certains autres – contribuent à perpétuer des états de fait qui ne seraient pas viables (parce qu'intolérables) s'ils étaient exposés.

C'est l'utilité des indicateurs de performance même quand ils sont fort imparfaits. C'est le passage d'une ignorance pluraliste à une connaissance pluraliste qui déclenche le débat et enclenche les imputabilités. Faire la lumière révèle aussi souvent jusqu'à quel point les capacités manquent, les connexions n'existent pas, les incitations sont perverses. On est donc amené à cultiver ces capacités, à refaire les connexions, et à changer les incitations. Tout au moins, c'est désormais possible. Faire la lumière excite le système, le déstabilise, et ce faisant, catalyse le processus d'émergence de solutions nouvelles.

Le sermon aussi a un petit air futile, mais il a une importance très grande sur l'évolution de la culture en définissant et en explicitant les anticipations légitimes. Rappeler aux professeurs

sur une solution), soit (2) la position du président du tribunal (si l'une et l'autre des autres parties refusent de se rallier à la position du président), la voie est ouverte à la conciliation puisque le sabotage ne mènera pas à une impasse, mais à la mise en œuvre de la position défendue par le président du tribunal.

que les universités sont d'abord là pour les étudiants, que les hôpitaux sont d'abord là pour les malades est un rappel qui n'est pas sans conséquence – pas moins que le rappel du contenu de la *Grande Charte* à certains moments de l'histoire.

Mais lumière et sermon peuvent ne pas suffire.

Il faut, de manière davantage proactive, fondamentalement modifier les incitations. Cela peut se faire à l'aide de deux familles de leviers – de façon externe d'abord – indirectement en promouvant la concurrence, ou directement, en modifiant les systèmes de récompenses et de punitions, mais aussi de manière interne – en allant chercher ce qui fait vibrer les personnes et les anime.

Sur le premier front, le premier levier est à la fois plus puissant et moins intrusif : la concurrence accrue ne définit pas ce qui sera le résultat, elle met en place un système susceptible de produire des solutions de rechange qui pourraient engendrer un résultat supérieur. Le second levier est plus délicat, et il dépend d'une connaissance plus approfondie de la dynamique du système : les systèmes de récompenses et de punitions.

Sur le second front, il s'agit moins de contraindre que de mobiliser les motivations intimes des personnes et de les engager ce faisant dans le processus de co-gouvernance. Il s'agit là d'une mobilisation infiniment plus complexe à réussir, mais d'une mobilisation combien plus puissante que les autres, et qui permette même d'espérer, le cas échéant, des changements de culture et d'identité qu'aucune incitation externe ne pourrait rêver d'accomplir. En fait, dans certaines circonstances d'hyper-turbulence, c'est rien de moins qu'un changement de culture et d'identité qui va être nécessaire pour que la gouvernance corporative puisse assurer la pérennité de l'entreprise.

Cependant, ces trois premiers stratagèmes ne sauraient aller nulle part si, en bout de piste, il n'y a pas le bâton : une façon de combattre le sabotage et l'inaction, une façon de sortir des impasses, une façon de sauver le système de ses propres imperfections. Les travaux sur l'évolution de la collaboration ont montré que la stratégie dominante d'auto-organisation est œil pour œil : la stratégie gagnante suggère qu'on doit partir de la collaboration, mais qu'on doit avoir les moyens de punir vertement le « traître », qu'on doit le faire, et qu'on doit recommencer à coopérer immédiatement. Mais il serait faux de croire que le bâton doit être étatique ou qu'il ne sera pas. On a beaucoup d'exemples de stratégies de sanction émergeant de l'action collective privée ou civique (Axelrod 1984; Axelrod et Cohen 1999; Ostrom 2005).

Au-delà du manichéisme juridique : le monde des contrats moraux

Un handicap d'une toute autre nature – plutôt culturelle – vient de la *dichotomie des régimes de droit* (droit civil vs droit commun) qui constitue un véritable mur de Berlin invisible, toxique et incontournable, et qui pourrait limiter le bon usage du droit dans l'avènement d'une gouvernance diasporique du Canada français. Ces régimes sont ancrés dans des philosophies différentes qui définissent différemment le rôle du droit et conforment différemment le rôle de l'État.

Dans la formule choc de Fleiner et Fleiner (Fleiner et Fleiner 2009 : 242) : en droit civil « *whoever is right wins* », alors qu'en *common law* « *whoever wins is right* ». Dans le premier cas, le régime juridique est codifié dans des lois et n'est pas à la merci des décisions des cours de justice, comme c'est le cas pour la *common law*. Ces deux régimes ont des traditions très lourdes qui dépendent de leur conformation : les régimes de droit civil portent un État proactif qui est la source du droit et de la justice, et dont la fonction légitime est de faire l'ingénierie du système dans le but d'atteindre certains objectifs politiques et sociaux jugés désirables en codifiant les comportements désirables et en sanctionnant ceux qui ne le sont pas. Dans les régimes de *common law*, l'État se contente d'arbitrer entre les divers intérêts, et de résoudre les conflits quand ils émergent.

Courchene a suggéré que l'existence d'un régime différent au Québec pourrait expliquer nombre de différences dans la trame socio-économique et politique du pays : l'intégration plus rapide du monde de la finance au Québec qu'ailleurs, l'interculturalisme plus interventionniste au Québec que le multiculturalisme ailleurs, le plus grand dirigisme en politiques sociales et industrielles au Québec, etc. (Courchene 2012). La cohabitation des deux régimes juridiques est évidemment possible, mais *l'esprit des deux régimes* est tellement différent que cette cohabitation ne peut qu'avoir des effets de retombées tant sur les comportements que sur les types d'interactions entre groupes et entre les groupes et l'État.

Nombre de minorités francophones au pays ont une propension à utiliser le droit pour codifier les comportements et encadrer les institutions qui est tout à fait dans l'esprit du droit civil, alors qu'ils vivent dans un monde de *common law* qui comprend mal ces initiatives contraires à l'esprit du *common law*. Voilà qui génère des tensions et des malentendus.

Un autre élément qui différencie les deux régimes est la nature formelle et non–évolutive du droit civil face au caractère flou et évolutif du *common law*. L'insistance du premier régime pour tout couler dans le ciment et l'insistance du second régime pour tout laisser ouvert ne peuvent qu'entraîner des dialogues de sourds. Ce manichéisme juridique va tendre à durcir l'intégrisme au nom du droit civil, et tendre à rendre le même intégrisme de mauvais aloi dans la tradition du *common law*. On donnera des exemples plus loin.

Le conflit entre régimes juridiques ne peut pas être aboli. Ces régimes existent légitimement dans des territoires donnés, et on ne peut les ignorer. Mais on peut comprendre comment des morceaux de pays dominés par l'esprit de l'un ou l'autre des régimes juridiques ont réagi différemment au développement récent du monde des contrats et des droits moraux (Paquet 1992).

Ce monde connote l'ensemble des arrangements informels qui forment la trame de toutes les organisations – normes ou conventions plus ou moins officialisées – qui mettent de la chair gouvernance autour du squelette juridique qui les définit. Tout ce cartilage d'arrangements informels au cœur de la gouvernance et du *stewardship* que je nomme contrats moraux est grandement abhorré par le droit civil, à quelques exceptions près (comme l'*affectio societatis* – Cuisinier 2008). *A contrario*, il est au cœur de la jurisprudence en marche dans le *common law*. Il constitue un cadre de normes, de conventions et de références servant de points de repères pour les divers agents et groupes, et orientant la jurisprudence.

Dans le processus d'apprentissage collectif et de distillation d'arrangements de mieux en mieux adaptés aux circonstances changeantes, *l'esprit du common law* est un radar infiniment plus subtil que le cadre rigide du droit civil pour lequel les réalités en émergence n'existent proprement pas. On va donc le plus souvent voir dans le pluralisme des droits, l'esprit du common law montrer une tendance plus caractérisée à imaginer des arrangements inédits, même quand ils semblent de prime abord hybrides et paradoxaux. *A contrario*, le droit civil va plus naturellement sombrer dans le conservateurisme, et tendre à conserver, plutôt qu'à chercher à servir le mieux possible en inventant des arrangements inédits.

Conclusion

Il faut plus qu'une attitude et quelques principes et mécanismes pour devenir Frank Gehry. Ce qui fait l'architecte, c'est le style : la façon d'harmoniser de manière créatrice les contraintes et les *desiderata* émergeant tant de l'environnement interne qu'externe. Et ce genre de créativité ne peut s'exprimer que *hic et nunc* – dans un contexte qui crée à la fois les contraintes et les possibilités.

Ainsi qu'on l'a montré dans les analyses de cas présentées dans Paquet et Ragan (Paquet et Ragan 2012 : 28ss), il est rare, et le plus souvent invraisemblable, qu'une organisation puisse réussir coordination efficace et collaboration fructueuse à l'aide d'un seul mécanisme. Le plus souvent, c'est un assemblage de mécanismes (incitatifs mais aussi dispositifs, contrats moraux, conventions, normes, etc.), qui conforment les arrangements qui conviennent. Ainsi, dans le cas de la main d'œuvre de Lincoln Electric, pour harnacher les tensions à l'interface entre travailleurs et gestionnaires, on a vu que c'est un ensemble d'incitations (travail rémunéré à la pièce) et de contrats moraux (garantie de travail sans interruption), qui a réussi à réduire l'inefficacité de type X.

Dans d'autres cas, des assemblages beaucoup plus complexes seront nécessaires, par exemple dans le cas des réseaux nécessaires pour faire face aux crises de santé publique (Rocan 2012). En fait, dans des domaines comme ceux-là, souvent, c'est un mélange d'incitatifs, de coercition et de solidarité, sur lequel il faut compter pour asseoir les arrangements susceptibles de produire la coopération et la collaboration désirées. Le type de régime d'engagement désirable va souvent dépendre de la modulation de motivations d'une intensité variable qu'il s'agit d'enclencher.

Comme les acteurs et les groupes au cœur de l'organisation ont des valeurs différentes, qu'ils sont prisonniers de cosmologies qui s'enracinent dans des ordres de grandeur dépareillés (efficacité, équité, etc.), et qu'ils ont des propensions différentes à réagir aux mêmes incitations ou clignotants, la nature des arrangements qui vont convenir va aussi très souvent différer d'un lieu et d'un moment à l'autre. Il faudra les inventer et cela va nécessiter une imagination exploratrice

En particulier, quand il s'agira de *remembrer* une réalité aussi évasive qu'une diaspora, et d'articuler des morceaux dispersés avec des densités différentes, des mémoires plus ou moins diluées, des espaces plus ou moins déconnectés et plus ou moins bien organisés, il faudra beaucoup d'imagination pour détecter les points d'ancrage susceptibles de servir de leviers pour donner vie à un régime d'engagement inédit. La configuration de dispositifs qui va convenir va donc dépendre de la dynamique propre de l'environnement, de la trame psycho-sociale de l'organisation ou du système social, mais aussi du tissu organisationnel et institutionnel.

Dans un tel contexte, le *designer* (qui n'a pas tout le pouvoir, les ressources et l'information pour gouverner) va devoir provoquer des modes d'engagement et de collaboration qui vont faire le meilleur usage possible des degrés de liberté du système ou de l'organisation, et de la dynamique inhérente à l'environnement qui les porte. On n'est plus dans un mode routine, mais face à des défis d'improvisation dans un monde qui produit constamment des surprises et des avalanches.

L'éventail des arrangements possibles est immense, et, le plus souvent, les arrangements choisis sont seulement temporairement convenables. De plus, il ne faut pas assumer qu'on va nécessairement trouver ces arrangements sur les tablettes : il faut les confectionner sur mesure et le faire dans un esprit qui s'arrime le mieux aux besoins du moment.

Même si on sait que la hiérarchie et les féodalités administratives sont moins susceptibles de découvrir le chemin vers ces avenues prometteuses, et que donc la décentralisation est souhaitable, le plus souvent la réconciliation efficace des impératifs qui émergent des trois terrains d'interventions (marché, coercition, réciprocité) est incroyablement difficile. On doit donc souvent se contenter d'optima de second ou de troisième ordre.

De plus la probabilité d'échec ou de dérapage est importante. De là la nécessité de mettre en place des mécanismes à sûreté intégrée (*fail-safe mechanisms*) pour répondre effectivement aux dérapages prévisibles, et des mécanismes d'apprentissage collectif particulièrement efficaces pour arriver à vite corriger le tir face à l'imprévu que l'expérience est condamnée à engendrer.

À l'avenant, il faudra aussi instituer des imputabilités pluralistes et plurielles à 360 degrés pour assurer le ré-aiguillage en cours de route – des imputabilités qui souvent vont dépendre de références et de grandeurs qui ne sont ni précises ni faciles à détecter.

Tout cela condamne à donner un tour aventureux à l'enquête... le genre de transsubstantiation effectuée par Andy Merrifield (Merrifield 2011) pour le marxisme.

Cela n'a rien à voir avec la pensée magique ... c'est plutôt le bon usage d'un optimisme militant!

Références

Axelrod, Robert. 1984. *The Evolution of Cooperation.* New York, NY : Basic Books.

Axelrod, Robert et Michael D. Cohen. 1999. *Harnessing Complexity.* New York, NY : The Free Press.

Boland, Richard J. et Fred Collopy (sld). 2004. *Managing as Designing.* Stanford, CA : Stanford Business Books.

Brown, Tim. 2009. *Change by Design.* New York, NY : HarperCollins.

Burelle, André. 1996. *Le droit à la différence à l'heure de la globalisation.* Montréal, QC : Fides.

Courchene, Thomas J. 2012. « Common law VS Civil law : Exploring Selected Implications », *www.optimumonline.ca*, 42(4) : 1-13.

Cuisinier, Vincent. 2008. *L'affectio societatis.* Paris, FR : Lexis-Nexis Litec.

Fleiner, Thomas et Linda Fleiner. 2009. *Constitutional Democracy in a Multicultural and Globalized World.* Berlin, DE : Springer.

Gehry, Frank O. 2004. « Recollections on Designing and Architectural Practice » dans R.J. Boland et F. Collapy (sld). *Managing as Designing*. Stanford, CA : Stanford Business Books, p. 19-35. Ce texte de Gehry est suivi d'une analyse de son texte (mais aussi de certains de ses autres écrits) par Karl E. Weick. 2004. « Rethinking Organizational Design » dans R.J. Boland et F. Collapy (sld). *Managing as Designing*. Stanford, CA : Stanford Business Books, p. 36-53, dans lequel le parallèle entre la pratique de l'architecte et celle du designer organisationnel est examiné, et les enseignements de la pratique de Gehry pour le design organisationnel sont explorés.

Gigerenzer, Gerd. 2008. *Rationality for Mortals*. Oxford, R.-U. : Oxford University Press.

Granovetter, Mark. 2000. « Modèle de seuils du comportement collectif » dans M. Granovetter. *Le marché autrement*. Paris, FR : Desclée de Brouwer, chapitre 5.

Hock, Dee. 1999. *The Birth of the Chaordic Age*. San Francisco, CA : Berrett-Koehler.

Koller, Frank. 2010. *Spark – Hold Old-Fashioned Values Drive a Twenty-First Century Corporation : Lincoln Electric's Unique Guaranteed Employment Program*. New York, NY : Public Affairs.

Martin, Roger. 2009. *The Design of Business*. Boston, MA : Harvard Business School Press.

Merrifield, Andy. 2011. *Magical Marxism – Subversive Politics and the Imagination*. Londres, R.-U. : Pluto Press.

Mesthene, Emmanuel G. 1970. *Technological Change*. New York, NY : Mentor.

Onfray, Michel. 2014. *Le réel n'a pas eu lieu – Le principe de Don Quichotte*. Paris, FR : Autrement.

Ostrom, Elinor. 2005. *Understanding Institutional Diversity*. Princeton, NJ : Princeton University Press.

Paquet, Gilles. 1992. « Un pari sur les contrats moraux », *Optimum*, 22(3) : 49-57.

Paquet, Gilles. 1999. *Oublier la Révolution tranquille – Pour une nouvelle socialité*. Montréal, QC : Liber.

Paquet, Gilles. 2004a. *Pathologies de gouvernance*. Montréal, QC : Liber.

Paquet, Gilles. 2004b. « Gouvernance et déconcertation », *www. optimumonline.ca*, 34(4) : 18-47.

Paquet, Gilles. 2005. *Gouvernance : une invitation à la subversion*. Montréal, QC : Liber.

Paquet, Gilles. 2008. *Gouvernance : mode d'emploi*. Montréal, QC : Liber, chapitre 5.

Paquet, Gilles. 2009a. *Crippling Epistemologies and Governance Failures*. Ottawa, ON : Presses de l'Université d'Ottawa.

Paquet, Gilles. 2009b. « La difficile émergence d'une gouvernance mondiale baroque », *Télescope*, 15(2) : 105-117.

Paquet, Gilles. 2009c. *Scheming Virtuously – The Road to Collaborativ Governance*. Ottawa, ON : Invenire.

Paquet, Gilles. 2011. *Gouvernance collaborative – Un antimanuel*. Montréal, QC : Liber.

Paquet, Gilles. 2012a. « La gouvernance, science de l'imprécis », *Organisations & Territoires*, 21(3) : 5-17.

Paquet, Gilles. 2012b. « Deux hoquets de gouvernance : affaire Montfort et grogne étudiante québécoise en 2012 », *www. optimumonline.ca*, 42(2) : 32-60.

Paquet, Gilles. 2013. *Gouvernance corporative – Une entrée en matières*. Ottawa, ON : Invenire.

Paquet, Gilles. 2016. « An Agenda for Cultural Change in the Federal Public Service » dans R. Hubbard et G. Paquet. 2016. *Driving the Fake out of Public Administration – Detoxing HR in the Canadian Federal Public Sector*. Ottawa, ON : Invenire, p. 169-205.

Paquet, Gilles. 2017. « How to Bring About Real Cultural Change in the Public Service », *Canadian Government Executive*, 23(1) : 28-29.

Paquet, Gilles et Tim Ragan. 2012. *Through the Detox Prism: Exploring Organizational Failures and Design Responses*. Ottawa, ON : Invenire.

Paulhan, Jean. 1945. *Entretiens sur des faits divers*. Paris, FR : Gallimard.

Rocan, Claude M. 2012. *Challenges in Public Health Governance: The Canadian Experience.* Ottawa, ON : Invenire.

Sabel, Charles F. 2001. « Révolution tranquille de la gouvernance démocratique : vers une démocratie expérimentale » dans *La gouvernance au XXIe siècle.* Paris, FR : OCDE, p. 141-176.

Schön, Donald A. et Martin Rein. 1994. *Frame Reflection.* New York, NY : Basic Books.

Schrage, Michael. 2000. *Serious Play.* Boston, MA : Harvard Business School Press.

Smith, Vernon L. 2008. *Rationality in Economics.* Cambridge, R.-U. : Cambridge University Press.

Spinosa, Charles *et al.* 1997. *Disclosing New Worlds – Entrepreneurship, Democratic Action, and the Cultivation of Solidarity.* Cambridge, MA : The MIT Press.

Thévenot, Laurent. 2006. *L'action au pluriel – Sociologie des régimes d'engagement.* Paris, FR : Éditions La Découverte.

Partie I
Le terrain des opérations

L a première partie veut mettre en lumière deux sources majeures d'empêchement à la construction d'une diaspora canadienne-française : la première est *le lourd héritage d'une gouvernance centralisée* qui a entièrement délégitimé les formes de gouverne décentralisée, et même le principe de subsidiarité qu'on associe trop souvent, à tort, à une concentration déguisée; la seconde est *une dissonance cognitive qui empêche de penser vraiment un apprentissage collectif* qui soit ouvert et aussi heuristiquement puissant qu'on le voudrait.

Dans le premier cas, il s'agit de reconnaître les lourdeurs et rigidités du Canada français attribuables tant au poids des féodalités administratives qui se sont assurées que les morceaux de Canada français hors Québec restent autant que possible assujettis à un carcan plus ou moins homogène, qu'aux mythes passés (Grande Noirceur et Révolution tranquille) qui ont contribué à empêcher le Québec de sortir des voies traditionnelles, et de se voir autrement qu'une société distincte même des autres morceaux de la diaspora depuis 1967. Permettre à des simplifications excessives de bloquer arbitrairement des voies praticables par le jeu du *storytelling* n'a pu que signifier l'acceptation d'une réification de la notion de Canada français en morceaux détachés.

Une forme particulièrement débilitante de ce genre de carcan a été imposée par les repères statistiques utilisés pour jauger la vitalité des minorités de langue officielle. On a permis qu'une métrique factice qui s'intéresse infiniment moins à jauger la vitalité de ces communautés qu'à faire l'audit de la conservation de la langue minoritaire dans les foyers s'installe pour satisfaire les féodalités administratives et les aider à distribuer les prébendes. Cette métrique a permis d'en rester à la surface des choses sans jamais donner aux différentes communautés les moyens de se dynamiser en mobilisant leurs communautés de pratique et en les aidant à tirer profit de leur position non seulement dans leur zone géographique, mais aussi dans toute la diaspora. C'est une abomination que certaines communautés ont pu surmonter (Mulaire 2012).

Dans le second cas, il s'agit de reconnaître la grande peur de l'incertitude qui empêche les fragments du Canada français de voir la réalité de la diaspora canadienne-française au-delà des arithmétiques administratives qui l'occultent. La dissonance cognitive empêche de bien percevoir les multiples temps et espaces sociaux, et permet aux dimensions symboliques superfétatoires d'acquérir un statut plus vrai que le réel par les jeux du principe de Don Quichotte (Onfray 2014).

À cette enseigne, la croisade du bilinguisme officiel pour la ville d'Ottawa est exemplaire : une certaine gentilité franco-ontarienne a pu en venir à occulter une réalité organique inclusive en devenir (la Région de la Capitale Nationale) pour réclamer un statut légal réifiant pour la seule ville d'Ottawa parce que cela pourrait peut-être lui servir dans l'extorsion de certains accommodements linguistiques locaux additionnels. Dans un esprit imbibé de droit civil, le statut légal devient un viatique, une garantie magique que les acquis (quelle qu'en soit la légitimité réelle selon les citoyens) ne seront jamais remis en question, et que les préférences futures pourront mécaniquement être satisfaites simplement en les baptisant droits. On refuse de voir que ce genre de tyrannie des minorités est condamné à mal servir les deux communautés linguistiques pourtant déjà en bonne partie intégrée.

Dans l'un et l'autre cas, on verra que le fétichisme de la langue débouche sur bien des excès.

Références

Mulaire, Mariette. 2012. « Innovations au Manitoba » dans C. Andrew *et al.* (sld). *Gouvernance communautaire : innovations dans le Canada français hors Québec*. Ottawa, ON : Invenire, p. 43-49.

Onfray, Michel. 2014. *Le réel n'a pas eu lieu – Le principe de Don Quichotte*. Paris, FR : Autrement.

CHAPITRE 1
Un Canada français empêtré dans ses représentations

L'une des caractéristiques importantes de la gouverne dans les sociétés démocratiques au cours des derniers 50 ans a été la propension à centraliser. On a assisté dans les secteurs privé, public et sans but lucratif à l'émergence de grandes organisations bureaucratiques et hiérarchiques. Or, cette tendance a contribué à l'émergence d'une mentalité centralisatrice toujours prête à rationaliser des structures hiérarchiques au nom d'économies d'échelle souvent difficiles à détecter.

A contrario, il y a eu depuis 20 ans toute une littérature (Laloux 2014) qui a montré que les formes d'organisation décentralisées étaient de plus en plus présentes et de plus en plus performantes. Mais la décentralisation fait peur. Pourquoi?

La peur de la décentralisation et indications pour s'en sortir

D'abord parce que la décentralisation est fondamentalement subversive : elle abolit le pouvoir réel ou symbolique des instances centrales mais aussi des groupes d'intérêt et des élites qui fondent leur autorité sur elles. Gouvernance + décentralisation dans la même phrase suggèrent que personne n'a toutes les ressources, l'information et le pouvoir pour assurer la bonne coordination dans une organisation ou un système complexe, et interpellent tous les « pouvoirs » qui prétendent être « en charge ». La décentralisation est synonyme d'anti-potentat. Il est donc facile de comprendre que tous les « pouvoirs » (politiques, étatiques, corporatistes) en aient peur.

Ensuite parce que, d'une part, les gouvernés sont frileux en matière de décentralisation, manquent de confiance en eux, et que, d'autre part, l'état jacobin, qui incarne l'habitus centralisateur, veille au grain. Voilà deux sources de « dynamisme de conservation ».

Cinquante ans d'état providence et de protection sociale ont modifié les mentalités. Tout comme les Athéniens, les Canadiens français veulent la liberté évidemment, mais ils veulent la sécurité encore plus. En conséquence, au moment d'embrasser la liberté (et donc potentiellement le risque), et de choisir de s'en tirer tous seuls, ils hésitent. Malgré les discours tonitruants et les bravades, la dépendance est rassurante et l'irresponsabilité confortable!

Un demi-siècle d'infantilisation du citoyen – pour lui faire croire qu'il est « incapable » de se gouverner, que, laissé à lui-même, il risque de faire des bêtises, qu'il lui faut donc aliéner sa liberté pour se donner accès à la sécurité – a laissé des traces.

C'est au moment où l'état a commencé à écrire son nom avec un grand É, et à suggérer qu'il était le gardien des intérêts supérieurs et transcendants de la nation que le citoyen est tombé dans l'asservissement volontaire. À moins de déconstruire cette notion d'état (qui jette une grande ombre sur les débats), ainsi que les fondements de l'illusion jacobine (cette idée que dirigisme et centralisation sont la seule manière efficace de gérer la chose publique – qui est entretenue avec beaucoup d'astuce par les grands commis de l'état), pas moyen de comprendre ce dynamisme de conservation.

Enfin, ces peurs et ces appréhensions jouent pleinement parce que les tenants de la décentralisation demandent trop souvent un acte de foi dans la gouvernance polycentrique, alors qu'il faudrait montrer clairement comment cette décentralisation peut et va s'accomplir, quelles protections vont rester en place et lesquelles vont disparaître, quels investissements il faudra faire pour qu'elle réussisse. Cette incertitude alimente le malaise et l'opposition.

Mais ces peurs sont en train de s'estomper.

D'abord, la mondialisation de l'économie a forcé les socio-économies nationales à se transformer et à s'ajuster vite. De plus, dans la plupart des socio-économies, l'état a été tiraillé entre les priorités des diverses sous-régions ou des sous-groupes dont les préférences divergent. Il est devenu clair qu'un appareil gouvernemental centralisé et lourd est incapable d'interpréter l'information nécessaire à un pilotage efficace d'une économie petite, ouverte, dépendante et balkanisée comme le Canada. Il a donc fallu décentraliser pour survivre. On est passé de grand G (gouvernement) à petit g (gouvernance) dans tous les secteurs (privé, public, sans but lucratif).

Dans ce monde-là, John Naisbitt (Naisbitt 1994) a souligné l'existence de ce qu'il appelle *le paradoxe global* : plus l'économie mondiale se globalise, plus les petites unités deviennent importantes parce qu'elles constituent des milieux davantage capables de mobiliser mieux et plus vite leurs forces vives d'innovation et de créativité, et qu'elles peuvent compter sur un capital social, des réseaux robustes et une conductivité importante (Saint-Onge et Armstrong 2004).

Petites unités veut ici souvent dire « milieux locaux » parce que ces milieux sont le fondement de systèmes locaux d'innovations et des communautés de pratique – autant de structures inédites qui en sont l'épine dorsale.

Ensuite, la communauté de pratique est devenue l'unité d'analyse la plus importante : elle est composée d'un groupe de personnes qui partagent un intérêt, un ensemble de problèmes, ou une passion pour un sujet, et qui approfondissent leurs connaissances et leurs expertises dans ce domaine par une interaction continue. Malgré la diversité de formes qu'elle peut adopter, elle a des éléments structuraux repérables : (1) elle porte sur un domaine – un terrain commun qui rend légitime la communauté en définissant ses objectifs, ses valeurs, son identité, ses frontières floues; (2) elle constitue une communauté d'apprentissage fondée sur le respect mutuel et la confiance : c'est non seulement un espace où les échanges sont possibles mais un agora où l'attention mutuelle est un actif important; et (3) elle est encadrée par une pratique – outillage mental, vocabulaire, un capital de connaissances communes que chacun possède (Wenger *et al.* 2002).

Ces communautés de pratique ne correspondent pas nécessairement aux unités administratives, aux unités fonctionnelles, aux projets ou aux équipes en place. En fait, c'est dans la négociation qui définit domaine, communauté et pratique, que la trame de la communauté de pratique se définit. Quelle est sa mission? Quel est le fardeau de la charge? Quelle influence veut-elle avoir? Quelles sortes d'activités vont générer les résultats désirés, mais aussi les motivations requises et la confiance nécessaire pour y arriver? Comment maintenir la culture du groupe? Comment orchestrer l'apprentissage collectif et devenir davantage proactif?

Il est clair que l'une des composantes importantes de la communauté de pratique est le stock de connaissances tacites et de confiance qui la sous-tend, et le degré d'informalité qu'elle commande. Cela ne veut pas dire que les relations constituantes ne peuvent pas être définies et formalisées ou qu'elles ne devraient pas l'être, mais elles vont impliquer un grand nombre de « contrats moraux » – une technologie de coordination de la plus grande importance dans le contexte moderne (Paquet 1991-2).

Il n'y a aucune raison que la gouvernance des communautés de pratique soit uniforme. Il faut donc prêcher une gouvernance polycentrique et dissymétrique : chaque communauté de pratique proposant et négociant une structure d'imputabilité qui peut différer, et l'accompagnant non seulement d'indicateurs de performance appropriés mais d'indicateurs d'apprentissage collectif pertinents.

Il reste à assurer la cohérence de ces unités qui ne vont pas nécessairement s'arrimer bien aux structures administratives en place. De là la nécessité d'une subsidiarité musclée qui résiste aux ambitions naturelles des intervenants qui ont le plus de pouvoir et peuvent fort bien vouloir envahir le plus possible du terrain des opérations. Le résultat pervers ne pourra alors qu'être un déplacement de niveaux : au lieu d'opérations localisées, on tombera dans des règles de politiques. En fait, ces déplacements « vers le haut » expliquent les pats divers qu'on a vécus : ce qu'une communauté de pratique peut effectuer très bien localement dérivant vers des ornières plus vastes qui réclament des règles générales qui ne correspondent en rien à la grande variété des contextes.

Mais ces possibles séduisants fondés sur la décentralisation, les systèmes locaux d'innovation et les communautés de pratique ne pourront se réaliser que si l'on neutralise la peur des agents nouvellement « empouvoirés » de se voir laissés à eux-mêmes et en proie aux aléas de l'environnement turbulent. Il faut trouver un régime de protection moins stérilisant et contraignant que celui de l'état providence, mais suffisamment robuste pour donner aux communautés le goût de se gouverner elles-mêmes.

Mythes amphigouriques : la Grande Noirceur et la Révolution tranquille

Ce n'est pas seulement la peur de la décentralisation qui a paralysé l'évolution de la gouverne et l'a empêché de glisser vers une gouvernance décentralisée. Deux grands patterns d'explications mythiques ont aussi jeté une grande ombre sur la définition des possibles dans le Canada français : le premier définissant *l'ère de l'État modeste* comme une période de Grande Noirceur économique, politique et sociale (bien à tort d'ailleurs), et le second proposant que *l'ère de l'État intrusif* avait été porteur de performances économiques, politiques et sociales glorieuses (bien à tort dans ce cas aussi).

Ces deux exercices de *storytelling* (Salmon 2008) ont contribué dramatiquement à renforcer malencontreusement la propension à penser que l'État et la gouvernance régalienne centralisée étaient la source du progrès économique et social, et qu'on ne pouvait espérer que le chaos de la décentralisation.

Ce n'est qu'en envoyant ces mythes à l'abattoir qu'on va débloquer les perspectives, rendre pensable la gouverne décentralisée et collaborative (Paquet 2011a), et en arriver à engager les efforts nécessaires pour débusquer les forces réelles à la source des dynamiques économiques et sociales.

A. Propos caustiques sur la Grande Noirceur

La Grande Noirceur est une psychose collective[6] qui a hanté les débats au Québec dans la dernière partie du 20e siècle. Cette

---

[6] Ensemble pathologique assez disparate, réuni par l'adhésion partagée, dans une population donnée, à un discours ou à des rumeurs délirants, devenus la propre réalité psychique de la population – *Définition de la psychose collective dans le Dictionnaire de le psychiatrie des éditions du CILF.*

idée fantaisiste d'une chape de plomb sur la socio-économie québécoise, entre les années 1940 et la fin des années 1950, a été inventée par les « indépendantristes » pour exhausser comparativement l'importance du grand pas en avant qui censément serait venu avec les années 1960 – ce qu'on a baptisé la Révolution tranquille. Pourquoi ce faire-valoir?

Parce qu'à proportion que l'examen de l'après-Seconde Guerre mondiale au Québec s'approfondissait, il devenait de moins en moins clair que la période 1940-59 avait été une période tellement désastreuse, et que celle d'après 1960 était aussi glorieuse qu'on le prétendait. On a eu besoin du mythe de la Grande Noirceur pour arc-bouter le mythe de la Révolution tranquille.

Depuis 20 ans, les travaux sérieux en histoire du Québec ont débouté ces deux mythistoires, mais malheureusement ces idées fantaisistes survivent dans la mémoire collective. Elles continuent d'être des références pour tout un pan de la population parce que certains manuels scolaires et certains 'intellectuels' en assurent la propagation intergénérationnelle.

L'expression Grande Noirceur a beau avoir été mise à toutes les sauces, comme le montre bien Alexandre Turgeon (Turgeon 2012), on continue à utiliser l'expression comme si elle connotait un véritable *fait historique avéré* – ce qui n'est pas le cas – et à condamner, dans certains milieux, ceux qui dénoncent la Grande Noirceur comme un être de raison en les qualifiant de réactionnaires – sinon de demeurés ou tout au moins d'anti-progressistes.

A.1 Faits stylisés

Ce qu'il faut entendre par faits stylisés est une liste de faits bruts qui sembleraient indiquer que, loin d'être immobile (ou même débilitant, comme certains le suggèrent) le Québec et le Canada français ont vécu une transformation dynamique durant cette période des années 40 à la fin des années 50 :

- il s'est urbanisé autant de Québécois dans les années 40 que dans tout le siècle auparavant;
- dans les années 50, le Québec vit une croissance économique telle que le Québec enregistre une immigration interprovinciale nette positive – ce qui est un phénomène rare au XXe siècle;

- entre 1870 et la fin des années 1950, le Québec et l'Ontario ont des taux de croissance de la production qui sont à peu près les mêmes;
- le *baby boom* ajoute deux millions de Québécois;
- comme l'ont montré Bourque, Duchastel et Beauchemin (Bourque, Duchastel et Beauchemin 1994), l'État libéral, personnaliste et modeste de l'ère Duplessis n'est pas inerte et antimoderne, mais a suscité la collaboration gouvernement-entreprise, et agi délibérément en complémentarité avec l'État fédéral interventionniste à saveur keynesienne.

A.2 Ce qu'on sait déjà

Récemment, Alexandre Turgeon concluait (Turgeon 2015 : chapitre III) que la notion de Grande Noirceur au Québec, en tant que schème d'explication de l'évolution du Québec entre 1940 et 1960, était une caricature indéfendable. L'essai-synthèse d'E. Martin Meunier (Meunier 2016) en vient à la même conclusion.

Mais personne ne nie l'existence d'une *psychose collective* qui a saisi une bonne portion de l'intelligentsia québécoise – véhiculant une réinterprétation de cette période de l'histoire du Québec. Cette toute-négative ré-interprétation vivote encore dans le discours public savant, mais elle a laissé des traces profondes dans l'inconscient collectif. Le courrier des lecteurs du quotidien *Le Devoir* recueille encore, dans la seconde décennie du 21e siècle, les propos des Québécois les plus ulcérés qui insistent pour rappeler les souffrances subies durant cette période, et montrer leurs plaies aux générations montantes (Godbout 2010).

Ces mythistoires ne sont pas les seules qui ont balayé le Québec dans les derniers tiers du 20e siècle. Il y a eu la vision du monde corporatiste dans les années 30, une vision néo-libérale dans les années 50, une vision nationaliste dans les années 60, une vision marxiste dans les années 70s, etc. – chacune de ces rhétoriques laissant des résidus superposés dans les discours publics subséquents sur le grand palimpseste de l'histoire du Québec.

Mais les mythistoires Grande Noirceur/Révolution tranquille ont eu des effets plus extensifs et importants que les autres à cause de leur formulation accrocheuse. Dans ces deux cas, à mesure que l'aberration va s'incruster dans l'inconscient, on va commencer à tout observer à travers le prisme de la psychose collective, et ces prisons mentales vont conformer les représentations. De là à transformer ces prisons mentales en outillage mental pour théoriser la modernisation du Québec, il n'y a qu'un pas ... qui sera vite franchi.

A.3 Pour mieux comprendre le caractère pernicieux du mythe de la Grande Noirceur

Pour ceux qui ne sont jamais sortis du traumatisme originel qu'ils disent avoir vécu comme un enfer existentiel, les trois niveaux (psychose, prisons mentales, outillage mental) sont vite entremêlés : le traumatisme a été tellement profond qu'il impose encore aujourd'hui un ordre sur la production des représentations, lequel fonde leur explication du monde. On succombe aux charmes du principe de Don Quichotte : « un platonicien exemplaire pour lequel l'idée qui dit le monde est plus vraie que le monde dit par cette idée » (Onfray 2014 : 10-11).

Dans ces cas de traumatisme caractérisé, la Grande Noirceur a créé névrose : des intellectuels patentés révèlent sur cette question précise certains troubles émotionnels. Ils prétendent même, comme Jacques Godbout, que ceux qui nient la Grande Noirceur ne peuvent pas comprendre cette période parce qu'ils ne l'ont pas « vécue », et n'ont pas subi les blessures profondes et la « souffrance » qu'elle a infligées[7].

Je suis né moins de trois ans après Godbout, j'ai grandi dans un quartier ouvrier à Québec et j'ai profité d'une riche vie de l'esprit autour de moi. Dès mon jeune âge, j'ai appris à ironiser sur le clergé ambiant à la lecture des *Fantaisies sur les péchés capitaux* de Roger Lemelin. Je n'ai jamais senti autour de moi « le mépris de l'industrie, de l'art, de l'économie, et le refus de la pensée scientifique » dont se plaint Godbout. Et je n'ai pas eu à me rendre en Europe ou aux États-Unis « pour acquérir un minimum de compétences ».

---

[7] Personnellement, je passe le test de qualification de Jacques Godbout sur ces questions : j'ai vécu cette période de l'avant 1960 dans la ville de Québec, au pied de la Pente Douce, et je suis incapable de considérer cette période comme une de Grande Noirceur. Pour moi, aucune blessure profonde à exposer, aucune souffrance dont j'aurais eu à me remettre, aucune déviation en conséquence dont j'aurais à me plaindre ou à me confesser.

Suis-je amnésique? Si oui, je ne suis pas le seul. Denis Vaugeois (Vaugeois 2010), qui lui aussi a « vécu » cette période, n'hésitait pas à rabrouer Godbout dans *La Presse* en octobre 2010, et à parler de « la Grande Noirceur inventée ».

Dans cette section, je voudrais d'abord mettre en contexte cette période des années 40 et 50 du siècle dernier, car ce contexte a été marqué par des bouleversements bien plus complexes que l'ont suggéré les 'logues' de la Grande Noirceur.

Puis, je vais examiner rapidement la Grande Noirceur dans chacun de ses trois stages – psychose collective, prison mentale, outillage mental – et montrer que ces stages sont l'écho de pathologies différentes – au niveau de l'affect, des représentations, et de la trahison des clercs.

Enfin, de là le constat qu'il faut exposer le caractère pathologique de ces phénomènes et en documenter les impacts délétères, pour empêcher qu'ils continuent de barrer la route à des travaux plus sérieux qui pourront chercher et trouver ailleurs les sources vives des transformations que le Québec a vécu au cours de cette période charnière de son évolution.

i) Mise en contexte : la dérive d'une société proto-industrielle vers une société du spectacle

Il n'est pas surprenant que cette période des années 1940 et 1950 dans l'histoire du Québec ait donné naissance à des interprétations contrastées. Il s'agit d'une des périodes de transformation dramatique du Québec moderne. Tant sur le plan démographique, sur celui de la production et de l'échange économique ou sur le plan de l'État, et des groupes sociaux et leurs motivations, il s'est agi d'une période de grands bouleversements (Paquet 2016a).

Quand tout un chacun a tenté de désenchevêtrer ce fouillis, chacun s'est souvent trouvé comme devant des encres de Rorschach, et on a voulu simplifier. Chacun s'est senti autorisé à développer une interprétation des choses bien davantage ancrée dans sa propre vision du monde que dans l'examen critique de cette petite socio-économie ouverte, dépendante et balkanisée. On est donc vite tombé dans la *multi-caricature*. On a inventé des délabrements inouïs et des dépassements glorieux, là où il n'y avait qu'une évolution naturelle, même si tout se faisait un peu en accéléré. Or, depuis longtemps, les économistes se méfient de ce genre de chromos : *natura non fecit saltum* rappelait Alfred Marshall!

Dans la grande période d'après 1940, il y a eu télescopage de tellement de chocs (guerre mondiale, *Baby boom*, urbanisation explosive, transformation du tissu économique et social, augmentation dramatique du rôle de l'État, dématérialisation de la vie économique et montée de la société d'information, etc.) qu'on a pu inventer diverses fables, sans coup férir, en se focalisant strictement sur l'un ou l'autre aspect seulement de l'expérience québécoise.

Par exemple, on a pu ignorer les effets de réverbération de cette cohorte du *Baby Boom* qui entre avec effraction dans le paysage institutionnel, et enclenche des changements majeurs en cascade au cours des décennies qui suivront. Dans l'éducation, la pression démographique qui provoque la construction d'écoles primaires par Duplessis va inéluctablement mener à l'Opération 55 de Gérin-Lajoie, et à la création de l'Université du Québec plus tard dans les années 60.

En fait, au cœur de ce tohu-bohu des années 1940 et 1950, la vague démographique va constituer un véritable tsunami qui bouscule tous les arrangements sociaux, économiques et politiques sur son passage. Il faut alors improviser. Mais bien malin celui qui voudrait décomposer précisément l'impact de ce tsunami en tranches proprettes attribuables aux pressions de l'une ou l'autre de ces grandes forces qui s'entremêlent systémiquement. Voilà qui va dévoyer les observateurs qui imprudemment perdront conscience de l'ensemble du système (Paquet 2016b).

La vague démographique, l'industrialisation, l'urbanisation et la tertiarisation de l'économie vont créer des vagues de destruction créatrices à la Schumpeter. La technologie va encore accélérer le processus de changement des représentations et des mœurs. On ne dira jamais assez, par exemple, comment l'arrivée de la télévision dans les années 50 va enclencher un changement des mœurs dans une société où il aura à un certain moment plus de personnes à l'école que dans le marché du travail. Les fondements de la société ont tremblé au cours de cette période (Paquet 1971, 1984, 1999a).

Au plan industriel, on peut suivre, au fil des expériences de Volcano et Forano, le passage des entreprises familiales aux groupes industriels financés par la Société générale de financement, et au capitalisme d'état des années 1960. Dans le monde de l'éducation et de la santé, c'est la mainmise croissante de l'État sur des domaines occupés par les communautés religieuses. C'est l'ère de l'hydro-électicité et de l'industrie légère qui favorise le Québec, après l'ère du charbon et des industries lourdes qui avaient favorisé antérieurement l'Ontario.

Plus fondamentalement cependant, on commence à parler de l'émergence d'une *société de l'information et du spectacle* (Hayek 1948; Lamberton 1965; Paquet 1966; Debord 1967). En quelques décennies, on voit les représentations virer cul par-dessus tête : il y a déperdition d'un capital social séculaire, érosion du religieux à un certain niveau de conscience, et accroissement de l'aliénation des citoyens dont avait tant parlé Marx dans ses *Manuscrits économico-philosophiques* de 1844.

Les contemporains ont mis un moment à bien comprendre ce qui se passait derrière le phénomène de surface qu'a constitué la dématérialisation de la vie économique – ce qui se cachait derrière l'étiquette fumeuse d'économie de la connaissance – jusqu'à ce que Guy Debord expose brutalement l'idée du spectacle qui remplace la vie par la représentation – qui réduit la vie à un spectacle d'elle-même, qui fait du consommateur un consommateur d'illusions. Mario Vargas Llosa va plus tard enfoncer le clou encore plus profondément quand il dénonce le fait que, dans notre *civilisation du spectacle*, le divertissement est devenu « la passion universelle » (Vargas Llosa 2015 : 34), et « le bouffon est roi » (*Ibid.* : 43).

Pour Debord, en remplaçant la vie par la représentation (i.e., en aliénant), le spectacle « est la dictature effective de l'illusion dans la société moderne » (proposition n° 213). Pour Vargas Llosa, « les spectateurs … deviennent de plus en plus paresseux, et plus allergiques à un divertissement qui leur demande des efforts intellectuels » (*Ibid.* : 217), et de conclure que « c'est ainsi qu'on glisse vers un monde sans citoyens, un monde de spectateurs, un monde qui… sera devenu une société léthargique, d'hommes et de femmes résignés, but de toutes les dictatures » (*Ibid.* : 223).

C'est sur cet arrière-plan hallucinant du passage d'une société proto-industrielle à une société du spectacle, en quelques décennies, qu'il faut comprendre les deux mythes aliénants de Grande Noirceur et Révolution tranquille : le premier veut occulter à jamais le passé en le représentant comme abominable, et en déclarant qu'il n'y a là rien de récupérable, qu'il faut donc le décrier totalement; le second veut célébrer inconditionnellement le showbiz en train de se réaliser.

Or, comme ce spectacle ne semble pas déboucher sur un Shangri-La, la première mise en scène vient conforter les sceptiques en les assurant que, de toutes manières, même si le 'paradis' produit par la Révolution tranquille est désappointant, ce ne peut pas être pire que l'enfer qui a précédé. Et pour s'assurer qu'aucun contradicteur ne sera considéré comme crédible, on va consacrer de multiples 'fausses représentations' comme canoniques. La férocité des attaques contre ceux qui optaient pour un traitement moins corrosif de la période Duplessis (qu'on peut trouver dans le livre-synthèse colligé par Alain G. Gagnon et Michel Sarra-Bournet de 1997) est assez révélatrice à ce propos.

À proportion que cette dérive vers la société/civilisation du spectacle s'est accentuée plus fortement, et que les représentations ont pris plus hardiment l'ascendant sur la réalité, des enquêtes plus élaborées sont pourtant survenues sur plusieurs aspects importants de la réalité que les représentations chromotiques voulaient masquer. Les mythocrates ont donc dû réviser leurs copies. Dans le cas qui nous intéresse, cela a entraîné une *fuite en arrière* : on a inventé les premiers jalons de la Révolution tranquille dans les années 1930 (Dumont 1978). Cette acrobatie intellectuelle astucieuse signalait que les défenseurs du mythe de la Grande Noirceur avaient abandonné leurs positions originales.

Mais cela n'a pas empêché le mythe de rester vivace dans la communauté des inconditionnels de la Révolution tranquille qui, au moment du zénith de la psychose collective, s'étaient déjà existentiellement confessés comme marqués au fer rouge par l'enfer des années 1950.

Ceux-là qui ont eu le mauvais goût d'exagérer un tant soit peu leur souffrance existentielle des années 1950 – en privé d'abord, mais souvent ensuite en public, dans les années 80, des décennies après les faits et surtout chez des éditeurs à l'étranger, avant que des travaux plus sérieux n'eussent débronzé les hypothèses misérabilistes et montré un certain 'progressisme' modéré dans les années Duplessis – ont été piégés par ces confessions tardives qui se sont avérées encore trop hâtives ... puisqu'ils ont été bien incapables de renier *ou même* de dédramatiser un tant soit peu leurs représentations névrotiques des années 1950 quand elles se sont révélées contestables (Bombardier 1985).

C'est sur ce bourbier que vont surfer les deux mythes, et que chacun va trouver les zouaves nécessaires pour aller au combat sous ses drapeaux.

ii) Une cascade de pathologies de gouvernance

Au début, on l'a dit, la Grande Noirceur a été une psychose collective, une métaphore commode pour donner un nom à une impression d'empêchement, à une bouffée plus ou moins cohérente de blocages – tout se passant *au niveau de l'affect.*

Dans un second temps, la Grande Noirceur devient un véritable empêchement de penser : une prison mentale qui fait qu'on commence à tout interpréter négativement dans l'exploration de l'avant (Grande Noirceur) et à tout glorifier ce qu'on découvrait dans l'après (Révolution tranquille) – souvent par des gymnastiques intellectuelles déconcertantes – tout se passant ici *au niveau de la distorsion des représentations.*

Enfin, le phénomène Grande Noirceur prend sa place dans le corpus des arguments utilisés pour expliquer l'évolution du Québec. La Grande Noirceur va prendre une importance relative dans l'explication de la modernisation tardive du Québec, dans une théorisation de la Révolution tranquille comme moyen d'émancipation de cet encrassement antérieur – dans une proportion qui dépendra beaucoup de *la trahison des clercs.*

Selon les circonstances, ces trois registres vont se déployer en une *symphonie idéologique,* carburant au nationalisme, enracinée dans une vague référence à la culture comme source de valeurs premières censément incontestables, et s'exprimant dans un mélange de simplifications, d'aveuglements, d'oublis par certains du fardeau de leur charge, et de beaucoup de persiflage – le tout ne pouvant qu'impossibiliser la mise en place d'une coordination efficace, effective, astucieuse et sage quand pouvoir, ressources et information sont vastement distribués entre plusieurs mains et têtes (Paquet et Wilson 2016).

Première pathologie de gouvernance : psychose collective et contagion

La façon dont une psychose collective se développe ne suit pas nécessairement un pattern de figures imposées obligatoires. Bien des lubies disparaissent dès les premiers questionnements. D'autres infiniment moins plausibles ont le don de survivre plus longtemps parce que portées par des relais dont le pouvoir de propagation est important.

La psychose collective peut fort s'accomplir organiquement comme la rumeur publique ou par une mobilisation plus ou moins délibérée et orchestrée des média, de manière à ce que le mot et la chose débordent les cercles étroits des historiens et sociologues, et deviennent des *idées dans le vent*[8].

Pour fixer les idées, on dira que se développe un *pouvoir social* au sens de Tocqueville, autour de certaines idées, « par l'ensemble des mécanismes et des relais qui imposent sur tel ou tel sujet une opinion dominante devant laquelle le pouvoir politique se sent comme paralysé ou qu'il doit du moins tenir pour un paramètre essentiel de son action : devant laquelle la critique est par ailleurs impuissante, voire plus ou moins discrètement censurée » (Boudon 2005 : 168).

Certaines représentations reçoivent ainsi un support et des relais extraordinaires, même si on comprend mal ce processus. C'est comme si, *par contagion*, ces idées se propageaient comme un virus ou comme un mouvement de panique dans une foule (Dupuy 2003; Paquet 2014a). Ces processus en cascade ou en chaîne peuvent jouer ou ne pas jouer – selon les circonstances – sans qu'on puisse toujours expliquer exactement pourquoi.

---

[8] Cette dernière voie est éminemment praticable : on peut même dire que le support pour une immigration excessive au Canada, et le consensus présumé des Canadiens autour du multiculturalisme ont été *manufacturés* par des interventions publiques financées à grands frais par le gouvernement fédéral du Canada dans les années de l'après Charte des droits (Paquet 2012). Mais très souvent, une idée (comme celle que toute subvention aux entreprises est un transfert aux *corporate welfare bums*) devient un lieu commun par des voies qu'il est plus difficile de démêler – comme la rumeur publique, par les bons soins le plus souvent improvisés de média perroquets.

Dans le cas de la Grande Noirceur, il y a eu évidemment propagation de cette jolie tournure de phrase par simple contagion au début. Mais cela n'aurait pas pu durer à moins que cette idée puisse s'insérer tout naturellement dans la culture ambiante. Or, la Grande Noirceur s'est inscrite avec aisance dans les croyances d'une communauté se disant 'progressiste' qui déplorait les progrès trop lents à son goût dans les années 50. La police de l'esprit de cette communauté (via la rectitude politique, par exemple) va ensuite armer son bras.

Quand une certaine élite du monde culturel et des communications composée d'intellectuels, de célébrités, et de saltimbanques – viscéralement attachée à la Révolution tranquille qui l'avait comblée et dont elle attendait encore des prébendes – commence à en détecter la déconvenue dans la seconde moitié des années 1960, et ne voit pas l'utilité d'une agilité intellectuelle à la Dumont parce que justement cette élite a des intérêts concrets, majeurs et immédiats dans cette Révolution en cours (Paquet 2011b) – c'est plutôt à une crispation et un durcissement de la véhémence dans le discours de la Grande Noirceur qu'on assistera.

Faut-il rappeler que les mouvements de fronde ne prennent pas leur envol au creux de la vague quand la situation est à son pire, mais après un moment d'embellie, où le sort s'améliore sérieusement et crée des expectatives glorieuses, et que survient un ralentissement comme celui dont on fait l'expérience à la fin des années 1960. Cette phase de déconvenue qui soudainement accroît l'écart entre ce que les gens anticipent et ce qu'ils obtiennent, renforce le sentiment de blocage et déclenche le recours à la violence (Davies 1962; Geschwender 1968). C'est exactement ce qu'on observe dans les débuts des années 1970 au Québec.

Deuxième pathologie de gouvernance :
dissonance cognitive, prisons mentales et pensée évasive

Dans nos sociétés complexes, les situations de conflits de cognitions pullulent. Par exemple, quand les anticipations glorieuses engendrées dans les années 60 au Québec frappent un mur à la fin des années 60, il faudrait que le commun des mortels au Québec se réveillent et prennent acte du fait que la dynamique des années 50 n'a pas été reconnue, que le miracle socio-économique des années 60 n'a pas été réalisé, qu'il faut retomber sur terre.

Mais le commun des mortels fuit les inconciliables. La loi du moindre effort conduit à l'accommodement le moins perturbant, celui qui réclame le moins de remise en question des idées en vogue. On tombe vite dans l'univers d'une sorte de loi de Gresham nouveau genre – les rêves chassent les constats immensément mieux fondés mais trop préoccupants, comme la mauvaise monnaie chassait la bonne dans la loi de Gresham originale. Cette mise en berne du sens critique ouvre la porte à l'excroissance de la molle pensée, aux débordements du *storytelling* et à l'érosion du sens moral (Paquet 2016c).

Cette loi du moindre effort face au *pouvoir social* va créer des prisons mentales : des empêchements à comprendre (et donc à adopter des stratégies réalistes et prometteuses) parce que l'approche à la réalité est systématiquement bloquée par certains tabous ou certains biais dans le processus d'appréhension.

Ceci n'est pas nouveau. Même si les sciences humaines ont été une interrogation avant d'être un métier, et si elles sont nées d'une fringale de sens, elles n'ont pu vraiment émerger qu'en se débarrassant des fausses idoles de la tribu, de la cave, du marché et du théâtre qui empêchaient de comprendre, dira Francis Bacon dans son *Novum Organum en 1620*[9].

Mais de nouvelles fausses idoles viennent constamment brouiller les cartes. Ainsi on peut dire que les sciences humaines quand elles se sont « disciplinarisées » ont adopté des grilles d'analyse particulières qui sacralisent des points de vue particuliers, des règles et des outillages mentaux spécifiques que chaque discipline se doit utiliser à l'exclusion des autres. Une fois ces normes disciplinaires arrêtées, des guildes s'en sont emparées pour déterminer les conditions d'engagement des spécialistes, les conditions d'acceptabilité des travaux de recherche dans leurs revues particulières, etc.

Accepter de se joindre à une guilde signifie adopter un point de vue canonique, et donc travailler dans une sorte de carcan ou de prison mentale qui définit ce qui est important ou non, et

---

[9] Se débarrasser de ces vieilles idoles va faire qu'on va secouer le joug de la tribu, de l'influence de travers personnels (cave), de la confusion du langage (marché), ou des mises en scène académiques (théatre).

quel outillage mental est acceptable pour s'attaquer au problème identifié comme important. Or, ces choix sont toujours *infirmants* en ce sens qu'ils restreignent les perspectives et les outillages mentaux acceptables (Paquet 2009 : chapitre 2).

Dans le même esprit, adopter le préjugé que tous les correctifs viennent du gouvernement dénoncé par Proud'hon (Innerarity 2006 : 241ss) ou la mystique du leadership ou le mythe des valeurs communes (Paquet 2013 : chapitre 2), c'est se soumettre à des formes de prisons mentales qui ne peuvent que pervertir aussi bien les analyses que les politiques :

- celle qui sanctifie l'État (toujours écrit avec une majuscule) et lui confère le monopole sur la définition du bien commun;
- celle qui adule le leader imaginaire et célèbre la servitude volontaire et la déresponsabilisation des subalternes au nom d'une logique de moutons de Panurge; et
- celle qui invente des valeurs communes contondantes au lieu de chercher les principes d'opération sur lesquels les membres d'une société profondément pluraliste puissent s'entendre.

Ces prisons mentales non seulement limitent les capacités à comprendre, et rationnent l'ensemble des stratégies considérées comme acceptables, mais aussi amènent insensiblement les parties prenantes et les observateurs à se perdre de plus en plus dans la *pensée évasive*, dans le recours à des entités de plus en plus floues pour expliquer tout et son contraire, dans les propositions vagues dont le contenu éthéré et invérifiable est la saveur[10], plutôt que dans l'examen de mécanismes clairs qui peuvent jouer ou non dans une société[11].

La Grande Noirceur et la Révolution tranquille ont éthéré les mises en perspective du Québec de l'après Seconde guerre mondiale. Ces étiquettes générales et évasives ont couvert d'un voile pudique, et donc obscurci, les vraies causes et sources

---

[10] La pensée évasive que dénonce Vaclav Havel (Havel 1991) est celle qui amenait les médias du monde soviétique à transformer une nouvelle à propos de rebords de fenêtres tombant des conciergeries et tuant des passants dans la rue en une occasion de fière célébration d'une politie où on peut parler de rebords de fenêtre qui tombent sur les passants. À ce second degré, les représentations prennent un ascendant total sur la réalité.

[11] Pour un exposé des raisons pour lesquelles les mécanismes sont au centre des explications en sciences humaines, voit Jon Elster (Elster 2007).

des problèmes concrets du Québec. Voilà qui a autorisé les argumentations les plus boiteuses, et les inepties les plus toxiques dans les analyses du Québec des derniers 75 ans.

Briser ces prisons mentales (et démythifier les récits qu'on a construits depuis ces prisons à propos du Québec) va permettre de libérer les esprits, de repenser la période Duplessis, et de débronzer les romances construites à propos des décennies qui ont suivi 1960.

Ce travail de décontamination est commencé, mais il est loin d'être complété. Les manuels scolaires continuent à célébrer ces mythes, et des générations de désinformateurs professionnels continuent à faire leur travail de faux témoins et de sapes.

Troisième pathologie de gouvernance : outillage mental et trahison des clercs

Ce n'est que depuis quelques 25 ans qu'on a commencé à sérieusement mettre au dossier une réflexion critique et une documentation renouvelée visant à nettoyer les écuries d'Augias de la Grande Noirceur. Beaucoup de jeunes chercheurs (Turgeon, Geloso, etc.) mais aussi de chercheurs chevronnés (Bourque, Duchastel, etc.) ont mis au dossier des travaux qui ont exposé le vide des explications évasives par la Grande Noirceur et de la Révolution tranquille, et mis en lumière certains des mécanismes au cœur de la dynamique de la socio-économie québécoise.

Mais, malgré ces voix discordantes, on continue à utiliser couramment cette césure Grande Noirceur/ Révolution tranquille pour découper l'histoire du Québec des années 40 aux années 90 en deux périodes – noire entre 1940 et 1960, rose après 1960 … avec de longues explications pas toujours convaincantes pour masquer le dynamisme incroyable de la société québécoise avant 1960, et les ratés de la socio-économie québécoise de la Révolution tranquille dès 1965, et « la descente aux enfers » du Québec entre 1975 et 1989 (Fortin 2009).

Dans un geste d'automutilation de leur capacité à penser l'évolution du Québec, un nombre de clercs en sont même venus à prendre ces mythes et fantasmes comme postulats dans leurs analyses, et à en faire le cœur de l'outillage mental conventionnel d'idées reçues dans leurs travaux sur le Québec. Une posture essentiellement idéologique s'est institutionnalisée.

Cette instrumentalisation solennelle des mythes, et leur promotion au statut d'outillage mental ont été le résultat d'une certaine paresse qui a misé sur le caractère évasif et les inférences louches que cet outillage mental autorise pour expliquer tout et son contraire. Si l'on gratte un peu, la source de l'acceptation servile de ces mythes vient du fait qu'un groupe fort important de clercs ont abandonné leur rôle de critique de tous les arrangements (en place ou possibles) pour en sonder les limites et les avantages, afin de se mettre au service de l'idéologie dominante charriée par le pouvoir social. Voilà qui va aider certaines prisons mentales à s'incruster, et pourra légitimer qu'on n'ose plus asseoir des travaux sérieux sur des postulats qui délibérément prennent le contrepied de ces mythes, sans s'exposer au persiflage de certains grands ténors et à l'ire de leurs échotiers dans les médias.

S'en est suivie une érosion encore plus grande du sens critique face à la force brute du pouvoir social, porté par une constellation de médias, de célébrités et de saltimbanques dont les pronunciamientos semblent désormais suffire pour donner aux idées les plus saugrenues un vernis de dogme, et une présomption d'immunité. C'est comme si les élucubrations d'un humoriste ou d'un chroniqueur du *Devoir* ou d'un animateur de *Tout le monde en parle* ou les épîtres d'un chansonnier ou d'un cinéaste *magané* par les années 50 en arrivaient *sui generis* à faire autorité de manière déterminante sur tous les sujets dans notre forum public transformé en salle de spectacle.

On est en face d'une *prétention grotesque des saltimbanques* qui, du haut de leur carrière d'amuseurs publics, se présentent comme définisseurs de situation, et prétendent nous instruire par leurs éructations sur les voies défendables pour l'avenir; et *d'une véritable trahison des experts* qui, soit se taisent face aux déclarations délirantes et s'en font complices, soit vendent leur voix de ténor à l'idéologie en vogue et trahissent quotidiennement leurs engagements professionnels qui sont d'éclairer les débats, de mettre en lumière les faiblesses et les limitations des argumentaires bancals, et de dénoncer les fourberies.

Ni cet ignoble à-plat-ventrisme devant les 'célébrités', ni cette trahison des clercs, ni l'aveuglement idéologique ne sauraient expliquer complètement le manque de courage de ceux qui, sur toutes les tribunes, sont silencieux face à la fourberie et au persiflage, ni la négligence criminelle par tellement d'intellectuels du fardeau de leur charge (Paquet 2014b).

Ce genre de phénomènes n'est pas entièrement nouveau.

La société du spectacle propulse les saltimbanques et les bellâtres à l'avant-scène.

Quant aux clercs, Julien Benda a débusqué ce phénomène de trahison des clercs dès la fin du 19e siècle. Ceux qui, depuis des temps immémoriaux, avaient été considérés comme les porteurs du sens critique, ont alors commencé « à faire le jeu des passions politiques » (Benda 1927 : 56) : ils se sont mis au service des particularismes, et en ont fait la prédication. En fait ils ont sacralisé les passions politiques, et ont contribué à les immuniser contre les ardeurs de la pensée critique.

Ce qui fait la différence fondamentale entre les anciens clercs et les clercs modernes, c'est que les anciens clercs faisaient peut être le mal mais honoraient quand même le bien. Les clercs modernes font le mal et honore le mal (*Ibid.* : 222). Benda réfère à un conte de Tolstoi dans lequel un ermite reçoit la confession d'un brigand et exprime sa stupeur : « Les autres, du moins, avaient honte de leurs brigandages; mais que faire avec celui-ci qui en est fier! ».

Non seulement les clercs désormais choisissent de désinformer activement et systématiquement, soit pour servir leurs intérêts particuliers, soit pour la 'cause' – quelle qu'elle soit – mais ils s'en vantent!

Un ancien président-éditeur du quotidien *Le Droit* se vantait récemment d'avoir « dû faire le choix entre l'impartialité et la lutte » dans l'affaire Montfort, et d'avoir choisi « la lutte ». Il vient de recevoir l'Ordre du Canada (Mercier 2015). Que ceux qui croyaient à la primauté du *devoir de ne pas désinformer* des journalistes, comme celui du médecin de ne pas faire de mal, prennent note.

Dans notre doxacratie, le droit à l'opinion – et la célébration aveugle du devoir de conscience de défendre bec et ongles ses 'opinions' aussi mal fondées soient-elles – a pris l'ascendant sur la responsabilité à ne jamais désinformer. Tout ce qu'on semble trouver à dire est *caveat emptor* face à des 'explications' par les mythes qui sentent l'argumentation circulaire et la pétition de principe. Le péché de silence face à ces aberrations est probablement la source majeure des pathologies de gouvernance (Paquet 2015) : ne pas contester impostures et inepties, c'est s'en faire complice.

Il ne suffit donc pas de prêcher pour la résurrection de l'esprit critique.

* * *

Il faut évidemment en grande priorité dénoncer et délégitimer la désinformation délibérée qui est au cœur de l'imposture et des situations perverses où règne le mentir-vrai (Eyries 2013) : le comportement pervers de ceux qui sont chargés de nous informer (et à qui nous accordons un statut particulier et une place d'honneur dans le forum) et qui violent leur serment d'office et nous désinforment systématiquement au nom de leurs idéologies.

Il faut aussi cependant prendre en compte les forces toxiques de la *paresse des masses* déjà dénoncée par Proud'hon au 19e siècle (Innerarity 2006 : 241), celles de la *stupidité humaine* (Cipolla 2012) qui rend les masses tellement vulnérables, en plus de celles de la *dissonance cognitive* dont on a parlé plus haut – forces qui toutes activement travaillent dans le crâne des inconditionnels de tous acabits, à bloquer tout message qui menacerait leur paix intérieure.

Mais il y a plus. Il faut être bien naïf pour ne pas voir comment le degré de malhonnêteté intellectuelle et de mauvaise foi qui est toléré dans les débats publics a atteint de nouveaux sommets. Le sophisme est maintenant monnaie courante, et on considère encore qu'il est malvenu et de mauvais goût de l'attaquer avec tous les moyens du bord comme on le ferait pour de la fausse monnaie.

Toute cette inaction sur ces divers fronts sont des signes de la montée d'un *esprit de servilité* qui se matérialise sous deux formes : celle d'une propension à se soumettre, à se compromettre, à chercher partout l'apaisement face à des contraintes inacceptables, à faire semblant au nom d'un certain confort intellectuel (Minogue 2010); et celle d'une propension à chercher le confort intellectuel dans l'absolu et les dogmes immunisés contre toute tentation d'ambivalence comme les idéologies et les sectes – une autre sorte de servilité!

Ces deux stratégies sont également toxiques : elles consistent à faire la sourde oreille. Comme le suggère le proverbe somalien, il est difficile de réveiller quelqu'un qui fait seulement semblant de dormir.

Le défi périlleux est de convaincre les citoyens de sortir de leur esprit de servilité qui est une forme d'aliénation dans le confort intellectuel d'une sorte ou de l'autre, en acceptant que ce citoyen *réveillé* ne sera pas nécessairement à l'aise avec le statu quo, et qu'il va probablement se transformer en *publics émergents* (Angus 2001) qui vont vouloir avoir voix au chapitre.

Mes propos caustiques sur la Grande Noirceur débouchent donc sur des questions bien plus amples : les défis de la société du spectacle, des psychoses collectives et du pouvoir social qui conforment nos représentations; des prisons mentales qui distordent la production de connaissances; et de la trahison des clercs qui nous laissent à la merci des idéologues et des imposteurs... et sur la nécessité de nous risquer à revenir aux débats entre John Dewey et Walter Lippmann dans les années 1920 sur ce qu'on peut espérer du citoyen (Whipple 2005).

B. La Révolution tranquille en tant que sur-objet [12]

J'ai développé suffisamment mon analyse de la Révolution tranquille dans mon livre de 1999 et subséquemment dans le *Tableau II* pour ne pas y revenir en grands détails ici. Je me contenterai ici de jauger le phénomène *Révolution tranquille* dans son ensemble – c'est-à-dire en tant que phénomène social total qui va embrasé et dévoyé le discours public dans le troisième tiers du siècle dernier.

Dans l'acception de ce terme au Québec et au Canada, la Révolution tranquille est un *concept essentiellement contesté* au sens de Gallie (Gallie 1964) – c'est-à-dire un concept appréciatif qui accrédite une réalisation complexe valorisée, et dont l'usage entraîne des disputes sans fin. Chacun soutient que le concept est utilisé de façon inappropriée par les autres, et que ces différends

---

[12] Le surobjet est le résultat d'une objectivation critique, d'une objectivité qui ne retient de l'objet que ce qu'elle a critiqué (Bachelard 1966 : 139).

ne peuvent être réglés par des recours à des preuves empiriques ou par la seule logique. La Révolution tranquille est donc un être fantomatique dont l'ombre est la saveur, et qui, comme les taches d'encre de Rorschach, est moins important pour son contenu que par ce qu'il a suscité chez les contemporains, et qu'il suscite encore chez les observateurs.

Dans cette perspective, la notion de Révolution tranquille est un concept fourre-tout. Toutes les interprétations en sont à la fois légitimes et inventées, et elles peuvent devenir le fondement de divers tableaux d'avancement et de régression de la socio-économie québécoise. À partir d'un grappillage sélectif de bribes d'événements de toutes sortes, certains y lisent un grand pas dans la définition de l'identité québécoise; d'autres, un moment important dans la chronique du passage à la modernité; d'autres enfin (comme moi) y voient un moment de distorsion de l'ordre établi sous le coup d'une poussée démographique hors de l'ordinaire qui a arc-bouté un fort mouvement d'étatisation. Comme dans la description de l'éléphant par des aveugles, dans la fable indienne, toutes et chacune de ces interprétations (et il y en a beaucoup d'autres) sont exactes, mais en même temps partielles, et donc suspectes, parce qu'elles sont aussi le fruit de l'imagination de chacun, et restent liées à l'outil que l'on s'est donné pour construire et rationaliser ses propres représentations.

Cette perspective a l'avantage de permettre à tout observateur un peu pragmatiste, s'il le veut bien, de comprendre le rôle opératoire de la notion de Révolution tranquille dans sa propre démarche. Par exemple, dans mon cas, incapable d'accepter le mythe de la Grande Noirceur que certains ont inventé pour caractériser les années 1950, antérieures à la Révolution tranquille — parce que tout mon vécu concret de l'époque au pied de la Pente Douce à Québec contredisait cette idée — j'ai été amené à déconstruire cette notion caricaturale de Révolution tranquille qui inventait un *avant* désolant pour mieux souligner un *après* glorieux et triomphaliste — un *après* tout aussi irrecevable à mes yeux.

B.1 Une fringale de sens

Ces affolements négatifs ou positifs dans les représentations étaient l'écho d'une fringale de sens. Dans ces moments de turbulence, en temps réel, tous et chacun tentaient d'appréhender cette réalité en changement. Mais comme les sciences humaines ont de grandes difficultés avec la notion de système, on a eu une propension à tout anthropomorphiser. On a inventé comme point de repère un être de raison que l'on a baptisé Révolution tranquille, et on lui a ensuite cherché une généalogie imaginaire, des précurseurs, des parents charnels, des grand-prêtres aussi, qui ont sur-le-champ commencé à jouer le rôle qu'on leur avait assigné.

Il m'est apparu alors que la Révolution tranquille n'avait pas plus de réalité que la Crise agricole de 1802 dans le Bas-Canada — une crise inventée de toutes pièces par certains historiens, et bâtie sur des témoignages fumeux de témoins censément crédibles même s'ils témoignaient 50 ans plus tard – pour expliquer toute une série de phénomènes que l'on pouvait facilement expliquer autrement (Paquet et Wallot 1988).

La Révolution tranquille, ainsi réduite à son rôle d'être de raison inventé pour « expliquer » un grand saut – une grande discontinuité entre la Grande Noirceur imaginaire et l'avènement d'une modernité imaginaire au Québec – est un artifice qui se transforme vite en imposture, dès que l'on constate, à l'examen, que rien dans l'avant ou l'après ne semble justifier l'idée qu'il se soit produit un « Grand Saut ».

Le défi consistait alors à trouver et démonter les mécanismes susceptibles d'expliquer la transition dans le monde vécu sans être tenu d'avoir recours à l'hypothèse de la Révolution tranquille. Ce travail de déconstruction est fondamentalement le métier des gens de sciences humaines : découvrir les mécanismes simples qui expliquent les phénomènes complexes avec la plus grande économie possible de postulats. C'était la vocation de mon livre de 1999 – *Oublier la Révolution tranquille* – dont le titre original était *Et si la Révolution tranquille n'avait pas eu lieu …* (Paquet 1997, 1999a). Le défi était de remplacer cet *explanans* douteux qu'est la Révolution tranquille (un méta-phénomène aussi opaque que la grâce sanctifiante ou le phlogistique) par une explication de rechange construite sur des mécanismes moins ténébreux.

Dans mon cas, cette déconstruction passe d'abord par la constatation d'une réalité : le choc démographique résultant de la naissance de deux millions de Québécois entre 1951 et 1966. Cette vague démographique, le fameux *baby boom*, va malmener la socialité traditionnelle du Québec (et sa capacité à inventer des ciments sociaux qui fassent tenir, en ensembles stables et fonctionnels, individus, groupes et réseaux) ainsi que sa gouvernance. Le *baby boom* va ébranler fortement sur son passage toutes les organisations et institutions en place, tout au long du cycle de vie de cette cohorte mais surtout au cours des 20 premières années.

Les mondes de la santé, de l'éducation et de la culture, mais tous les autres aussi, vont être chambardés par cette marée, à proportion que les arrangements en place comme tels vont se révéler incapables de servir les nouveaux arrivants, et qu'on va devoir les radouber ou les remplacer (Paquet 2011b). La gouvernance dans tous ces secteurs va être transformée. Et même dans les institutions en place qui vont survivre à la vague démographique, certains pans seront irrémédiablement minés ou détruits par l'étatisation à grande échelle qui sera déclenchée pour pallier les manques organisationnels face à cette horde démographique.

L'un des chantiers ainsi dévastés a été celui de la *philia*, de la solidarité, des réseaux de rapports interpersonnels dans la société civile. Cela créera le défi de reconstruire une nouvelle socialité sur des rapports plus ténus et mieux adaptés aux réalités contemporaines. Voilà l'entreprise qui sera au cœur des *Tableaux d'avancement I, II et III* dans lesquels je présente l'après 1960 (Paquet 2008, 2011c, 2014c). Ces travaux viennent compléter les coups de sonde sur l'avant 1960 (plongeant jusqu'à la fin du 18e siècle) que j'avais complétés en collaboration avec Jean-Pierre Wallot (Paquet et Wallot 2007).

B.2 C'est comme si le réel n'avait pas eu lieu

Ce travail d'ethnographie, d'exploration et de prospective était devenu nécessaire parce que l'être de raison Révolution tranquille en est venu à occuper tellement de place, et à inspirer tellement de fantasmes, qu'on en est arrivé à ne voir que cette idée qui se présentait comme plus vraie que le réel.

En ce sens, la réalité de la socio-économie québécoise est tombée sous l'emprise du *principe de Don Quichotte* — l'idée de la Révolution tranquille est parvenue au point où elle est considérée comme plus vraie que la réalité concrète. Ce type d'enchantement qui fait que l'idée de Dulcinée, pour Don Quichotte, occulte la réalité de la souillon, a bloqué une appréhension moins distordue de la réalité (Onfray 2014). C'est une maladie qui a affligé et afflige encore bien des penseurs et bien des aficionados de l'idée de Révolution tranquille.

La dissolution de l'idée de Révolution tranquille en tant que *référence enchanteresse* en des mécanismes plus simples et moins opaques ne permet pas évidemment de nier qu'elle demeure un phénomène social total pour nombre d'observateurs, et un opérateur essentiel dans leurs cosmologies. Le quasi mysticisme qui a longtemps accompagné leurs observations et leurs travaux peut sembler dangereux et un peu primaire, mais son importance symbolique demeurait tonitruante en 1999, suffisante pour que mes efforts pour faire oublier la Révolution tranquille engendrent des réactions violentes (*Bulletin d'histoire politique* 2000).

Quant à mes efforts de reconstruction de ce qui se passait sous la surface de la Révolution tranquille, elle a reçu une fin de non-recevoir – des propos violents encore, mais surtout une dé-légitimation de cette approche liée à la gouvernance. Comme l'homme noir qui est invisible pour le reste de la société américaine dans le roman *Invisible Man* de Ralph Ellison (Ellison 1952), la réalité plus ordinaire d'une simple évolution significative de la socio-économie québécoise en réaction à un choc démographique a été déclarée moins réelle, peut-être parce que moins glorieuse et gratifiante que l'idée d'épiphanie et d'exhaussement volontaire qu'elle voulait remplacer.

B.3 La Révolution tranquille embaumée?

Au cours des quinze dernières années, l'idée de Révolution tranquille a perdu un peu de son pouvoir de séduction à proportion que les fantasmes qu'on a construits sur ces fondations se sont affadis : elle n'est plus le vecteur principal autour duquel se déploient les discours importants au Québec. Cependant, on brandit encore ce fanion chaque fois que le *modèle québécois* – autre mythe à débronzer – en tant que vache sacrée est remis en question. Encore que les forces dites *progressistes* n'applaudissent plus à l'unisson quand on veut donner la respiration artificielle à Bombardier! Mais comme les nostalgiques, toujours en mal d'épiphanies passées, n'en ont pas beaucoup d'autres en stock, on y a recours faute de mieux.

Le rôle de l'État s'est atténué quelque peu, les formes d'organisations sont plus décentralisées, et les frontières extérieures sont devenues poreuses. Le capital humain est davantage mobile, et les possibilités de figer les avantages comparatifs sont de plus en plus menues. Le politique lui-même et le pouvoir se sont grandement effrités (Moisés 2013). En fait, la dernière décennie a même engendré un mouvement anti-État qui, en débronzant les opérations de redistribution réparatrice, a ramené au centre de la scène les impératifs de coordination, de productivité et d'innovation (Paquet et Wilson 2015).

L'agilité et la souplesse des organisations et des institutions sont devenues des avantages comparatifs cruciaux (Brafman et Beckstrom 2006). Donc les prébendes et les protections de l'État perdent leur centralité. Dans ce contexte, le rôle de l'État-stratège n'est pas sans importance, mais son outillage est désormais infiniment plus subtil (Paquet 1999b : chapitre 11). L'insoutenable lourdeur du modèle québécois et la collusion des élites qu'il assume sont autant de facteurs qui rendent les discours à saveur Révolution tranquille un peu plus ringards. Mais la Révolution tranquille en tant que vache sacrée a ses irréductibles, et elle n'en finit pas de mourir. On n'est donc pas près de la voir rejoindre toute une série de faux événements phares qui dorment dans les poubelles de l'Histoire.

B.4 La nouvelle socialité toujours en chantier

La socio-économie québécoise est à redéfinir sa socialité et sa gouvernance, comme son rapport d'ailleurs au Nouveau, à l'Incertain et à l'Autre. Le travail incombera aux nouvelles générations qui ne sentent plus autant que les générations antérieures le besoin de se capitonner de droits et de créances, ni de trouver refuge à l'abri d'un État saint-bernard. Les plus jeunes visent davantage à devenir antifragiles (Taleb 2012), c'est-à-dire à acquérir une capacité d'adaptation et d'ajustement de plus en plus grande à proportion qu'ils s'exposent à des défis de plus en plus intenses. Ces générations F-35 savent que ce ne sera possible qu'en acceptant de vivre dans l'instabilité – les F-35 sont des avions immensément manœuvrables parce qu'essentiellement instables.

Cette socialité et cette gouvernance nouvelles ne signifient pas pour autant un déracinement. Les plus jeunes vont s'ancrer davantage dans un enracinement qui fonde l'obligation, dans un patriotisme qui donne priorité aux obligations sur les droits, dans l'action au pluriel qui est le levier des communautés, et dans une dynamique des communautés qui s'inscrit dans le mouvement et la métamorphose. Voilà qui commande une façon inédite d'inventer des formes inexplorées de vivre ensemble, des espaces nouveaux et des identités hybrides.

Il s'agit là moins d'un programme que d'une démarche. Ambitieusement mais prudemment, j'ai esquissé, en conclusion à mon *Tableau d'avancement III*, les éléments variés qui sont nécessaires au succès de cette démarche. Il s'agit d'un double travail de décontamination de nos patriotismes myopes et locaux, et de construction d'une gouvernance eunomique du Canada français.

Comme il s'agit d'un avenir à construire, rien n'est assuré. Mais cette démarche prospective a bien davantage la possibilité de réussir que celle qui voudrait s'en remettre passivement à l'État saint-bernard. La dynamique de métamorphose de la nouvelle socialité et de la nouvelle gouvernance est l'antithèse du réflexe de préservation des créances de tous et chacun, et de l'étatisme tous azimuts de la Révolution tranquille.

Malgré l'occasion prochaine toujours présente du péché d'État providence, l'idée qui voudrait que tout le monde ait droit à une prébende ou un privilège, courtoisie des autres citoyens, est en train de s'estomper. Et avec la fin de cette abomination morale – la fin de la période où on a abusé du bon Samaritain – on peut croire que la dynamique de métamorphose est en train de devenir la seule option. Le temps d'un requiem pour la Révolution tranquille!

La rupture de 1967 et le conservatisme linguistique au premier degré

Les deux prouesses de *storytelling* dont on a parlé plus haut ont pris une place considérable dans l'espace public du Québec – le morceau le plus important du Canada français – pendant un long moment au siècle dernier. Leur pouvoir social a contribué, par la complicité des politiques, de l'intelligentsia et des médias, à conformer des représentations simplistes de l'expérience québécoise et à faire qu'elles s'accréditent. La cosmologie qui s'est construite autour de la Révolution tranquille en particulier a eu des effets toxiques sur le Québec, mais aussi eu des effets de retombée sur toute la diaspora canadienne-française.

En effet, la grande bouffée d'étatisme qu'a constitué la Révolution tranquille – et l'exhaussement de l'État au statut de Veau d'or et de force dominante dans la dynamique sociale – a déplacé la société civile par l'État non seulement dans l'inconscient collectif, mais dans l'arsenal des moyens d'action et d'intervention privilégiés ou même pensables. L'État du Québec est devenu le centre d'attention des Québécois, et le reste du Canada français et de l'Amérique française est devenu éminemment moins important (et même présent) dans la socialité québécoise.

Un moment charnière dans cette marginalisation de la réalité du Canada français hors-Québec portée par la Révolution tranquille a été la dérive enregistrée dans les États généraux du Canada français en 1967. Ces assises nationales qui se sont tenues entre 1966 et 1969 s'inscrivaient, en plus ambitieux, dans la suite des congrès de la langue française qui s'étaient tenus en 1912, 1937, et 1952. Ces assises antérieures étaient l'écho d'une société civile française en Amérique, qui reconnaissait l'importance relative du Québec dans cette francophonie d'Amérique, mais qui surtout émergeait d'une volonté vibrante de tous les pans de cette francophonie d'Amérique de forger un régime d'engagement auquel chacun participerait selon son esprit et ses moyens, mais participerait avec vigueur en tant que communautés.

Ce qui s'est passé en novembre 1967 peut être interprété de bien des manières différentes (Laniel et Thériault 2016). Certains, comme Joseph Yvon Thériault (Thériault 2016), y voient une métamorphose de la relation Québec-reste du Canada qui constitue, certes, un éloignement, mais qui sera suivi d'un rapprochement timoré. Cela permet à Thériault de conjecturer des lendemains prometteurs sinon glorieux. D'autres, moins optimistes, y voient un point de rupture : le Québec abandonnant le Canada français hors Québec.

Pour les premiers, la résurgence d'un certain patronage de l'État québécois dans les années 90 pour financer certaines initiatives à retombées extraterritoriales a permis qu'un certain lien Québec-reste du Canada français vivote. On peut avoir des interprétations moins généreuses de cette nouvelle réalité et de ses promesses pour l'avenir, mais ce patronage de un à deux millions de dollars par année existe bien. Il n'est pas clair cependant que ce financement étatique du Québec constitue un engagement de la communauté québécoise, non plus qu'il soit perçu comme tel par les communautés du Canada français hors Québec.

Pour les autres, l'engagement des Québécois avec les communautés du Canada français hors Québec s'est dramatiquement éteint : le Québec ayant choisi de se concentrer sur soi pour avoir une meilleure opportunité de survie qui leur viendrait, leur semble-t-il, d'un territoire géographique précis et d'un rôle déterminant de l'État québécois. Pour le Québécois moyen, les seules appellations signifiantes qui semblent définir la francophonie hors Québec (avec des bémols pour le Nouveau-Brunswick et l'Ontario) sont celles de René Lévesque (« dead ducks ») et d'Yves Beauchemin – « cadavres chauds ».

Tant pour le gouvernement québécois que pour les Québécois en général, l'idée d'une diaspora canadienne-française dont le Québec serait l'épine dorsale et qui serait un actif important pour sa propre survie ne saurait être que fantaisiste (pour être poli). Quant à l'idée de recréer une socialité canadienne-française, fondée sur la reconstruction de liens sociaux plus étroits entre les diverses communautés francophones au pays en tant qu'actif important dans la stratégie de résilience du Québec, cela paraîtrait surréaliste chez les définisseurs de situation au Québec. Pour le Québec comme pour les Québécois, le reste de la diaspora du Canada français n'est pas un actif … ce serait plutôt un passif ou, au mieux, un relent de responsabilités passées en train de s'éteindre.

Quant au gouvernement fédéral, sa loi sur les langues officielles peut avoir semblé lui ouvrir la porte d'une intervention légitime potentiellement musclée, mais l'agent du parlement chargé de jouer les chiens de garde a choisi d'interpréter son mandat d'une manière fort 'conservationniste'. Il scrute à la loupe la performance des instances fédérales, et distribue des bonnes et mauvaises notes qui ne semblent pas vraiment porter à conséquence. La métrique fondamentale qu'il s'est donnée pour mesurer la *vitalité* des communautés de langue officielle en situation minoritaire (CLOSM) se focalise sur un aspect assez étroit de la réalité communautaire – à savoir si la langue minoritaire est la langue parlée à la maison. Ce faisant, on ne semble pas accorder autant de force de frappe à *l'usage du français aussi* en tant que mesure de vitalité linguistique. Or, la communauté est bien plus que la langue, quoi qu'en disent les 'sentimentalistes des langues' (de Swaan 2007). Il faut donc concevoir le problème de la continuité linguistique dans le temps dans une perspective évolutionniste qui ouvre la porte à d'autres stratégies que celles du repli sur soi et du conservationnisme.

La perspective qui semble avoir guidé l'Enquête de Statistiques Canada et le Commissariat aux langues officielles est clairement énoncée dans les premières lignes du Rapport : elle a sa source dans la Partie VII de la *Loi sur les langues officielles* qui mentionne que le gouvernement fédéral s'engage à favoriser l'épanouissement des minorités linguistiques (version anglaise – *enhancing the vitality*). C'est le même genre de rhétorique vague mais fatidique qu'on trouve à l'article 27 de la *Charte canadienne des droits et libertés* à propos du multiculturalisme.

Les auteurs (Corbeil *et al.* 2006) postulent « l'existence d'un dynamisme propre à ces communautés linguistiques sur lequel reposerait leur développement » (*Ibid.* : 3). De là, ils sont vite amenés à ne plus se contenter d'enregistrer un état de fait (objectif et subjectif) : ils disent clairement ambitionner rien de moins que de jauger « les possibilités qu'ont les membres des communautés de langue officielle en situation minoritaire de s'épanouir dans la langue de la minorité » (*Ibid.* : 5). Statistiques Canada construit, ce faisant, sur des axiomes contestables : le caractère transcendant de la communauté linguistique *per se*, l'existence d'un dynamisme propre à ces communautés linguistiques, et le caractère fondamental de ce dynamisme propre pour leur développement.

Ces axiomes – mis en contexte et relativisés par une problématique qui considérerait (1) la langue strictement comme une dimension seulement (parmi d'autres) de la communauté, (2) la communauté linguistique comme constituant un élément seulement (parmi d'autres) de son dynamisme, et (3) comme contribuant une portion seulement (parmi d'autres) des forces qui assurent son développement – ne poseraient aucun problème. Posés comme absolus, ils deviennent non seulement contestables mais réducteurs.

Il est simpliste d'affirmer que l'élan vital d'une communauté est réductible à la langue, que l'on puisse l'exhausser au statut de variable dominante à la fois dans le dynamisme d'une communauté et de son développement, et que l'épanouissement ne soit perçu que comme provenant exclusivement de l'intérieur. C'est la sorte de position développée par certains intégristes, mais ne convient pas comme inspiration incontestée d'une étude qui, comme celle de Statistiques Canada, voudrait simplement prendre la mesure du phénomène.

Évidemment, il n'est pas anormal de mettre l'accent sur la langue dans une étude de la vitalité des communautés linguistiques, mais il y a danger de réduire la communauté à la langue ou même de postuler que la langue crée la communauté. Il existe des communautés polyphoniques vibrantes, et des agrégats linguistiques homogènes qui ne sont pas vraiment des communautés vibrantes.

Il n'est pas certain que cet acte de foi inconditionnel dans les CLOSM (et en conséquence dans le dynamisme de conservation) soit éclairant. Ainsi que le suggèrent Johnson et Doucet, le concept de vitalité est pluriel : il peut s'appliquer à l'individu ou à la collectivité, à la langue, à l'ethnolinguistique ou à la communauté définie de manière beaucoup plus large, et fait écho à des dimensions démographique, sociale, politique, culturelle ou économique (Johnson et Doucet 2006).

Dans ce contexte, la langue d'usage à la maison est un indicateur partiel de la vitalité linguistique parmi d'autres. Or, bien des lecteurs du rapport de Statistiques Canada vont sortir de leur lecture du rapport avec l'impression que c'est l'indicateur quintessentiel auquel seraient co-reliées toutes les autres dimensions fondamentales de la vitalité de la communauté. De là à fabuler sur l'assimilation et à tonner contre la bilinguisation et l'exogamie, il n'y a qu'un pas.

Le tout atteint des dimensions eschatologiques quand on invoque des principes non écrits de la Constitution qui assureraient la protection de la langue des minorités d'une manière absolue, ou l'incontournabilité de la complétude institutionnelle pour réclamer la mise en place de configurations d'institutions opérant *obligatoirement totalement et exclusivement* dans la langue de la minorité – comme on l'a fait dans l'affaire Montfort (Bernard 2001).

On peut comprendre comment, par cette voie, on en arrive à suggérer qu'on doit assurer la 'vitalité' et l'épanouissement des CLOSM par des voies constitutionnelles et légales. Or ce point de vue est contestable (Paquet 2002).

Comme on pouvait s'y attendre, de ces épistémologies infirmes (Hardin 2002) s'est ensuivie une dérive des politiques publiques dont on a réclamé qu'elles renforcent un certain repli communautaire. Misant sur le capital social engendré par la langue, sans tenir beaucoup compte de l'impact plus global de la création de ces 'réserves communautaires', on insiste pour isoler la communauté, et pour chercher sa survie dans une déconnexion avec l'environnement.

Cette perspective n'occupe heureusement plus tout le terrain comme ce semblait être encore le cas il y a une décennie. On a commencé à débattre de diverses approches dans la communauté des chercheurs spécialisés dans ce domaine, et à donner à l'environnement et aux choix individuels beaucoup plus de place que dans les périodes antérieures. On sent un glissement de paradigme : même si certains de ces auteurs s'en défendent en public, et s'il y a peu d'échos de ce glissement dans les discours officiels. Il reste que le contexte (local, national et international), mais aussi la nécessité de poser ces questions linguistiques dans un contexte plus global et dans le long terme, ont commencé à être mieux pris en compte.

Conclusion

On voit que la peur de la décentralisation à Ottawa et dans certaines communautés francophones mal servies par leurs gouvernements provinciaux dans le passé, ainsi que le repli sur soi du Québec et son désintéressement de la diaspora du Canada français hors Québec, ont rendu compliqué la stratégie hybride de décentralisation – correspondant à l'objectif premier de donner à chaque communauté les degrés de liberté nécessaires à son épanouissement et au second objectif de libérer chaque communauté des carcans gouvernementaux autant que possible – n'ait pas débouché sur des solutions simples.

Certaines communautés de la diaspora comptent sur les pouvoirs coercitifs du gouvernement fédéral, ses lois et ses prébendes, parce que c'est la voie la plus confortable pour assurer un certain embaumement des acquis. D'autres ont perdu confiance en leur capacité de survivre sans la *protection* du gouvernement fédéral, et se raccrochent désespérément à leur mode de vivotement. Mais quelques communautés de la diaspora canadienne-française sont en train de se construire des stratégies de développement à partir de leurs actifs et de leur ingéniosité, même si elles souffrent de contraintes générales du gouvernement central qui s'arriment mal à leur condition particulière. Certaines expériences impressionnantes comme celles du Manitoba (Mulaire 2012) n'ont pas encore eu l'effet d'entraînement qu'on aurait pu anticiper.

Ce constat relativement pessimiste n'est cependant pas suffisant pour conclure que la stratégie diasporique n'est pas jouable. Il est nécessaire avant d'en arriver à cette conclusion d'examiner jusqu'à quel point les diverses communautés francophones de la diaspora donnent des signes de capacité d'apprentissage, de capacités à se débarrasser des prisons mentales et des blocages organisationnels et institutionnels dans lesquels elles sont engluées. On jette un coup d'œil dans cette direction dans le chapitre 2.

Références

Angus, Ian. 2001. *Emergent Publics*. Winnipeg, MB : Arbeiter Ring Publishing.

Bachelard, Gaston. 1966. *La philosophie du non*. Paris, FR : Presses Universitaires de France.

Benda, Julien. 1927. *La trahison des clercs*. Paris, FR : Grasset.

Bernard, Roger. 2001. *À la défense de Montfort*. Ottawa, ON : Le Nordir.

Bombardier, Denise. 1985. *Une enfance à l'eau bénite*. Paris, FR : Seuil.

Boudon, Raymond. 2005. *Tocqueville aujourd'hui*. Paris, FR : Odile Jacob.

Bourque, Gilles, Jules Duchastel et Jacques Beauchemin. 1994. *La société libérale duplessiste*. Montréal, QC : Presses de l'Université de Montréal.

Brafman, Ori et Rod Beckstrom. 2006. *The Starfish and the Spider. The Unstoppable Power of Leaderless Organizations*. New York, NY : Portfolio.

Bulletin d'histoire politique. 2000. Vol. 8, nᵒˢ 2-3, hiver-printemps.

Cipolla, Carlo M. 2012. *Les lois fondamentales de la stupidité humaine*. Paris, FR : Presses Universitaires de France.

Corbeil, Jean-Pierre *et al.* 2006. *Les minorités prennent la parole : résultats de l'Enquête sur la vitalité des minorités de langue officielle*. Ottawa, ON : Statistiques Canada.

Davies, James C. 1962. « Toward a Theory of Revolution », *American Sociological Review*, 27(1) : 5-19.

Debord, Guy. 1967. *La société du spectacle*. Paris, FR : Buchet-Chastel.

de Swaan, Abram. 2007. « Le sentimentalisme des langues – Les langues menacées et la socio-linguistique » dans M. Werner (sld). *Politiques et usages des langues en Europe*. Paris, FR : Éditions de la Maison des Sciences de l'Homme, p. 81-98.

Dumont, Fernand. 1978. « Les années 1930. La première Révolution tranquille », en coll. *Idéologies au Canada français 1930-39*. Québec, QC : Presses de l'Université Laval.

Dupuy, Jean-Pierre. 2003. *La panique*. Paris, FR : Les empêcheurs de penser en rond.

Ellison, Ralph. 1952. *Invisible Man*. New York, NY : Random House.

Elster, Jon. 2007. *Explaining Social Behavior – More Nuts and Bolts for Social Sciences*. Cambridge, R.-U. : Cambridge University Press.

Eyries, Alexandre. 2013. *La communication publique ou le mentir-vrai*. Paris, FR : L'Harmattan.

Fortin, Pierre. 2009. « Six observations sur la croissance québécoise à la manière de Gilles Paquet » dans C. Andrew *et al.* (sld). *Gilles Paquet, homo hereticus*. Ottawa, ON : Presses de l'Université d'Ottawa, p. 284-299.

Gagnon, Alain G. et Michel Sarra-Bournet (sld). 1997. *Duplessis – Entre le Grande Noirceur et la société libérale*. Montréal, QC : Éditions Québec Amérique.

Gallie, W.P. 1964. *Philosophy and the Historical Understanding*. Londres, R.-U. : Chatto & Windus.

Geloso, Vincent. 2012. « La Révolution tranquille et la Grande Noirceur : un regard révisionniste », *Huffington Post*, le 6 mai.

Geschwender, James A. 1968. « Explorations in the theory of social movements and revolutions », *Social Forces*, 47(2) : 127-135.

Godbout, Jacques. 2010. « Pour éclairer la Grande Noirceur », *Le Devoir*, le 28 novembre.

Hardin, Russell. 2002. « The Crippled Epistemology of Extremism », dans Albert Breton *et al.* (sld). *Political Extremism and Rationality*. Cambridge, R.-U. : Cambridge University Press, p. 3-22.

Havel, Václav. 1991. « On Evasive Thinking » dans V. Havel. *Open Letters – Selected Prose*. Londres, R.-U. : Faber & Faber, p. 10-24.

Hayek, F.A. 1948. *Individualism and Economic Order*. Chicago, IL : The University of Chicago Press.

Innerarity, Daniel. 2006. *La démocratie sans l'État – Essai sur le gouvernement des sociétés complexes*. Paris, FR : Climats.

Johnson, Marc L. et Paule Doucet. 2006. *A Sharper View – Evaluating the Vitality of Official Language Minority Communities*. Ottawa, ON : Office of the Commissioner of Official Languages.

Laloux, Frederic. 2014. *Reinventing Organizations*. Bruxelles, BE : Nelson Parker.

Lamberton, Don M. 1965. *The Theory of Profit*. Oxford, R.-U. : Blackwell.

Laniel, Jean-François et Joseph Yvon Thériault (sld). 2016. *Retour sur les États généraux du Canada français*. Québec, QC : Presses de l'Université du Québec.

Mercier, Julie. 2015. « Pierre Bergeron décoré de l'Ordre du Canada », *Le Droit*, le 1er juillet.

Meunier, E. Martin. 2016. « La Grande Noirceur canadienne-française dans l'historiographie et la mémoire québécoises », *Vingtième siècle. Revue d'histoire*, n° 129, p. 43-59.

Minogue, Kenneth. 2010. *The Servile Mind*. New York, NY : Encounter Books.

Moisés, Naím. 2013. *The End of Power. From Boardrooms to Battlefields to Churches to States: Why Being in Charge isn't What It Used to Be*. New York, NY : Basic Books.

Mulaire, Mariette. 2012. « Innovations au Manitoba » dans C. Andrew *et al.* (sld). *Gouvernance communautaire : innovations dans le Canada français hors Québec*. Ottawa, ON : Invenire, p. 43-49.

Naisbitt, John. 1994. *Global Paradox*. New York, NY : William Morrow.

Onfray, Michel. 2014. *Le réel n'a pas eu lieu – Le principe de don Quichotte*. Paris, FR : Autrement.

Paquet, Gilles. 1966. « The Structuration of a Planned Economy », *Canadian Slavonic Papers*, (8) : 250-259.

Paquet, Gilles. 1971 « Un État empêtré dans une société temporaire » in Claude Ryan (sld). *Le Québec qui se fait*. Montréal, QC : HMH, p. 123-128.

Paquet, Gilles. 1984. « Bilan d'une dépendance », *Autrement,* n° 60, p. 29-36.

Paquet, Gilles. 1991-2. « Un pari sur les contrats moraux », *Optimum,* 22(3) : 49-57.

Paquet, Gilles. 1997. « Et si la Révolution Tranquille n'avait pas eu lieu…», *L'Agora,* 4(2) : 35-36.

Paquet, Gilles. 1999a. *Oublier la révolution tranquille – Pour une nouvelle socialité.* Montréal, QC : Liber.

Paquet, Gilles. 1999b. *Governance through Social Learning.* Ottawa, ON : Presses de l'Université d'Ottawa.

Paquet, Gilles. 2002. « Montfort et les nouveaux Éléates », *Francophonies d'Amérique,* n° 13, p. 139-155.

Paquet, Gilles. 2008. *Tableau d'avancement – Petite ethnographie interprétative d'un certain Canada français.* Ottawa, ON : Presses de l'Université d'Ottawa.

Paquet, Gilles. 2009. *Crippling Epistemologies and Governance Failures – A Plea for Experimentalism.* Ottawa, ON : Presses de l'Université d'Ottawa.

Paquet, Gilles. 2011a. *Gouvernance collaborative – un antimanuel.* Montréal, QC : Liber.

Paquet, Gilles. 2011b. « Révolution tranquille et gouvernance : éducation, santé et culture » dans Guy Berthiaume et Claude Corbo (sld). *La Révolution tranquille : 50 ans d'héritages.* Montréal, QC : Boréal, p. 47-86.

Paquet, Gilles. 2011c. *Tableau d'avancement II – Essais exploratoires sur la gouvernance d'un certain Canada français.* Ottawa, ON : Invenire.

Paquet, Gilles. 2012. *Moderato cantabile : Toward Principled Governance for Canada's Immigration Policy.* Ottawa, ON : Invenire.

Paquet, Gilles. 2013. « Governance as Mythbuster » dans G. Paquet. *Tackling Wicked Problems – Equality, Diversity and Sustainability.* Ottawa, ON : Invenire, p. 33-57.

Paquet, Gilles. 2014a. « Deux hoquets de gouvernance : l'affaire Montfort et le Printemps érable » dans G. Paquet. *Tableau d'avancement III – Pour une diaspora canadienne-française antifragile.* Ottawa, ON : Invenire, p. 195-232.

Paquet, Gilles. 2014b. *Unusual Suspects – Essays on Social Learning Disabilities.* Ottawa, ON : Invenire.

Paquet, Gilles. 2014c. *Tableau d'avancement III – Pour une diaspora canadienne-française antifragile.* Ottawa, ON : Invenire.

Paquet, Gilles. 2015. « Failure to confront », *www.optimumonline.ca*, 45(3) : 16-32.

Paquet, Gilles. 2016a. « La socio-économie québécoise en mutation : une méso-analyse aventureuse » dans E.-Martin Meunier (sld). *Le Québec et ses mutations culturelles.* Ottawa, ON : Presses de l'Université d'Ottawa, p. 111-146.

Paquet, Gilles. 2016b. « La Révolution tranquille en tant que sur-objet », *Argument,* 18(2) : 30-36.

Paquet, Gilles. 2016c. « L'étonnante toxicité de la dissonance cognitive », *Philo & Cie,* p. 14.

Paquet, Gilles et Jean-Pierre Wallot. 1988. *Le Bas Canada au tournant du 19e siècle : restructuration et modernisation.* Ottawa, ON : Canadian Historical Association.

Paquet, Gilles et Jean –Pierre Wallot. 2007. *Le Québec moderne. Essai d'histoire économique et sociale.* Montréal, QC : Hurtubise.

Paquet, Gilles et Christopher Wilson. 2015. « Governance failures and anti-government phenomena », *www.optimumonline.ca*, 45(2) : 1-24.

Paquet, Gilles et Christopher Wilson. 2016. *Intelligent Governance: A Prototype for Social Coordination.* Ottawa, ON : Invenire.

Saint-Onge, H. et C. Armstrong. 2004. *The Conductive Organization.* Amsterdam, NL : Elsevier.

Salmon, Christian. 2008. *Storytelling. La machine à fabriquer des histoires et à formater les esprits.* Paris, FR : Éditions La Découverte.

Taleb, N. Nicholas. 2012. *Antifragile: Things that Gain from Disorder.* New York, NY : Random House.

Thériault, Joseph Yvon. 2016. « Les États généraux et la fragilité politico-institutionnelle » dans Laniel et Thériault (sld). *Retour sur les États généraux du Canada français.* Québec, QC : Presses de l'Université du Québec, p. 41-55.

Turgeon, Alexandre. 2012. « Critique de la Grande Noirceur : quelques considérations sur le rapport au passé des Québécois », Texte présenté à la 18ᵉ *Biennal Conference of the American Council of Quebec Studies* (Sarasota, FL, novembre).

Turgeon, Alexandre. 2015. *Robert La Palme et les origines caricaturales de la Grande Noirceur duplessiste : conception et diffusion d'un mythistoire au Québec, des années 1940 à nos jours* (thèse de doctorat à l'Université Laval).

Vargas Llosa, Mario. 2015. *La civilisation du spectacle.* Paris, FR : Gallimard.

Vaugeois, Denis. 2010. « La Grande Noirceur inventée », *La Presse,* 23 octobre.

Wenger, Etienne *et al.* 2002. *Cultivating Communities of Practices.* Boston, MA : Harvard Business School Press, p. 4, 27-29.

Whipple, Mark. 2005. « The Dewey-Lippmann Debate Today : Communication Distortions, Reflective Agency, and Participative Democracy », *Sociological Theory,* 23(2) : 156-178.

CHAPITRE 2
Difficultés d'apprentissage aigües

L'hypothèque du passé pèse lourd dans le dossier de l'évolution du Canada français vers une diaspora dynamique. La méfiance paradoxale et quasi-maladive des communautés locales par rapport aux instances provinciales trop souvent antagonistes, adoubée à une dépendance souvent `débilitante vis-à-vis la protection incertaine du gouvernement fédéral, et conjuguée au désintéressement du 'grand-frère' québécois à propos de la diaspora à partir de 1967 – tout cela est de mauvais augure pour le projet de diaspora canadienne-française.

Il faut d'ailleurs aussi ajouter les blocages dans le processus de cognition des gouvernants et des autres définisseurs de situation, et dans l'intelligence dont la *communauté canadienne-française* ne semble pas capable de faire montre dans sa manière d'appréhender son présent et son avenir. Ces blocages enrayent la capacité à sortir de la fausse conscience et des idéologies en vogue pour apprécier de manière plus réaliste l'état des lieux, et redonner à l'imagination ses droits d'exploration des espaces et des temps se situant au-delà des espaces et des temps imposés par les institutions caduques que la tradition voudrait garder en place.

Or ce sont ces derniers blocages qui importent le plus. En effet les prisons mentales dans lesquelles le passé nous enferme n'ont rien d'inquiétant à moins que la *peur de l'incertain*, les verrous de la *dissonance cognitive*, et l'impuissance de *l'apprentissage collectif* qui dérape dans le discours de bien des groupes du Canada français ne soient suffisamment paralysants pour que le manque d'esprit critique s'incruste et empêche le Canada français de faire sauter les embâcles (anciens et nouveaux).

Ce chapitre voudra montrer l'effet toxique de la peur de l'incertain et de la dissonance cognitive sur l'apprentissage collectif, avant de tenter d'illustrer la dégénérescence de la pensée critique dans la rhétorique en vogue dans ce qu'on peut considérer comme l'un des pans les plus développés de la diaspora canadienne-française hors Québec – l'Est Ontario – à l'occasion d'un débat récent autour d'un enjeu suffisamment trivial – le fait pour Ottawa de chercher à obtenir ou non la désignation formelle de « ville officiellement bilingue » – pour que certaines parties prenantes à ce débat s'éclatent et révèlent la logique saugrenue de la gentilité intégriste locale.

Cette étude de cas vise à révéler l'esprit qui habite une certaine gentilité dans le pan est-ontarien de la diaspora canadienne-française hors Québec, et qui enraye son apprentissage collectif. Nos relevés ethnographiques suggèrent que le même état d'esprit prévaut ailleurs, encore qu'il soit important d'inférer prudemment à cause d'une certaine hétérogénéité de la diaspora.

La peur de l'incertitude et indications pour s'en sortir

J'ai commencé à explorer ce premier blocage de l'apprentissage collectif et ce qu'il faudrait faire pour le dépasser au chapitre 12 du *Tableau II*. On me permettra de revenir sur cette discussion importante pour notre propos ici[13].

Les réactions primaires au tohu-bohu du fortuit vont (1) d'un fatalisme profond – c'est-à-dire déclarer ces forces de l'environnement impossibles à maîtriser, et prendre simplement des mesures pour éviter le pire des effets maléfiques qui en découlent inexorablement, comme on le fait avec la température – (2) à des efforts pour réduire l'incertitude à des dimensions praticables – en redéfinissant l'environnement en termes qui le rendent plus compréhensible – (3) jusqu'aux phantasmes glorieux

---

[13] Le reste de cette section emprunte librement au chapitre 12 du *Tableau II* (Paquet 2011).

qui amènent à prétendre qu'on peut dompter ces forces obscures en laminant le contexte pour rendre le fortuit assimilable au hasard, et donc sujet à planification.

La première stratégie et la troisième visent l'une trop bas, l'autre trop haut. Il n'est pas suffisant de prendre une attitude zen face à un environnement incertain, et de lever les bras. Tout dans un univers turbulent n'a pas le même degré d'inexorabilité, et il est pensable qu'on puisse réduire le niveau d'incertitude incompressible dans l'ordre interactionnel en améliorant le langage de coordination et de collaboration. Ne pas le faire est irresponsable. D'autre part, l'idée d'aplatir la réalité incertaine au point de la rendre totalement manipulable et planifiable est utopique. Elle conduit à des stratégies réductrices indûment simplificatrices qui peuvent avoir des effets désastreux en induisant un faux climat de confiance alors que le fortuit n'a pas été maîtrisé mais simplement occulté.

La voie médiane, plus raisonnable, tente plus prudemment de suivre une double avenue: (a) réduire l'incertitude en explorant les moyens d'appréhender la portion « risque » plus ou moins facilement mesurable et maîtrisable de l'incertitude; et (b) sonder les aspects résiduels de *l'impénétrable incertitude* pour en comprendre les fondements (techniques et psycho-sociaux) afin de pouvoir suggérer des préceptes susceptibles de minimiser les impacts désastreux de ses irruptions.

La véritable gouvernance de l'incertitude se joue donc dans la zone grise trop souvent inoccupée entre l'occultation abusive du fortuit par une gouvernance pétulante du risque, d'une part, et l'occultation de l'incertitude par une démarche de précaution abusive, d'autre part.

Temps et incertitude

Le temps est irréversible et l'incertitude impénétrable est au cœur de la gouvernance. La gouvernance cherche à intervenir dans une configuration de forces se déployant en temps réel de manière à éviter des dérapages et à améliorer l'état du monde : toute intervention en gouvernance a pour objectif d'empêcher que se produise quelque chose d'indésirable. Elle est donc orientée vers l'avenir, mais elle est fondée, dans le même souffle, sur la prétention qu'on peut changer l'avenir. Or, à moins d'objectiver l'avenir et d'en faire un destin, une fatalité, et de reconnaître qu'on ne peut pas l'empêcher de se réaliser, il n'y a pas de réalité dans le présent. Et « si l'avenir n'est pas réel, la catastrophe future ne l'est pas davantage. Croyant que nous pouvons l'éviter, nous ne croyons pas qu'elle nous menace » (Dupuy 2005 : 104).

Le *catastrophisme éclairé* à la Jean-Pierre Dupuy devient alors une « ruse » (*Ibid.* : 106) pour sortir de cette myopie, et de ce triomphalisme délirant qui nous fait croire qu'on peut abolir l'avenir indésirable : une «posture métaphysique (qui) vise à faire sauter ce verrou que constitue le caractère non-crédible de la catastrophe » (Dupuy 2002, 2005). Cette ruse métaphysique a l'avantage de faire cesser la déréalisation de l'avenir, et de lui donner cette « verticalité sans laquelle rien n'est possible » (Dupuy 2005 : 106). En effet, si on ne croit pas que la catastrophe annoncée est inexorable, qu'on n'accroît pas « la force ontologique de son inscription dans l'avenir » (*Ibid.* : 17), on ne peut motiver la prise de conscience et l'action qui vont faire que cela ne se produira pas (*Ibid.*).

Le génie de la reconstruction

Ce qui tient pour les catastrophes me semble tenir pour toutes les situations où l'on veut empêcher que se produise quelque chose d'indésirable. Mais il ne suffit pas de rendre l'indésirable inexorable, il faut aussi pouvoir déchiffrer comment cet inexorable s'est inscrit dans l'expérience d'une communauté comme irréversible en tant que causalité et destin. Sans cette compréhension, il n'y a pas moyen de savoir comment s'attaquer à l'inexorable.

« C'est le génie de la reconstruction : partir d'une structure pour reconstituer le processus dont cette structure est le résultat, de sorte que l'on accède à une compréhension proprement historique de la situation » (Ferry 1996 : 14). Ferry illustre le procédé en faisant écho au roman d'Arturo Pérez-Reverte, *Le Tableau du Maître flamand*, représentant un seigneur et un chevalier jouant une partie d'échecs (*Ibid.* : 9ss). Le peintre a terminé ce tableau deux ans après la mort du chevalier, et a laissé sur la toile l'inscription « Qui a pris le cavalier? » traduisible également par « Qui a tué le chevalier? ».

Un maître d'échecs reconstruit, dans le roman, à partir de la disposition des pièces, la dernière portion de la partie décrite dans le tableau pour savoir qui a pris le cavalier. Il cherche à découvrir quelle pièce a fait le dernier mouvement – en identifiant logiquement, à chaque étape, lesquelles pièces n'ont pu se déplacer. Il en arrive ainsi, par un processus d'élimination, à reconstruire le processus, et à conclure que le dernier coup a été joué par la dame noire.

La reconstruction cherche à comprendre la causalité du destin, à fluidifier les rapports qui semblent figés, à révéler les « déterminismes », à analyser, élucider, reconnaître ce qui s'impose si l'on veut comprendre le processus, résoudre l'énigme, et laisser émerger la possibilité d'une médiation qui permettra d'attaquer l'inexorable, de mener la situation à bien.

Cette double opération d'exhaussement de l'inexorabilité et de reconstruction des processus qui ont entraîné cette dérive permet non seulement de rendre crédible la catastrophe qui s'en vient, mais aussi d'imposer, par la reconstruction, des ambitions plus restreintes au travail de sortie de crise : l'approche reconstructive aide à identifier ce qui est essentiel pour que la situation débloque, par opposition à ce qui peut sembler à certains simplement important ou même marginalement désirable.

C'est dans ces travaux d'exploration prospective et rétrospective que la gouvernance va trouver les aspérités et les leviers susceptibles de guider *un bricolage qui voudra influencer la dynamique du système socio-technique en temps réel*, et provoquer (ou empêcher) à la fois une dérive, et l'apprentissage collectif qui en découle quant aux sources et causes de la dérive.

La gouvernance de l'incertitude doit donc déboucher sur un processus réflexif de réajustement continu le plus rapide et le plus efficace possible à mesure que le temps s'écoule, et que l'éventail des possibles change.

Du probable au possible

Au cœur de la gouvernance de l'incertitude est la capacité de se dégager de la chape de plomb du probable pour se donner accès au monde des possibles.

Ce travail de dégagement est complexe, et a été arpenté par divers spécialistes à la recherche des marges de manœuvre auxquelles on pourrait ainsi se donner accès. C'est un leitmotiv dans l'œuvre de Robert Musil qu'on pourrait caractériser, avec Jacques Bouveresse, comme bâti autour de ces deux notions centrales – *l'homme du probable et l'homme du possible* (Musil 1956; Bouveresse 1993).

La première notion saisit le monde par une série d'états exhaustivement définis auxquels est assignée, par l'expérience ou autre moyen, une probabilité. La logique de ce monde fermé considère les divers états potentiels comme donnés. On est dans le monde du hasard et du risque. La seconde notion considère que les possibles ne sont pas donnés d'avance, mais sont imaginés, imaginables ou découvrables à mesure qu'on progresse. Il est donc impossible de saisir ce monde ouvert par une distribution de probabilités, puisque les états possibles ne sont pas définis ou connus *ex ante*.

Au cœur de ce monde des possibles est la découverte (grâce à l'apprentissage collectif, mais aussi à l'imagination des participants) de possibles inédits à mesure que le jeu progresse. Au lieu de partir du postulat qu'on opère dans un désert où il y a peu d'oasis – avec pour conséquence que si on en découvre un, on a tendance à y rester –, on part du postulat qu'il y a un très grand nombre d'oasis possibles à explorer, et qu'on est condamné à se tromper souvent en pensant qu'on a trouvé le meilleur. L'invitation à tenter d'aller plus loin est alors beaucoup plus grande, et le succès dans cette quête est souvent le résultat d'un effort pour corriger une erreur qu'on a faite chemin faisant, et qu'on a essayé de comprendre. C'est vrai tout autant dans le voyage dans un désert que dans le monde du design.

Il s'agit là d'un processus ouvert qui ne se referme jamais. Il faut donc envisager de prendre en compte cette ouverture dans la gouvernance de l'incertitude : rejeter la dominance des fréquences d'une distribution fermée pour explorer l'évolution de possibles imaginaires et imaginés, contiûment découverts et réévalués à mesure que le jeu ouvert continue. Voilà qui implique la prise en compte de l'improbable et de l'impensable.

Comment le faire? Non seulement en modifiant l'équipement et l'outillage, mais en transformant les perspectives. En acceptant que pour gouverner un processus chaotique, il faut mode de gouverne également chaotique[14].

Quantum et chaord

Dans le nouveau contexte plus turbulent et sujet à des bouleversements rapides et percutants et à des surprises, où les mondes possibles ne sont pas déjà énumérés et ordonnancés, il ne suffit plus de chercher à intervenir *ex post* pour compenser les accidentés. Il faut intervenir en temps réel *ex ante* pour accompagner et moduler un changement qui est devenu chronique, permanent. Ces conditions modifiées commandent une autre manière de voir, une rationalité nouvelle, et donc un mode de gouverne différent. Pour fixer les idées, nous suggérons qu'il y a eu passage d'un univers newtonien à un univers quantique.

Le monde newtonien est caractérisé par la perception d'une réalité objective, un certain déterminisme, des liens mécaniques de causes à effets, et l'exclusivité mutuelle des agents. Dans le monde quantique, la réalité objective n'existe plus : différents observateurs voient des mondes différents; tout est interconnecté et en interaction, ce qui fait que la séparation en sphères différentes devient problématique; il n'y a plus de simples mécanismes de causes à effets, le principe de l'incertitude joue à plein, et les événements sont seulement possibles; c'est le monde de l'inter-création (Becker 1991) – c'est le monde de Wikipédia!

Clay Shirky résume de manière frappante la nature du défi relevé par Wikipédia au plan de la gouverne : accepter de vivre avec un processus chaotique de gouverne où des gens non-

---

[14] Pour un exemple parlant, voir Peter Katel, « Bordering on Chaos: The Cemex Story », *WIRED*, May 1997. Cet article montre comment pour faire face aux défis chaotiques de la production et livraison de ciment dans la seconde plus grande ville du Mexique (commandes d'avance, changements de plans, délais de livraison requis, changement d'heures de livraison, bouchons dans la circulation, etc.) on n'arrivait pas à faire que le ciment soit livré à temps aux endroits voulus. On a donc mis en place un mécanisme ressemblant au système de voitures-taxis (approximation de la demande, envoi de camions roulant partout en ville et répondant aux requêtes transmises par walkie-talkie suivant les aléas de la demande). Alors que les méthodes traditionnelles donnaient des résultats désastreux, cette approche a donné des résultats excellents : presque tous les camions au bon endroit quand on en a besoin.

experts vont contribuer, de manières imprévisibles et grandement divergentes, et pour des motivations fort diverses, à créer une ressource globale de très grande valeur au quotidien (Shirky 2008 : 139, 146). Ce qui répond à la complexité du contexte et de la trame organisationnelle est un véritable éco-système ou une sorte de système immunitaire avec sa capacité instinctive à identifier les dangers, à s'adapter pour s'en occuper, et à contenir les dangers qu'ils présentent.

Dans ce monde quantique, la coordination devient plus complexe. Plus question de stabiliser réactivement, ou de simplement chercher à corriger les impairs : il faut ajuster en temps réel les règles et standards pour assurer un apprentissage continu et efficace (c'est-à-dire, une *flexibilité créatrice* (Killick 1995)) dans un univers où les nouveaux actifs ne sont souvent pas connus au départ, sont souvent intangibles, et toujours entre les mains d'intervenants divers. En fait, le défi de gouvernance est d'aider à assurer une coordination efficace dans ce monde où pouvoir et connaissances sont distribués, d'accepter le défi d'aider à transformer des *mercenaires* qui n'ont de loyauté qu'à eux-mêmes en des *membres d'une communauté de pratique* capables d'allégeances et d'engagement réciproque, puisque c'est la clé du succès des organisations performantes.

Or, cet effort permanent pour réduire les écarts entre besoins et capacités ne peut réussir que si on en arrive d'abord à assurer un minimum de confiance ainsi qu'un grand degré de différentiation qui permettent de mettre en place toute la palette des divers partenariats et alliances nécessaires; ensuite, à répondre aux défis énormes posés par la dispersion de l'information et les problèmes de motivation; et enfin, à corriger les effets de retombée négatifs de la structure de gouvernance mise en place pour assurer une bonne performance quand celle-ci engendre des effets non-voulus et non-prévus.

Dans ce monde chaotique, la gouverne ne peut être rien de moins que chaordique : une forme d'organisation qui mêle harmonieusement ordre et chaos, et dont l'évolution est bien davantage influencée par l'auto-organisation que par un guidage externe (Hock 1995, 1999).

Dee Hock a nommé « chaord » « *any self-organizing, adaptive, non-linear complex system, whether physical, biological or social, the behavior of which exibits characteristics of both order and chaos or, loosely translated to business terminology, cooperation and competition* » (Hock 1995 : 4). Plus intéressant encore, Hock a montré que cette idée est opérationnelle et qu'elle a servi à guider la création du mode de gouverne de VISA : un réseau de cartes de crédit de dizaines de milliers d'institutions financières qui en sont à la fois les propriétaires, les membres, les clients, les sujets et les maîtres – une valeur au marché de centaines de milliards de dollars si on la transformait en société par actions – comme on l'a fait plus tard.

Il s'agit là d'une forme d'organisation et de gouverne qui n'est ni pleinement centralisée ni complètement décentralisée, et qu'on a construite sur la base d'un petit ensemble de principes :

- la structure de propriété doit être équitable : personne ne doit avoir d'avantages intrinsèques, les avantages doivent découler de l'initiative et de l'habileté;
- le pouvoir doit être maximalement distribué : aucune fonction ou aucun pouvoir ne doit être remis à quelque unité de l'organisation si ce pouvoir ou cette fonction peut être exercé efficacement par une unité de moindre niveau;
- la gouvernance doit être distribuée : aucun individu et aucun groupe ne doit dominer les délibérations et contrôler les décisions;
- tout doit être volontaire le plus possible;
- l'organisation et la gouvernance doivent être extrêmement malléables – elles doivent être capables de modifications constantes et auto-engendrées sans sacrifier la mission essentielle;
- elles doivent embrasser la diversité et le changement, recruter des gens capables de travailler dans un tel environnement, et les aider à performer dans cet environnement (Hock 1999 : 137-139).

Cette mini-charte ressemble étrangement aux principes évoqués au chapitre 1, et ce sont des versions de ce genre de charte qui vont devoir guider l'exploration à la recherche de gouvernes qui soient en mesure de prendre en compte pleinement l'incertitude. Au lieu de présumer que l'incertitude a été mâtée, et réduite à l'état de distribution statistique contrôlable, ou qu'il suffira après coup de trouver un bouc émissaire qu'on pourra mettre en examen pour condamner ensuite son organisation à compenser les accidentés. La nouvelle gouvernance va devoir inventer des formes d'organisation et de gouverne qui structurellement vont être prêtes à vivre dans des terrains où il est certain qu'il y aura des avalanches, un monde d'instabilité.

Dans un tel monde, il faut penser autrement, s'organiser autrement, et souvent faire usage de mécanismes aux effets contre-intuitifs. Ce nouveau monde de gouvernance est celui dans lequel la coordination en temps réel doit remplacer la planification, car la planification est inefficace quand la terre bouge, et qu'il faut constamment réviser tant les objectifs que les moyens. Il s'agit alors d'inventer des formes de gouvernance (c'est-à-dire de coordination) ajustées à la nature des patterns évolutifs d'instabilité.

Apprentissage collectif

Comment va se faire la gouvernance dans ce nouveau contexte? De la seule manière possible : par un appareil qui va assurer le même degré de complexité pour l'appareil de gouvernance que pour le système qu'il entend gouverner, tenter de prendre en compte l'incertitude dans toute sa complexité, et miser pleinement sur l'apprentissage collectif.

La nouvelle gouvernance va devoir être dynamique, complexe et diversifiée. Elle ne peut plus être hiérarchique et centralisée, elle doit bâtir sur la complexité, la différentiation et la diversification. C'est le sens de l'ensemble des ajustements déclenchés par ce passage à la nouvelle économie de la connaissance, marquée par l'incertitude profonde, qui a transformé complètement la trame des organisations et institutions : l'émergence d'une division cognitive du travail dans l'économie et d'un capitalisme qui donne voix aux divers intervenants (*stakeholders*), une importance accrue du principe de subsidiarité, une augmentation de la sphère d'influence de la société civile, et l'émergence d'institutions et de régimes mixtes (privé-public-civique). Toutes les institutions, y compris le droit, sont en train de vivre cette mutation.

Cette trame institutionnelle plus diffuse de la *gouvernance distribuée* constitue la première étape dans la mise en œuvre d'un apprentissage collectif efficace. Ce genre d'apprentissage n'est jamais passif mais toujours exploratoire : il mise continuellement sur l'expérimentation, sur une prise en compte explicite de l'impensable et de l'inexorable dans le design des dispositifs capables d'assurer avant tout la résilience qui est l'objectif premier dans un monde fondamentalement incertain. Par résilience, il faut entendre la capacité de retomber sur ses pieds, de garder le cap, d'assurer la pérennité d'un organisme ou d'une organisation ou d'une société, le maintien d'une certaine permanence dans un environnement turbulent. En dynamique, cela ne veut pas seulement dire autoconservation ou autorégulation, mais auto-réorganisation, autorenouvellement, et autocréation.

Pour ce faire, il faut catalyser l'intelligence collective.

On sait que les institutions sont des dispositifs cognitifs qui vont aider à coordonner les activités d'un système, et à faciliter l'apprentissage collectif, donc fournir des moyens d'économiser de l'information dans le processus de gouvernance. Ici, la culture dans laquelle la socio-économie est encastrée va pouvoir influencer la trame de l'ordre institutionnel en facilitant ou en inhibant l'apprentissage. La boucle d'apprentissage peut évidemment se structurer d'une manière plus ou moins centripète ou centrifuge selon la nature des logiques ou idéologies ou cultures dominantes. Par exemple, la gouvernance au Canada demeure engluée dans des formes centripètes à la fois à cause de la grande concentration économique dans le secteur privé, mais aussi de l'indéniable habitus centralisateur de nos gouvernements et de nos institutions syndicales.

De plus, toutes les institutions n'ont pas la même malléabilité : l'ordre institutionnel a plusieurs étages (depuis les institutions fondamentales jusqu'aux arrangements locaux), et il est en construction continue. Si cet édifice repose entièrement sur un ensemble de normes et de règles distinctives et relativement stables, tous les étages ne sont pas également meublés : les règles fondamentales comme celles qui définissent le contexte légal vont changer plus lentement que les arrangements, conventions et normes ou règles plus contingentes. Le défi est d'intervenir de manière créatrice pour faciliter la mise en place des nouvelles structures nécessaires pour la gouvernance distribuée, et pour éliminer les obstacles à l'apprentissage collectif et le catalyser. Mais ceci réclame d'abord une bonne appréciation de l'intelligence collective qu'on veut ainsi dynamiser.

Pierre Lévy a donné une définition utile de l'intelligence collective: « une intelligence partout distribuée, sans cesse valorisée, coordonnée en temps réel, qui aboutit à une mobilisation effective des compétences » (Lévy 1994 : 29). Cette définition en quatre portions insiste sur certains faits : que « personne ne sait tout, tout le monde sait quelque chose », mais aussi qu'on fait fort mal usage de beaucoup de ces morceaux d'intelligence qui sont souvent méprisés et qu'il faut donc activement et continuellement « valoriser ». Ensuite, elle met l'accent sur le problème central : coordination en temps réel pour effectuer une mobilisation effective des compétences qui sont le support de l'intelligence collective.

On voit comment la gouvernance (en tant que coordination effective quand la connaissance et le pouvoir sont distribués) est simplement un effort organisé pour faire le meilleur usage possible de l'intelligence collective. Et, comme les nouvelles technologies de l'information et des communications (NTIC) à la fois créent la turbulence dans l'environnement, mais enrichissent aussi l'arsenal des technologies de gouvernance, on peut intervenir plus effectivement dans ce monde de e-gouvernance.

Une connaissance toujours imparfaite

La grande séduction des diverses approches à la gouvernance du risque vient du fait qu'elles ont un certain caractère technique, et donnent l'illusion de la précision. C'est ainsi que les approximations gaussiennes utilisées en finance ont permis de développer des outils sophistiqués qui ont fait obtenir des Nobels à bien des économistes, même si les modèles de ces terribles simplificateurs ont été exposés ensuite comme des cathédrales construites sur des piliers gaussiens, et donc assez peu fiables, puisque le monde réel n'est pas nécessairement gaussien. Le résultat a été que ces ingénieries financières ont mal résisté aux chocs qu'on avait déclarés impensables mais qui se sont produits. Un simple glissement dans les postulats – d'une présomption que le contexte peut être adéquatement représenté non plus par une courbe normale gaussienne, mais par une courbe de Pareto (avec sa variance infinie) – rend les calculs usuels non avenus (Mandelbrot et Hudson 2004).

Il faut reconnaître que la gouvernance de l'incertain ne saura jamais être aussi élégante mathématiquement que la gouvernance du risque – ce qui la rendra moins attrayante pour les quantophrènes. On doit donc se contenter, dans la gouvernance de l'incertain, d'approches qui tentent de prendre en compte l'improbable et l'impensable aussi explicitement que possible, et qui donc commandent de se prémunir contre les grosses surprises en donnant une place au grand jour à des événements rares que l'approche gaussienne rejette comme négligeables, hors d'ordre.

Les travaux d'exploration à venir dans ce territoire permettront de transférer légitimement des situations considérées comme fondamentalement incertaines et d'en faire des situations arpentables par des méthodes héritées de la gouvernance du risque à proportion que l'on va inventer des statistiques nouvelles. Cependant il faut compter avec le fait que le noyau dur de l'incertitude (attribuable à la complexité et au temps irréversible) ne sera jamais éliminé, et que donc c'est par des voies qui ne sont pas strictement et exclusivement analytiques qu'on va devoir procéder.

Reconnaissant que l'on est condamné à une connaissance incomplète et à une complexité contextuelle qui nous réserve obligatoirement des surprises, et que les outils d'analyse à notre disposition sont incapables de nous donner autre chose que des approximations insatisfaisantes, il ne reste qu'à développer des compétences informelles et tacites, du savoir-faire – ce que nous avons nommé la *connaissance de type Delta* (Gilles et Paquet 1991; Paquet 1992).

Le territoire Delta est celui de la pensée dans et par l'agir. C'est un savoir qui s'acquiert dans l'action : il est bien illustré par le travail du designer qui doit dans sa pratique harmoniser deux intangibles : une forme encore inexistante et un contexte mouvant qui ne peut être pleinement décrit puisqu'il évolue sans cesse.

Ces connaissances Delta sont différentes de celles qu'engendrent les humanités, les sciences naturelles et les sciences sociales conventionnelles. D'abord, elles sont le résultat d'une réflexion dans l'action, et sont le produit d'une démarche particulière (l'heuristique). Deuxièmement, ce type de connaissance acquise dans l'action comporte des éléments tacites et idiosyncratiques, et est produite selon des règles implicites et variables qui s'appliquent de diverses façons selon le contexte, et sont sujettes à des exceptions et modifications critiques. Enfin, ces connaissances sont acquises par une réflexion dans l'action qui mobilise tous les sens, et le savoir-faire qui en découle est en un sens « incorporé » et ne se transmet pas seul : comme les tours de main qui ne sont pas formalisables séparément parce que leur apprentissage transmet à la fois savoir, savoir-faire, savoir-être, sens et identité.

Cette connaissance a des racines anciennes. Elle est le résultat d'une forme de pensée, d'un mode de connaissances que les Grecs nommaient la *mètis*. La mètis « implique un ensemble complexe, mais très cohérent d'attitudes mentales, de comportements intellectuels qui combinent le flair, la sagacité, la prévision, la souplesse d'esprit, la feinte, la débrouillardise, l'attention vigilante, le sens de l'opportunité, des habiletés diverses, une expérience longuement acquise; elle s'applique à des réalités fugaces, mouvantes, déconcertantes, ambiguës, qui ne se prêtent ni à la mesure précise, ni au calcul exact, ni au raisonnement rigoureux » (Detienne et Vernant 1974).

On trouve chez Pindare des références à la mètis du renard (qui a plusieurs tours dans son sac) comme, chez Ion de Chios, on parle de la *technè* du hérisson (qui utilise un seul truc à l'approche du danger : se mettre en boule, tous piquants dehors). Platon condamne la *mètis* comme toutes les ruses de l'approximation au nom de la seule Vérité affirmée par le Philosophe. Taleb condamne cette « platonicité » comme une faute logique fondamentale qui consiste à confondre les construits de l'esprit avec la réalité.

C'est Aristote qui va réhabiliter la *mètis* en tant que savoir conjectural et intelligence qui procède par détours, et qui va pousser la discussion un cran plus loin en introduisant une distinction importante : il suggère que si même les animaux sont capables de *mètis*, les humains sont capables d'un mélange de *mètis* et de *phronesis* – défini, dans l'Éthique à Nicomaque, comme une sorte de jugement qui s'exprime par l'action et qui se manifeste par « l'union entre un jugement sain et l'acte qui est l'expression correcte de ce jugement ». Il en ressort, de dire

Aristote, une intelligence de caractère pratique, une intelligence rusée : le savoir indirect et tâtonnant, cette connaissance oblique, boiteuse et inexacte qui ressort du dialogue avec la situation va se transformer avec l'expérience en prévoyance, prudence, et vigilance *incorporées* sans jamais n'être qu'un art, mais qui est aussi une sorte de 'connaissance raisonnée' qui par son éclectisme même, ouvre à une certaine prospection différente de l'incertain.

* * *

Cette exploration préliminaire de l'incertain a de quoi inquiéter. En effet (1) ce passage du probable au possible, du newtonien au quantum, et (2) l'obligation de commencer à penser en termes chaordiques en comptant (3) sur un apprentissage collectif qui ne s'en remette plus seulement aux analyses mais veut harnacher la mètis et la phronesis, et développer un nouveau type de connaissance – la connaissance de type Delta – ne sont pas des transitions faciles à réaliser.

Il n'est cependant pas déraisonnable de dire que malgré des décennies de travaux pour mettre en visibilité l'importance de ces dimensions nouvelles, et pour réclamer des modifications profondes aux systèmes de formation afin que les habiletés nouvelles nécessaires soient partie des curricula officiels, on est encore bien loin du compte (Gigerenzer 2007).

Bien des événements récents ont montré comment la métaphore de la *surfusion* (Reeves 1986) capture bien le fort degré de volatilité des systèmes de gouverne dans le monde contemporain où de tout petits événements ont déclenché des révolutions imprévues. On serait mal inspiré de croire que ces références exotiques ont peu à nous apprendre.

Même si le régime de gouvernance au Canada s'est avéré robuste et résilient au cours des âges, les arrangements en place sont maintenant beaucoup plus fragiles qu'ils l'ont été en des temps moins turbulents, et l'on serait mal avisé de croire que le coefficient de placidité de la population canadienne traditionnelle va suffire à contenir les ardeurs de la nouvelle réalité démographique canadienne où quelques 50 pour cent de la population de Toronto sont nés hors du pays. Le même constat tient pour le Canada français. Voilà qui rend certaines conjectures à propos de la gouverne proprement indécidables.

Si nous avons raison de croire que la métaphore de la surfusion n'est pas inappropriée, et que de tous petits événements peuvent avoir des conséquences déterminantes, il s'ensuit que non seulement notre système de gouvernance est plus instable et vulnérable mais qu'il est aussi, et ce pour les mêmes raisons, davantage manœuvrable. Ce sont pour les mêmes raisons que les F-15 sont fondamentalement instables et donc extrêmement manœuvrables.

Reste à comprendre que pour ce travail de prospection, et donc ultimement de développement de capacité à manœuvrer, il faudra aborder les problèmes autrement à la fois techniquement et philosophiquement.

Pour ce qui est de la dimension technique, il s'agira de pratiquer des approches qui existent déjà, mais auxquelles on n'a pas accordé l'attention qu'elles méritaient dans nos écoles tellement conventionnelles (Strogatz 2003; Barabási 2002, 2010).

Pour ce qui est de la dimension philosophique, voilà qui ramène à l'esprit une vieille idée d'Albert Hirschman qui est au centre de son livre *A Bias for Hope,* mais aussi de toute son œuvre – l'idée de *possibilisme* (Hirschman 1971; Paquet 1993a). Il s'agit d'un investissement délibéré dans la découverte de sentiers (aussi étroits soient-ils) menant à des avenues censément fermées, interdites ou impensables sur la base du seul raisonnement probabiliste, d'une approche construite sur la possibilité d'accroître le nombre de façons d'envisager et de visualiser l'arrivée du changement. Voilà un phénomène dont on peut dire qu'il a commencé à émerger au Canada français.

La dissonance cognitive

On parle de dissonance cognitive pour connoter une situation où existe un inconfort mental créé par la difficulté de maintenir deux cognitions inconciliables, l'inconfort étant tel qu'on cherche à l'éliminer par une acrobatie intellectuelle qui n'est ni plus ni moins qu'une imposture qui trompe par des discours mensongers.

Un cas de figure assez trivial est présenté dans la fable d'Ésope, *Le renard et les raisins.* Le renard désire ardemment les raisins qu'il croit à sa portée, mais quand il s'aperçoit qu'ils sont hors de portée, de déclarer à qui veut l'entendre que les raisins sont trop verts, et qu'il n'en veut pas après tout.

Cette recherche de confort intellectuel peut sembler anodine, au pire résultant en une paresse intellectuelle sans doute déplorable, mais somme toute ne portant pas beaucoup à conséquence. Or tel n'est pas le cas. La stratégie d'évitement des tensions engendrées par la dissonance cognitive est au contraire extraordinairement toxique.

Dans nos sociétés complexes, les situations de conflits de cognitions pullulent, et la sorte d'inconfort qui s'ensuit est de plus en plus aiguë. Or, quand le commun des mortels fuit les inconciliables plutôt que de chercher à les dépasser par des voies innovatrices de réconciliation efficace de ces contraires, il prend l'habitude de mettre en berne son sens critique. S'ensuit une atténuation du choc des idées, des accommodements suspects et louches, un apprentissage et progrès social anémiés, et un engourdissement de la capacité à se transformer de nos socio-économies.

Trois effets de la dissonance cognitive ont été particulièrement désastreux : l'excroissance de la molle pensée, les débordements du *storytelling* et l'érosion du sens moral.

L'excroissance de la molle pensée

L'opacité du social (Innerarity 2012) rend possibles toutes sortes d'interprétations souvent diffuses et inarticulées, mais le plus souvent agoniques, du réel. Il s'ensuit un combat des interprétations qui échappe aux impératifs de l'explication : c'est le monde des opinions, des éruptions d'auto-affirmation, des sophismes les plus criants et de la rhétorique au sens le plus exécrable du terme – rhétorique qui est animée par les manigances opportunistes de l'attention.

On assiste à un *amollissement de la pensée*, à une *propension à l'autocensure pour éviter les conflits et les embarras*, à un *enlisement dans la rectitude politique*, et à une défilade *devant les débats d'idées* – phénomènes qui se sont installés dans nos mentalités à proportion que la peur de conflits destructeurs a amené les protagonistes à éviter les combats dont ils ne sauraient prédire l'issue (Paquet 2014a : chapitre 1 et 5). Le discours public en sort infecté et avili à proportion que l'esprit critique se rabougrit (Paquet 2015).

Les mots perdent leur sens, ou encore pire, ils prennent le sens qu'on veut bien leur assigner pour réconcilier tout et son contraire. La dernière invention de notre sublime ministre Stéphane Dion – la notion de « conviction responsable » en tant que guide éthique du Canada dans les décisions de ventes d'armes à des pays voyous – est un exemple navrant de molle pensée.

Technocrates, clercs et médias sont tous amenés à trahir leur rôle de gardiens chargés de dénoncer les incongruités des argumentaires développés par les parties prenantes. Dans la communication politique – lieu particulièrement riche en désaccords, mais aussi où le mélange de faits, d'opinions et de croyances est particulièrement touffu – le vrai et le faux nagent dans la promiscuité et perdent leurs droits. C'est le monde du mentir-vrai (Eyriès 2013).

Les débordements du storytelling

Cet évitement maladif des confrontations a suscité l'émergence du *storytelling* – les usages instrumentaux du récit au cœur de la communication (Salmon 2008) : on fabrique n'importe quelles histoires pour masquer les contorsions face aux choix qui dérangent.

Dans chaque cas, il s'agit d'une distorsion systématique du rapport qu'on fait des événements pour les transformer dans le sens d'une histoire à vendre. Cela se déploie quotidiennement dans beaucoup de médias en toute bonne conscience au nom du grand principe de la liberté de la presse (qui y prend bien davantage des allures de droit à désinformer) quand ce n'est pas au nom du plus grand 'devoir' de désinformer pour la 'cause' – un 'devoir' dont on se vante même (Mercier 2015).

Voilà pourquoi la profession d'humoriste fait fureur dans notre civilisation du spectacle. La représentation distordue des événements ne s'éloigne pas seulement de la réalité, elle se substitue à elle : l'idée qu'on veut construire du réel devient plus vraie que le réel. Cette idée que « l'idée qui dit le monde est plus vraie que le monde dit par cette idée » (Onfray 2014 : 10-11) – c'est ce qu'Onfray nomme *le principe de Don Quichotte*.

La dissonance cognitive donne le droit de *déréaliser* la réalité. Comme pour le docteur Knock dans la pièce de Jules Romain – pour qui toute personne en bonne santé est un malade qui s'ignore – elle impose ses fictions.

L'érosion du sens moral

Le projet démocratique mise sur la possibilité qu'un ensemble hétérogène de préférences puisse se réaliser en une certaine cohérence et une certaine équabilité par le truchement du suffrage universel. Rien n'assure cependant que le résultat va exprimer ces intérêts divers d'une manière sage et prudente. Le paradoxe fondamental est que le peuple est déclaré constitutionnellement sage, mais administrativement incompétent, vénal et stupide (Minogue 2010 : 35-37).

Tocqueville a montré la fragilité de ce projet et l'importance de la tyrannie de l'opinion avec sa notion de *pouvoir social* – « l'ensemble des mécanismes et des relais qui imposent sur tel ou tel sujet une opinion dominante devant laquelle le pouvoir politique se sent comme paralysé ou qu'il doit du moins tenir pour un paramètre essentiel de son action; devant laquelle la critique est par ailleurs impuissante, voire plus ou moins discrètement censurée » (Boudon 2005 : 168).

Le *pouvoir social* charrie les *idées reçues*, parce que la dissonance cognitive (par la croissance de la molle pensée et l'atténuation du sens critique) contribue dramatiquement à son déferlement : égalitarisme et autres clichés *progressistes*[15] s'incrustent dans le discours public parce que les forces susceptibles d'assainir les débats ont été neutralisées.

En rationalisant son accord avec les mouvements de foule, on abandonne sa liberté et son autonomie en tant qu'individus, et donc l'usage de son indépendance morale. La dissonance cognitive devient alors *moralophage*, et son effet délétère se répand sur tout le tissu organisationnel public et quasi-public, comme, en d'autres temps, la vérole sur le bas-clergé. En

---

[15] L'étiquette *progressiste* est devenue dans les décennies récentes un label attaché à toute proposition qu'on ne peut défendre par des arguments raisonnables, mais qu'on déclare exemptée de cette obligation parce qu'elle est inspirée par de bons sentiments et vise des objectifs jugés supérieurs.

conséquence, dénoncer les âneries ou les turpitudes demande ces temps-ci beaucoup de courage parce que cette activité civique en est arrivée à être considérée comme un manquement aux règles élémentaires du bon goût[16].

Minogue parlera de servilité et d'érosion de la morale, Cipolla de stupidité, Dupuy de mouvements de foule : les citoyens qui ont perdu leur sens critique et en conséquence leurs repères moraux (Minogue 2010; Cipolla 2012; Dupuy 2003).

* * *

La dissonance cognitive est un des virus les plus importants dans notre civilisation du spectacle (Vargas Llosa 2015), et une source majeure du délabrement de la pensée : elle érode le sens critique, et permet que s'installe une grande paresse intellectuelle du citoyen – de là son aliénation accrue.

On pourrait dénoncer les propos idéologiques primaires de certain chroniqueur, mais on ne le fait plus. On pourrait renâcler quand le directeur d'un quotidien se déclare fier d'avoir désinformé pour la cause. Mais on ne dit rien. Cette quête de confort intellectuel fait que le citoyen devient comme cette grenouille dans un bain-marie d'eau qu'on réchauffe lentement. La grenouille pourrait sauter hors du bain-marie ... mais elle ne bouge pas car elle se sent confortable ... et se laisse bouillir à mort.

Comment s'en sortir? En restaurant le goût de la magie du dialogue robuste qui seul promet le dépassement (Yankelovich 1999), et en prenant comme règle d'or l'impératif de dénoncer avec toute la véhémence requise et tous les moyens du bord les vauriens qui jouent les grands ulcérés chaque fois qu'une conversation robuste menace de débronzer leurs dogmes. C'est une œuvre de miséricorde spirituelle que de leur rappeler que leur recours à la victimologie pour stopper une conversation

---

[16] Un exemple parlant du silence coupable des média. 17 syndicats de la fonction publique fédérale au Canada ont contesté devant les tribunaux une initiative du gouvernement fédéral pour accroître la productivité des fonctionnaires en leur demandant de développer quatre compétences de base : faire montre d'intégrité et de respect; aller au fond des choses; travailler en collaboration avec les autres; avoir de l'initiative et être orienté vers l'action. On aurait cru que cela allait de soi. Mais les syndicats ont déclaré qu'il s'agit de « discipline déguisée » (May 2014). Personne dans les medias n'a réagi de manière critique à cette action syndicale.

incommode est un péché contre l'esprit, et qu'il y a un devoir de ne pas s'offenser aussi facilement (Barrow 2006).

Le bilinguisme officiel forcé pour Ottawa : une saga révélatrice

« La démagogie d'information est beaucoup plus pernicieuse que la démagogie dite politique qui consiste seulement en promesses; en effet, ne portant pas d'étiquette propre à éveiller l'alarme, elle … sème les discordes futures dont nul ne percevra l'origine » (Sauvy 1949 : 41).

Prélude

Cette portion du livre est une présentation en deux actes d'un épisode révélateur de l'esprit et de la dialectique d'un groupe de Franco-Ontariens de la gentilité de l'Est de l'Ontario et de leurs amis qui ont mené, en particulier depuis la dernière moitié de l'année 2014, une croisade en faveur du 'bilinguisme officiel' de la ville d'Ottawa.

L'intérêt de cet épisode est qu'il permet de déconstruire l'esprit et la rhétorique de ce groupe, et la nature de son argumentaire en tant que révélateurs d'une façon de penser assez caractéristique dans le Canada français hors Québec. Alors qu'au Québec, on l'a dit, le gouvernement a pris ses distances par rapport à la diaspora du Canada français hors Québec à partir de 1967, pour ne s'en rapprocher fort modestement et de manière plus superficielle dans l'après, les autres gouvernements provinciaux ont démontré un éventail de perspectives plus ou moins favorables à leurs minorités francophones.

L'Ontario et le Nouveau Brunswick ont des rapports plus formalisés avec leurs minorités francophones : le Nouveau Brunswick est formellement et officiellement bilingue, et l'Ontario a statué sur les droits des francophones ontariens en général pour ce qui est des services provinciaux en français, mais aussi sur les services municipaux selon les circonstances des villes.

Dans le cas d'Ottawa, la ville a une politique explicite de bilinguisme, mais elle n'est pas reconnue comme « officiellement bilingue » avec tout ce que cela représente d'obligations – des obligations assez mal définies d'ailleurs.

L'idée d'officialiser le bilinguisme de la ville d'Ottawa flotte dans l'air depuis un bon moment, mais il y a eu sursaut à l'été de 2014. Le reste de cette section emprunte librement à deux textes publiés en septembre et décembre 2014 (Paquet 2014b, 2014e).

Acte I (septembre 2014)

Au cours de l'été 2014, certaines personnes bien intentionnées (il faut l'espérer), saisies par un fort sens de l'insécurité linguistique (qui les amène à vouloir tout couler dans le ciment, à tout judiciariser, à tout constitutionnaliser si possible) ont amorcé une campagne pour forcer la main des autorités de la ville d'Ottawa, et les amener à demander formellement aux autorités provinciales la permission de s'auto-imposer le carcan juridique de ville « officiellement bilingue ».

Avant que cette contagion toxique ne déclenche une véritable *démagogie d'information*, des voix francophones se sont élevés pour mettre cette initiative en contexte, pour expliquer les conséquences de ce genre de geste, et les impacts négatifs potentiels sur la gouvernance de la « région de la capitale nationale » qui s'ensuivraient si on devait répondre favorablement à cette requête.

Cette initiative a donné naissance à un quadruple discours :
• selon certains, comme l'ineffable ministre fédéral d'alors, Stéphane Dion, il s'agirait simplement d'un « beau geste » symbolique sans grandes conséquences;
• pour d'autres, comme Madeleine Meilleur, la ministre ontarienne des affaires francophones d'alors, ce serait un instrument pour mieux protéger les droits des francophones d'Ottawa;
• alors que pour Linda Cardinal (politologue à l'Université d'Ottawa) ce serait un instrument de combat pour investir l'administration municipale et « établir les conditions linguistiques des postes, les dotations, les promotions » dans l'administration municipale (St-Pierre 2014);
• pour d'autres, enfin, c'est une question 'existentielle' (Smith 2014).

Dans l'immédiat, cette croisade n'augmenterait pas d'un iota la présence du français dans la vie quotidienne d'Ottawa, mais les promoteurs des divers groupes laissent entendre qu'à long terme, avec ce nouvel instrument de combat, on pourrait se donner accès à beaucoup plus de services en français que ce qu'offre la politique de bilinguisme actuelle de la ville d'Ottawa.

Pour les observateurs de la mezzanine, il n'est cependant pas déraisonnable d'inférer qu'accepter ce carcan inviterait aussi les requêtes et les poursuites les plus frivoles de la part d'intégristes pour forcer la ville à fournir des services en français qui ne répondent à aucune demande réelle, et également les intégristes de l'autre côté à monter en épingle ces demandes pour relancer les guerres linguistiques.

Pour la population anglophone d'Ottawa réfractaire à ces demandes, il s'agira d'une nuisance coûteuse, et la porte ouverte à des récriminations sans fin de la part d'une minorité francophone pour s'octroyer un statut privilégié – de quoi jeter un brin d'acrimonie dans les rapports entre des communautés linguistiques qui vivent en harmonie pour le moment.

Le maire Watson a dit haut et fort qu'il n'avait pas l'intention de se laisser influencer par cette faction. Mais il n'a pas vraiment expliqué pourquoi. Il ne veut pas jeter de l'huile sur le feu dans un dossier où les sensibilités et les passions tombent vite dans la déraison. Il serait vite attaqué encore plus violemment même si ses propos étaient strictement raisonnables et pondérés. Donc il a choisi d'être avare de commentaires. S'opposer à une telle demande formulée par des membres influents de la gentilité franco-ontarienne de l'Est de l'Ontario, c'était s'exposer à l'opprobre. Car, comme des ayatollahs, ils ont l'anathème facile et leurs excommunications ont le bras long. Et, en matière de langue, toutes leurs velléités sont des questions d'honneur et des questions « existentielles ». C'est un monde dans lequel la gentilité a vite fait de baptiser toute critique – trahison.

Voilà qui n'est pas sans rappeler l'affaire Montfort que j'ai analysé extensivement dans le *Tableau (I)*. On me permettra un court rappel de l'affaire avant de procéder à la dissection de l'affaire qui nous occupe ici – celle du bilinguisme 'officiel' de la ville d'Ottawa.

Rappel d'un passé récent : l'affaire Montfort

C'est à l'occasion d'un impair administratif important de la Commission ontarienne de restructuration des services de santé qui, ouvertement, explicitement et stupidement, avait déclaré ne pas avoir tenu compte, dans ses travaux, de *la Loi sur les services en français*, que certains ont décidé non pas de s'attaquer à cet impair administratif (éminemment corrigeable et réparable en contestant les travaux de la Commission), mais ont créé autour de cet erreur administrative un psychodrame et une guerre sainte, en l'exhaussant au niveau de question existentielle et de menace à la survie de l'Ontario français (Paquet 2001).

Construisant sur la fabulation que tout bilinguisme est *soustractif* (Roger Bernard), et qu'il mène à l'assimilation, et menace la survie de la minorité francophone, certains ont redéfini, d'une manière un peu surréaliste, l'institution Montfort – un petit hôpital communautaire condamné à ne fournir qu'une bien faible portion des soins de santé de la communauté francophone de la région – comme « une institution qui incarne et évoque la présence française en Ontario », et dont la perte serait « irrévocable et lourde de conséquences pour la survie de l'Ontario français » (Bernard 2001 : 48-49). Sur ces propos hypertéliques, on a bâti l'argumentation qu'il fallait constitutionaliser l'existence de Montfort au nom d'un « principe constitutionnel fondamental non écrit de la protection des minorités ».

De là, la levée d'un bataillon SOS Montfort. Les médias francophones de la région ont emboîté le pas servilement, et une portion de l'intelligentsia a révélé son manque de sens critique et de courage en se laissant enrôler. On a laissé se fabriquer une opinion publique manufacturée et mal fondée qui est devenue un 'pouvoir social' devant lequel le pouvoir politique s'est senti comme paralysé, et toute critique a été plus ou moins discrètement ou brutalement censurée (Boudon 2005 : 168)[17].

---

[17] Dans le cas de l'affaire Montfort, ceux qui s'opposaient à la production du psychodrame ont été accusés d'être des collaborateurs avec l'ennemi (au sens où on parlait des collaborateurs avec les nazis au cours de la Seconde Guerre Mondiale en France) dans les pages du quotidien *Le Droit*, et j'y ai moi-même été congédié comme éditorialiste, après des années de loyaux services, parce que je n'acceptais pas de me rallier à l'opinion imposée sur le psychodrame Montfort.

Ce « pouvoir social de l'opinion publique » – tellement bien expliqué par Tocqueville – a amené bien des pleutres à se rallier à des démonstrations bidons et à faire des déclarations de support bien senti à SOS Montfort, de peur d'être dénoncés comme ennemis du peuple ou 'collaborateurs' dans les médias. Un certain climat de terreur s'est installé.

Quand l'affaire Montfort est arrivée devant les tribunaux, les cours de justice, après un moment de confusion, ont heureusement réparé les incongruités administratives de la Commission ontarienne de rationalisation des services de santé, mais sans se laisser prendre au psychodrame. On a simplement annulé la directive de la Commission portant sur Montfort, à cause de l'impair inacceptable de la Commission d'avoir explicitement ignoré *la Loi sur les services en français*. Mais, par la même occasion, le tribunal a clairement débouté les lubies proposées par SOS Montfort, à savoir que l'hôpital était protégé constitutionnellement par la section 16(3) de *la Charte*, ainsi que sa référence délirante à un « principe constitutionnel fondamental non écrit de la protection des minorités ».

Ce n'est évidemment pas la façon dont les hagiographes de l'affaire ont rapporté les faits. Toute une mythologie a été construite autour de ces événements – une véritable imposture qui parle de grande victoire constitutionnelle, et d'une épopée avec sa Jeanne d'Arc et ses éminents jurisconsultes – lesquels se réunissent encore tous les ans en mini-conventum pour se congratuler mutuellement, et se remémorer émotionnellement comment ils ont sauvé les Franco-Ontariens du désastre.

Dans le cas Montfort, les mythocrates ont fait grand bruit, mais, en fin de compte, n'ont pas fait grand mal – ils se sont contentés de fabuler et de raconter des histoires. Mais l'aventure aurait pu fort mal tourner pour la minorité francophone en Ontario si les arguties des juristes de SOS Montfort avaient prévalu. En effet, si l'idée que tout ce qui est accordé à une minorité à un moment donné ne puisse jamais être remis en question quelles que soient les circonstances avait été entérinée, cela aurait tué dans l'œuf toute demande d'accommodements de toutes minorités dans l'avenir.

La raison pour laquelle il faut pourtant revenir sur ces événements, c'est que la gentilité franco-ontarienne de l'Est de l'Ontario semble s'être convaincue que les mêmes procédés pourraient être utiles pour attiser d'autres récriminations. Or il n'est pas certain que, dans ces nouvelles aventures, des tribunaux raisonnables vont toujours vouloir éteindre ces mouvements toxiques à temps, et ainsi pouvoir éviter les désastres.

La démagogie informationnelle enclenche un ensemble de mécanismes et relais pervers. Pas question d'en faire ici un relevé encyclopédique, mais seulement de souligner la dynamique qui peut expliquer quelques débordements récents qu'on peut attribuer à l'étrangeté des comportements de foule : deux mécanismes puissants – le recours au sens de l'honneur, du respect et de la fierté, et la mécanique du suivisme.

Dans l'affaire Montfort, l'un des leviers importants utilisés a été l'honneur, la fierté, le respect. Et, c'est le même mécanisme que tous les mousquetaires ont commencé à utiliser dans leurs communications à propos de l'initiative pour rendre Ottawa « officiellement bilingue ».

Ce n'est plus la rationalité sur laquelle on joue, mais sur les cordes sensibles (Bouchard 2006). La menace de déshonneur, l'argument de la fierté et de ce qu'elle impose face à un manque de respect – tout ce bataclan est utilisé pour enclencher la ferveur populiste et les mouvements de foule. Quand on a dénoncé les sceptiques dans la croisade Montfort comme des 'collaborateurs' en pleines pages du quotidien *Le Droit*, on voulait s'assurer que les tièdes se sentent mal à l'aise, et se portent vite volontaires comme porteurs du flambeau de Montfort – *pour l'honneur!*

Quant au suivisme, il s'agit d'une mécanique, bien connue des sociologues – qui fait que des individus raisonnables se laissent emporter dans des mouvements de foule ou de lynchage. La mécanique sous-jacente, exposée par Mark Granovetter (Granovetter 2000), explique que, dans les effets de foule, ce qui compte c'est la distribution des seuils au-delà desquels les individus vont être emportés par le mouvement de foule. Ainsi, s'il suffit que peu des gens embarquent pour que les autres suivent, il se peut fort bien qu'un tout petit groupe d'individus puisse déclencher une vaste bascule – aussi forte qu'injustifiée (Dupuy 2003; Paquet 2012a).

La combinaison de l'appel à l'honneur, au respect, à la fierté, etc. (avec toutes ses connotations extra-rationnelles), et de seuils relativement bas pour que les individus se sentent embarqués par contagion dans le mouvement de foule, donne une grande force de frappe à des factions initialement anodines. C'est ce qu'on a vu avec la vague orange aux élections fédérales de 2011, et dans la grogne étudiante au Québec en 2012 (Paquet 2012a).

La pauvreté de l'argumentaire en faveur d'Ottawa officiellement bilingue

Quand on examine l'argumentaire proposé à l'appui d'Ottawa officiellement bilingue, c'est plutôt navrant et pas très convaincant. John Trent (Trent 2014a) fournit un exemple.

Entre deux égratignures gratuites du maire Watson d'Ottawa (que Trent accuse de rester « campé dans son patelin municipal » au début de son article, et de ne pas « s'afficher comme Canadien », plus loin) John Trent présente huit raisons pour lesquelles Ottawa devrait vouloir un statut de bilinguisme officiel :

- on a déjà attendu assez longtemps : bien des *commissaires non-élus* l'ont recommandé;
- c'est seulement de cette façon que la langue française sera « au-dessus de la politicaillerie municipale »;
- c'est la meilleure manière de promouvoir la réalité de la langue française à Ottawa « où on est fier de s'afficher bilingue »;
- on aura finalement une capitale du Canada dont on pourra être fier sur le plan international;
- le gouvernement fédéral sentira assurément une pression pour rendre ses activités dans la capitale davantage bilingues;
- Ottawa officiellement unilingue seulement n'aura pas la légitimité pour être l'hôte des célébrations du 150e anniversaire de la Confédération;
- générer la fierté des anglophones et allophones pour leur pays bilingue, et démontrer au Québec un fédéralisme progressif;
- M. Watson aura énormément d'appui quand il décidera de s'afficher enfin comme Canadien.

Pour Trent, ce n'est pas le *bilinguisme effectif et réel* d'Ottawa qui compte, mais son *bilinguisme officiel*. C'est ce caractère officiel qui, censément, va protéger la langue française contre « la politicaillerie municipale », donner légitimité à Ottawa, promouvoir la langue française à Ottawa, inciter le gouvernement fédéral à se franciser davantage, et donner aux allophones et aux francophones la fierté de leur pays bilingue. On est en plein délire.

Le mot clé dans ce fatras est *fierté* : fierté de s'afficher bilingue, fierté sur le plan international, fierté des anglophones et des allophones pour leur pays bilingue. Et cette fierté ne vient pas du bilinguisme *de facto* en place mais seulement du bilinguisme *de jure officialisé*. En fait, sans bilinguisme officiel, pas de légitimité pour Ottawa en tant que capitale du pays. Quant aux effets tonifiants de cette officialisation sur la langue française à Ottawa, on fabule. Ce fétichisme du bilinguisme officiel devient une panacée dans un univers qui n'a plus rien à voir avec le pays tel qu'il existe.

Trent, anglophone progressiste francophile, devient même plus radical que les intégristes francophones. Le maire Watson, en ne se ralliant pas au nouvel évangile, est rabattu au rôle de petit bourgmestre miteux qui est incapable de s'élever au rôle de Canadien à part entière qu'on attend de lui. En fait, on en vient presque à dire que tous ceux qui n'acceptent pas cet évangile se disqualifient en tant que vrais Canadiens : on est à un poil de l'anathème! Trent veut une ville d'Ottawa officiellement bilingue *pour l'honneur!* Le reste est une série de vœux pieux. Nulle part un mécanisme ou un test de réalité pour arcbouter ses déclarations à propos des effets magiques du bilinguisme officiel. Nulle part, non plus, un iota d'attention aux coûts de cette initiative dans le cadre géopolitique qui est le nôtre.

L'argumentaire de Linda Cardinal a l'avantage d'être plus clair : on parle de fierté pour ennoblir la présentation de l'initiative, et injecter un peu de romantisme dans le débat, mais, pour elle, les enjeux sont clairs. Ottawa « officiellement bilingue » va donner les armes nécessaires pour investir l'hôtel de ville, et imposer les « conditions linguistiques » qui vont devoir prévaloir partout – arrêtés municipaux, débats, comités, instances judiciaires, services, dotation de postes, promotions, etc.

Un peu de contexte :
la région de la capitale nationale et sa vitalité

La ville d'Ottawa n'est pas seulement la capitale d'un pays baroque et paradoxal, mais aussi une ville nichée dans un contexte particulier aux confins des deux grandes provinces du pays. C'est à cause de ce contexte que les divers gouvernements fédéraux, au cours des dernières décennies, ont œuvré à créer une nouvelle entité politique/communautaire – « la région de la capitale nationale » – une *réalité officieuse* qui évolutionnairement a cherché à faire de cette « région » un lieu composite qui reflète aussi pleinement que possible la trame complexe et l'esprit du pays.

Ce contexte a fait qu'on a commencé à *penser plus grand* que la seule ville d'Ottawa (malgré les textes légaux qui en font la capitale du pays), et à *penser de manière plus flexible* cette entité floue – au point de ne pas s'offusquer qu'un partenaire réticent (Gatineau) dans cette construction choisisse de se définir légalement comme unilingue francophone.

Dans les faits, on est plus ou moins bilingues dans la *région de la capitale nationale* – plus anglophone à Ottawa, plus francophone à Gatineau – mais on a commencé à distribuer les édifices fédéraux et les emplois fédéraux des deux côtés de la rivière des Outaouais sans trop s'en préoccuper, de manière à *définir régionalement l'empreinte de la capitale nationale*.

En fait, cette construction commence même à se formaliser, puisque dans la dernière revue de mandat de la Commission de la capitale nationale (CCN) en 2006, on a suggéré le maintien d'un équilibre 75/25 dans l'emploi fédéral et dans les investissements du gouvernement fédéral entre les deux rives de la rivière des Outaouais, et que cela devienne une responsabilité formelle de la CCN d'y veiller (CCN 2006).

Ce qui a fait le succès de cette aventure pleine d'accommodements, c'est la souplesse du dessein. Chaque morceau de cette *région imaginaire* a ses intégristes, mais on a réussi à faire qu'ils ne polluent pas trop le centre du terrain. Il y a eu, au cours des derniers 40 ans, un malaxage remarquable des langues, une francisation remarquable de la fonction publique fédérale, et un afflux important de francophones à Ottawa. Ils ont trouvé le milieu accommodant, et contribué à enrichir la vie en français à Ottawa et dans son pourtour. Cela s'est fait *informellement* : on est passé d'une politique de bilinguisme inexistante sous Charlotte Whitton, à une politique de bilinguisme éclairée et relativement robuste sous Jim Watson. Mais plus important, on a commencé à parler moins d'Ottawa en tant que ville-capitale du pays, et davantage de la « région de la capitale nationale ». Comme on dit en *common law*, on a ajusté nos cadres de référence à proportion que les circonstances, les esprits, et les sensibilités se sont modifiés.

L'équilibre délicat qui définit la région de la capitale nationale, et qui s'est transformé heureusement au cours des derniers 40 ans, a pris en compte bien des dimensions des communautés des deux côtés de la rivière des Outaouais – et la langue n'est qu'une de ces dimensions.

Vouloir impatiemment absolutiser la langue comme certains sont tentés de le faire est grandement réducteur, et pose des risques pour cet équilibre délicat. Il ne faudrait pas que des quêtes quichottesques inconsidérées ou des idéologies délirantes fassent dérailler cette expérience importante pour le pays.

C'est dans ce contexte concret (qu'on a travaillé à construire depuis 40 ans) qu'il faut jauger la pertinence de l'initiative d'une ville d'Ottawa « officiellement bilingue ». Pas question de l'abominer ou de la célébrer en principe, comme certains le voudraient, mais d'en jauger l'utilité ou la toxicité à ce moment de notre histoire.

Une approche raisonnée doit décanter les dogmes et les incantations délirantes, tout autant que les stratégies myopes visant à promouvoir les intérêts étroits d'une tribu ou l'autre. On doit chercher à établir comment une initiative comme celle-là pourrait contribuer ou non à l'antifragilité de la communauté régionale mais aussi à celle du Canada français (Taleb 2012; Paquet 2014c : conclusion)[18].

---

[18] La notion d'antifragilité connote une robustesse beaucoup plus grande et dynamique que celle que connote la résilience : la résilience assure une capacité de retomber sur ses pieds après un choc, alors que la notion d'antifragilité connote la capacité à s'améliorer grâce aux tensions et perturbations et chocs qui sont considérés comme des forces qui déclenchent l'innovation et le dépassement.

Est-ce que cette initiative va continuer à faire progresser la région de la capitale nationale, et aider à mettre en place un modèle (par sa flexibilité même) de ce que peut devenir le Canada baroque qui est le nôtre? Ce qui conforme une communauté, c'est l'ensemble des arrangements transversaux qui imbriquent les membres, fondent l'intelligence collective et les affects, et suscitent l'apprentissage et l'action collective[19]. Il en sort journellement des arrangements hybrides fondés sur la collaboration, et ancrés dans un nouvel enracinement (sorti d'un imaginaire du déracinement et d'une conscience diasporale – pour utiliser le langage de François Paré (Paré 2003), et ce, sans se perdre dans la culture dominante ni se replier sur la communauté linguistique fermée.

Voilà le contexte dans lequel il faut examiner l'initiative proposée : comment une telle initiative est-elle susceptible d'affecter la communauté régionale, comment pourrait-elle en déstabiliser l'équilibre délicat, comment pourrait-elle, en officialisant et sclérosant les capacités d'ajustement, rendre les communautés davantage fragiles, et moins capables d'une évolution heureuse?

Craindre le cheval de Troie

Le statut officiel de ville bilingue est considéré par certains comme une simple formalité. Ce serait le cas si on n'avait pas l'intention de l'utiliser comme instrument de combat. Or, depuis Montfort, on a compris, des deux côtés de la barrière linguistique dans la région, que la minorité francophone de la région peut facilement être entraînée dans les combats les plus douteux par sa gentilité.

On sent d'ailleurs déjà la même sorte de terreur souterraine qu'on a vécue au temps de Montfort se mettre en marche autour de la pression pour faire d'Ottawa une ville officiellement bilingue. Personne n'ose déjà plus demander des explications, de peur d'être perçu comme quelqu'un qui n'a pas la « cause » à cœur, quelqu'un qui n'est pas un 'vrai Franco-Ontarien', un 'vrai Canadien'. Et on peut s'attendre à ce que la pression se fasse de plus en plus forte sur un bon nombre de groupes qui vont se sentir obligés de se déclarer en faveur de l'initiative pour éviter l'anathème. En fait

---

[19] Ce qui suit emprunte à la conclusion de Paquet (2014c) intitulée « Pour un Canada français antifragile ».

tout sens critique a disparu chez les croisés. On est prêt à faire flèche de tout bois dans le bon combat : on embrasse le support de Maxime Laporte (président de la Société Saint-Jean-Baptiste de Montréal (SSJBM)), indépendantiste québécois avéré, dédié au sabotage de toute possibilité de succès dans la construction de la 'région de la capitale nationale', venu dénoncer en face de l'hôtel de ville d'Ottawa les positions du maire Watson sans même sembler comprendre qu'il s'agit d'un cadeau empoisonné pour la cause qu'il supporte (SSJBM 2014).

Voilà pourquoi il est important de bien mettre cette initiative en contexte.

D'abord, comme cette notion de « bilinguisme officiel » est un concept bateau fort mal défini, c'est un terrain sujet à débordements. Vouloir l'endosser sans en comprendre le potentiel toxique, simplement parce que c'est 'un beau geste', est irresponsable. Cela s'est déjà produit avec *la Charte canadienne des droits et libertés* – une charte qui était aussi une boîte de Pandore. Elle avait été présentée comme un instrument pour protéger les citoyens des intrusions de l'État, mais elle est vite devenue un instrument de combat pour les groupes d'intérêt qui l'ont utilisée afin de soutirer de l'État une multitude de privilèges/créances (*entitlements*).

On peut croire que le statut de bilinguisme officiel d'Ottawa pourrait devenir un véritable cheval de Troie permettant à certains de poursuivre des ambitions déraisonnables par des voies qu'on comprend encore fort mal. Besoin donc de ne pas s'engager sans bien camper des limites à ce que ce statut officiel veut vraiment dire – des limites qui pour le moment ne sont pas bien balisées.

Ensuite, comme le répète le maire Watson, Ottawa a déjà une politique de bilinguisme qui semble bien servir la population, et qui est perfectible – c'est-à-dire, qu'elle peut être modifiée n'importe quand pour répondre à n'importe quels nouveaux besoins si on peut montrer l'importance de l'améliorer sur certains points. Le bilinguisme officiel va nous priver de cet instrument de politique publique extrêmement flexible, va empêcher cette politique d'évoluer au rythme des sensibilités et des volontés des citoyens, en pétrifiant les règles du jeu. L'approche dite « limitée » du maire Watson est ici infiniment plus rassembleuse et rassurante pour les partenaires obligés que celle qui ouvre la porte aux ambitions illimitées de certains sous-groupes.

Troisièmement, vouloir rigidifier une politique linguistique qui fonctionne ne peut que susciter des tensions inutiles et coûteuses entre des communautés linguistiques d'Ottawa qui vivent en paix. Les anglophones d'Ottawa croyaient avoir négocié de bonne foi un concordat linguistique à l'amiable avec leurs concitoyens francophones, et on leur annonce que le « bilinguisme officiel » est un instrument de combat pour les forcer d'aller infiniment plus loin dans les concessions au français. Cette acrimonie anticipée des anglophones d'Ottawa est d'autant plus compréhensible qu'ils sont fort conscients qu'une tentative similaire pour faire de Gatineau une ville officiellement bilingue – une ville avec laquelle ils en sont venus à partager le rôle de capitale du pays et ses gratifications – serait rejetée furieusement par le gouvernement du Québec.

Pourquoi, peuvent-ils légitimement se demander, vouloir s'imposer un carcan légal pour fournir des armes à une minorité radicale agissante, alors que l'autre portion de la *région de la capitale nationale* ne sera jamais prête à réciproquer pour ce qui est du « bilinguisme officiel »? Pourquoi se priver ainsi d'une flexibilité qui pourrait être un instrument de négociation utile à proportion que les règles du jeu de la *région de la capitale nationale* vont devoir se préciser?

Quatrièmement, ignorer la dynamique géopolitique dans laquelle la région de la capitale nationale s'accomplit fait qu'on occulte l'importance de la flexibilité et des marges de manœuvre nécessaires *du côté ontarien* si on veut que ce projet de construire une région de la capitale nationale (qui reflète la réalité baroque et paradoxale du Canada, et comprend le Québec) se réalise. Cette flexibilité du côté de l'Ontario est d'autant plus nécessaire que les gouvernements québécois (quelle que soit leur saveur politique) ne seront jamais que des partenaires réticents dans la construction d'une région de la capitale nationale qui marche. Le Québec a saboté les États généraux du Canada français – un instrument crucial pour la diaspora canadienne-française – dans les années 1960, et choisi de faire cavalier seul dans le dossier linguistique. Si l'on veut que l'expérience de la construction d'une région de la capitale nationale puisse se faire, *malgré l'obstructionnisme (actif ou passif) du Québec*, et qu'en sorte une région de la capitale nationale baroque, composite, et vibrante, mais à l'image du pays dans son entier, la flexibilité de la ville d'Ottawa est cruciale.

Vouloir ankyloser le segment Ottawa dans un statut de bilinguisme officiel – qui va réduire dramatiquement la marge de manœuvre d'Ottawa dans le dossier linguistique, et sa capacité d'évoluer selon son esprit et sa dynamique interne – ramènerait à la surface les vieilles querelles de ceux qui continuent à dire haut et fort, à Ottawa, que *seule la ville d'Ottawa est la capitale du pays*, et que Gatineau n'est qu'un faubourg adjacent. Cette grogne mettrait en danger les volontés et les possibilités d'accommodements d'Ottawa pour faciliter la construction de la région d'une capitale nationale qui soit inclusive et intègre les deux pans de la région transfrontalière.

Ce repli potentiel d'Ottawa sur soi pourrait accentuer un schisme qui rendrait la coordination entre les deux côtés de la rivière des Outaouais, qui est déjà difficile, encore plus pénible, sinon impossible.

Cinquièmement, il faut s'inquiéter de la sorte de discours qui semble affleurer dans ce dossier, et qui donne des signes de mépris pour nos institutions démocratiques. Quand Trent (et Meilleur) disent clairement (obliquement) se méfier de l'autorité municipale d'Ottawa, et sont méprisants et soupçonneux de l'autorité municipale au point d'envisager pouvoir imposer aux citoyens d'Ottawa, par coercition ou soulèvement, des règles de vivre-ensemble pour leur ville, au nom des intérêts censément supérieurs ancrés dans leur fixation linguistique, on est déjà à moitié dans un monde anti-démocratique. Le peuple n'a plus rien à dire, le politique non plus, et leurs lenteurs à s'ajuster aux impératifs de la gentilité franco-ontarienne de l'Est de l'Ontario sembleraient constituer, pour cette dernière, un alibi suffisant pour invoquer l'autoritarisme. C'est inquiétant. Et quand on observe que ce sont des politologues qui se méfient ici le plus du politique … il y a de quoi s'inquiéter davantage.

* * *

Toutes ces raisons militent en faveur d'un rejet de cette initiative.

Il ne faudrait pas que l'insécurité, l'intégrisme et l'impatience de quelques-uns donnent le ton à nos politiques publiques. Ces sentiments mènent vite à parler de victimisation, et de là à invoquer la nécessité qu'un autoritarisme tranche, il n'y a qu'un pas. Quand, en plus, on joue sur certaines cordes sensibles pour que la passion l'emporte sur la raison, avec des appels émotionnels à fierté, respect, honneur à la clé, on joue avec le feu.

Le danger de se laisser prendre à ces chants de sirène est que ces lubies peuvent nous entraîner dans des eaux dangereuses où on voudrait réduire la communauté d'Ottawa à des statistiques de locuteurs, et ses ressources symboliques au bilinguisme officiel (Paquet 1993b).

Le persiflage qui a déjà commencé à affliger les opposants au « bilinguisme officiel » d'Ottawa est de mauvais augure – propos méprisants des grands ténors de ce mouvement envers tous ceux qui n'ont pas la foi, et ne répondent pas favorablement à leur sermons moralisateurs et autoritaristes, sarcasme dans les pages du quotidien *Le Devoir* sur les fautes de français d'un porte-parole du maire Watson au lieu d'analyser les enjeux (Orfali 2014), célébration des tribuns indépendantistes québécois surtout intéressés à saboter la construction d'une région de la capitale nationale, etc.

Pour ma part, il me semble que les coûts potentiels de cette initiative dépassent de loin les avantages. Débattons-en, s'il le faut, mais pas besoin que cela se fasse dans le mépris, ou en affirmant, avec un maximum d'arrogance, que ceux qui s'opposent à l'initiative ne se qualifient pas comme de vrais Canadiens.

Au bout du compte, il faut avoir l'intelligence de dénoncer les carcans légaux qui constamment cherchent à bloquer les jeux d'une démocratie ... qui elle est en marche, de combattre la paranoïa de l'autoconservation, d'accepter comme légitimes des vues plus dynamiques de la vie française dans la région et au pays, de s'opposer au repli sur soi dans des réserves linguistiques, et de commencer à apprendre un peu de ceux qui ont dépassé ces atavismes et contribuent, aux frontières, à l'expansion de la francophonie, d'une autre manière, en adoptant une *identité bilingue* – une identité fuyante peut-être et incertaine, mais qui vaut mieux que la défense myope d'un passé qui n'a plus d'avenir, parce que, de ces fixations sur l'autoconservation, ne peuvent s'ensuivre que l'embaumement et la *rigor mortis*.

La communauté est plus que la langue : il ne faudrait pas que la première soit sacrifiée sur l'autel de la seconde.

Acte II (décembre 2014)

Il [Gilles Paquet] note ... que l'argumentaire des gens en faveur d'Ottawa ville bilingue (officiellement pour être précis – GP) est « navrant et pas très convaincant ». Malheureusement, sur ce point, M. Paquet frappe dans le mille (Jury 2014).

Un idéologue : quelqu'un qui pense que les idées sont plus vraies que le réel (Onfray 2014).

Commençons par mettre les choses au clair une fois pour toutes (j'espère) : je ne suis pas contre le bilinguisme à la ville d'Ottawa, je suis même en faveur d'une politique de bilinguisme active, mais je suis contre le fait qu'on veuille imposer un carcan de 'bilinguisme officiel' dont le contenu est éminemment flou sur la ville d'Ottawa, contre l'avis des édiles municipaux démocratiquement élus.

Ma notion du droit est que c'est un outil orthopédique pour « prévenir les difformités inacceptables de l'arbitraire et de la partialité » (Paquet 2002b : 369). On ne doit pas l'utiliser légèrement quand les instruments de la gouvernance démocratique sont disponibles, et semblent capables de résoudre les problèmes auxquels on fait face. Je continue à croire qu'il y a danger de se faire enfirouaper par les juristes qui instrumentalisent le droit dans la poursuite de leurs objectifs sociaux.

Cette mise au point est nécessaire à cause de la confusion qu'entretiennent avec mauvaise foi les défenseurs d'Ottawa-officiellement-bilingue : j'étais en faveur de la sauvegarde de Montfort comme je suis en faveur de services accrus en français par la ville d'Ottawa. Mon désaccord dans l'un et l'autre cas a porté et porte sur les *moyens* pour ce faire. Je me suis opposé à la stratégie judiciaire SOS Montfort et non à la sauvegarde de l'Hôpital Montfort; je suis opposé à la stratégie du carcan d'un Ottawa officiellement bilingue, non pas à des services enrichis en français par la ville d'Ottawa

Dans une société plurilingue, les citoyens sont intéressés à obtenir le plus de services publics possibles dans leur propre langue. C'est un objectif commun de tous les locuteurs d'un groupe linguistique quelconque. On s'attendrait donc à ce que, si débat il y a entre les membres d'un même groupe linguistique, il porte sur les *meilleurs moyens* pour y arriver – puisque l'objectif est commun –, que ce genre de débat sur les moyens soit assez serein (puisqu'il devrait avoir un fort contenu technique), et qu'un arrangement se construise davantage dans des débats en termes de plus ou moins, que de tout ou rien.

On s'attendrait aussi enfin à ce que les priorités dans ce combat portent sur les irritants les plus significatifs dans des secteurs où les citoyens sont concernés par des manques précis de services essentiels, dans des secteurs où ne pas avoir un service dans sa langue entraîne un préjudice qui porte grandement à conséquence; et à qu'on en arrive à des accommodements raisonnables obtenus aux coûts sociaux les moins exorbitants.

Mais les débats en démocratie – tous les débats autour du bien public et de la politique publique – ne sont pas nécessairement conduits selon les normes de la raison. S'y mêlent la passion et la déraison, et en conséquence les débordements entraînés par la fausse conscience, les idéologies et les propos délirants d'un certain nombre. Ces derniers, engoncés dans leurs dogmes, absolutisent les enjeux, et mènent le combat avec tout l'aveuglement de leur fondamentalisme : les moyens radicaux qu'ils préfèrent deviennent des incontournables non-négociables, et tout compromis semble leur paraître impensable.

Il arrive ainsi qu'une fixation par un petit groupe sur certains moyens β, que d'autres jugent inefficaces et périlleux, donne lieu à des déclarations outrancières, et à une telle escalade de propos venimeux contre ceux qui s'y opposent, qu'on en vient à perdre de vue l'objectif commun. Un discours toxique s'ensuit dans lequel ceux qui critiquent les moyens β deviennent des ennemis du peuple, et sont insultés, sans que jamais les tenants de la position β, présentée comme canonique au départ, acceptent de prendre un moment pour ré-examiner de manière critique les plus et les moins de leur position, ou pour moduler les propos outranciers qu'ils ont tenus dans le feu de la passion. Il n'est absolument plus question des coûts et des avantages des moyens β par rapport aux autres voies : la fixation porte sur la mise en question de l'intégrité de ceux qui osent critiquer – les critiques sont taraudés comme illégitimes, collaborateurs avec l'ennemi, traîtres à la cause, etc. en toute bonne conscience, même quand ces critiques des moyens proposés sont des gens qui partagent les mêmes objectifs de base que leurs vitupérateurs.

Après que la poussière soit retombée sur les lieux de ces échauffourées, il suffit souvent qu'un chroniqueur complaisant fasse un résumé inspirant de ces événements, avec toutes les enluminures et omissions pertinentes, pour donner une dimension mythique à ces combats douteux. Si, de surcroît, on entretient le mythe par des grands-messes rituelles, très vite cette poussée de fièvre devient, dans la mémoire collective, une étape importante dans le grand combat du groupe pour sa survivance. Il s'ensuit que les esprits sont préparés à l'utilisation des mêmes procédés quand on voudra, dans l'avenir, critiquer d'autres moyens déconsidérés par les chevaliers des moyens β.

La cabale médiatique est une approche qui a pour objectif de décourager la critique en la déclarant illégitime. Elle méprise non seulement les opposants, mais méprise surtout les petits pas de la démocratie, et se complait dans des rêves de coups de force qui, par adjudication, transformeraient les préférences des agitateurs en des droits inviolables policés par l'État. Une telle attitude ne peut que vicier les débats, et tout le processus démocratique de production des meilleurs moyens possibles (grâce à la discussion constructive et ouverte entre les divers partenaires) est dévoyé. Il ressort de ce genre de dynamique que la cause commune est mal servie à cause d'un *fondamentalisme des moyens*[20].

La réaction à mon texte de septembre 2014 de www.optimumonline.ca

La réaction provoquée par mon texte, proposant une autre manière de voir quant à ce qui serait la meilleure approche susceptible de nous donner accès à des services en français agrandis, a été abusive, ainsi qu'une revue des colonnes du quotidien *Le Droit* et des archives de Radio-Canada (Ottawa-Gatineau) peuvent en faire la preuve. Le grand ténor du mouvement a dit à Radio-Canada que « je pissais sur les Franco-Ontariens », et ses épigones se sont déclarés « en maudit » sans

---

[20] Le monde de l'Est Ontario a vécu deux expériences de ce genre en 20 ans. Le premier est l'expérience de SOS Montfort autour de l'an 2000 (Paquet 2001, 2002a, 2008 : chapitre 11), et celle de la croisade pour rendre Ottawa officiellement bilingue en 2014.

pour autant présenter un contre-argument de quelque valeur à mon argumentaire.

Et puis, il y a eu le travail de sape des médias : pas aussi réussi que dans le cas SOS Montfort, mais malgré tout assez troublant. Dans le cas Montfort, la désinformation a été menée de main de maître, et les voix discordantes éliminées. Dans le cas d'Ottawa officiellement bilingue, ce n'est pas qu'on n'ait pas essayé, mais malgré les panels radiophoniques pactés de Radio-Canada, et les pages du quotidien *Le Droit* entrebâillées dans une seule direction, l'insignifiance de l'argumentaire des agitateurs (y compris les moments 'forts' de la navrante confession en ondes d'une groupie à savoir qu'elle ne voterait pas Watson à cause de son opposition au statut officiel bilingue d'Ottawa, ou la lettre d'un lecteur qu'a publiée *Le Droit* demandant à mon recteur à l'Université d'Ottawa de me sanctionner pour avoir posé des questions indiscrètes) a constitué un fardeau trop lourd à porter même par des médias fortement biaisés.

Cependant, il faut dire qu'on n'a pas hésité à explicitement désinformer.

On se rappellera longtemps de cette journée infamante du 14 octobre 2014 où la page frontispice de Radio-Canada (Ottawa-Gatineau) et les pages du quotidien *Le Droit* pavoisaient que 62 pour cent des candidats aux divers postes de maire et d'échevins en lice aux élections municipales à Ottawa étaient en faveur du bilinguisme officiel d'Ottawa. Or, il ne fallait fouiller bien loin pour découvrir que, malgré un triple effort pour extraire ces réponses des consultés, moins de la moitié avaient répondu, et que donc le support oscille plutôt autour des 25 pour cent des candidats aux divers postes de maire et d'échevins – et cela obtenu, sous pression, en période électorale. Les médias ont beau avoir été complaisants et peu professionnels, les citoyens n'ont pas été impressionnés par ce flagrant manque d'esprit critique, et ce travail de désinformation.

D'autres, comme Pierre Jury, tout en admettant clairement (ainsi que je le montre en épigraphe), que l'argumentaire présenté par le groupe en support du bilinguisme officiel pour Ottawa n'était pas fort, restent non convaincus que la voie démocratique et celles des accommodements raisonnables sont suffisantes. Jury, non seulement en son nom personnel, mais au nom du quotidien *Le Droit*, affirme que :

(1) les Franco-Ontariens et ceux qui visitent Ottawa s'attendent à plus sur deux plans : le visage bilingue de la capitale, et les services municipaux en français;

(2) ceux-ci ont droit à ces choses comme *citoyens à part entière* qui rejettent « l'identité bilingue » prônée par Gilles Paquet » (Jury 2014).

Rien dans la clause (1) ne me semble inatteignable par la voie du politique et des « accommodements raisonnables ». Rien dans cette clause ne commande non plus le statut de bilinguisme officiel. C'est donc un *non sequitur.*

La clause (2) cependant est révélatrice : Jury (au nom d'une communauté quelconque qu'il n'identifie pas autrement que comme des *citoyens à part entière*) suggère que ces citoyens à part entière rejettent l'identité bilingue. Cette clause pourrait sembler indiquer que ce sont des gens qui ne sont *pas* des citoyens à part entière qui (comme moi) sont ouverts à toutes sortes de stratégies autres que le statut officiellement bilingue pour Ottawa. Est-ce que Jury est en train de nous dire qu'il soutient la position de Roger Bernard à savoir que le bilinguisme est soustractif? Jury semble tout au moins suggérer que ces « citoyens à part entière » – des cousins germains des 'vrais Canadiens' de John Trent, peut-être[21] – seraient autorisés à réclamer, au nom de leurs préférences, certains accommodements qui leur garantiraient un 'droit' de vivre exclusivement en français à Ottawa[22].

---

[21] John Trent a accusé le maire Jim Watson de ne pas être un « vrai Canadien » parce qu'il ne supportait pas l'idée du bilinguisme officiel pour la ville d'Ottawa (Trent 2014a).

[22] Précisons que je n'ai parlé dans mon texte d'*identité bilingue* qu'en deux sens : (a) au sens de l'identité que réclament les Franco-Manitobains comme partie de la stratégie dynamique d'insertion de leur communauté dans leur contexte (Mulaire 2012). Il s'agit d'une stratégie parmi d'autres et non d'une formule mur-à-mur que j'aurais proposée pour application à toutes les communautés francophones du pays. Cependant, il me semble bizarre de voir cette stratégie considérée comme *rejetée* (Jury *dixit*) par la communauté franco-ontarienne dont il parle sans qu'il nous ait donné des raisons quelconques de croire que c'est là un fait avéré, et non pas une préférence personnelle ou un choix idéologique. Et, s'il s'agit d'une préférence d'un groupe indéterminé, doit-on croire que cela veut dire que cette préférence à saveur aparthéidisante de ne pas être bilingue doive devenir un droit? (b) au sens où Jury lui-même parle de *visage bilingue* pour Ottawa, j'ai parlé d'identité bilingue pour la région de la capitale nationale.

On voit que derrière cette seconde clause se profile toutes sortes de revendications surprenantes. Voilà qui suggère que le statut officiellement bilingue d'Ottawa n'est pas seulement un geste symbolique, mais vraiment un instrument de combat important pour imposer par des voies judiciaires, à une communauté plurielle, et contre son gré, des arrangements que la voie politique n'a pas pu obtenir. Tout cela est exigé au nom d'une extension indue de la notion de droit à ce qui sont des préférences personnelles – dont il est loin d'être certain d'ailleurs que cela soit la volonté de tous les francophones de la région.

Une grogne qu'il faut expliquer même si elle est mal fondée

Il ne suffit pas de fulminer contre la propension des mécontents et des agitateurs (1) à choisir une approche défensive, légaliste et contre-démocratique pour corriger une situation qui ne correspond pas à leurs préférences, et (2) à dénigrer les manières davantage proactives, politiques et démocratiques susceptibles de fournir des meilleures manières d'aborder ces questions, par des attaques *ad hominem* contre ceux qui ne pensent pas comme eux.

Il faut aussi chercher à comprendre pourquoi c'est le cas.

Pour ce faire, je procède en deux temps. D'abord, je rappelle certains éléments plus généraux du contexte qui peuvent expliquer cette propension toxique. Ensuite, je souligne certains mécanismes qui ont contribué plus spécifiquement à accélérer les développements rapportés plus haut.

i) Les prisons mentales

Une première force importante est la conception du droit qui prévaut dans les milieux francophones de l'Est Ontario, à cause à la fois des effets de retombée du cadre légal au Québec, et de l'activisme d'un certain nombre de juristes qui ont cultivé cet esprit. Je nommerais cette prison mentale : le *filtre culturel du droit civil*.

Le droit est l'ensemble de principes, règles et conventions qui, dans l'ordre social, change le plus lentement. Les pratiques évoluent, mais c'est seulement quand on sent le besoin de réparer *orthopédiquement* les règles du jeu que le droit entre en scène. Au jour le jour, même si beaucoup de choses dans l'environnement de nos socio-économies et dans leur trame mettent continûment de la pression sur les arrangements en place, et engendrent donc des pressions sur la pratique, cela se traduit par des modifications de la gouvernance et non pas nécessairement dans le cadre juridique. Mais ces ajustements dans la pratique de la gouvernance s'accomplissent dans un état d'esprit qui informe les représentations qu'on construit de la situation, et qui imbibe les propensions à y faire face d'une manière ou d'une autre[23].

Un bon nombre de spécialistes en sciences humaines ont souligné au cours des dernières années comment les divers régimes juridiques contribuent à conformer différemment à la fois les perspectives, les représentations, les diagnostics face aux problèmes, et les réponses aux défis posés par un écart entre les préférences et les droits (Albert 1991; Fleiner 2011; Courchene 2012). En particulier, Fleiner et Courchene ont souligné comment le droit civil (en vogue dans de nombreux pays, et au Québec, mais qui jette de l'ombre sur l'Est Ontario) a une notion proactive de l'État, et supporte l'idée *d'un interventionnisme de l'État et de ses institutions, utilisant le droit pour réaliser certains objectifs sociaux ou politiques*. Voilà qui est aux antipodes de la tradition du *common law* (en usage dans le reste du Canada) pour qui *le droit se donne comme objectif d'être l'arbitre seulement entre les intérêts divers*.

Ces différentes façons de penser le système juridique arcboutent des systèmes de croyances bien différents. Courchene a montré que dans de nombreux domaines, les comparaisons internationales entre pays de droit civil et de *common law* révèlent à l'évidence l'effet dramatique de ces perspectives contrastées. Ces deux paradigmes légaux ont un effet de distorsion à la fois sur les représentations, sur les croyances et sur les stratégies de base.

Les divers éléments qui conforment ce filtre culturel (et il y a un énorme bagage de croyances (raisonnables ou non) que chaque groupe emporte avec lui, souvent sans en être vraiment conscient) constituent autant de prisons mentales plus ou moins utiles ou toxiques qui vont avoir une influence déterminante sur les décisions des individus et des groupes. Ces effets vont souvent être amplifiés ou atténués par les médias et les clercs qui en font *nolens volens* un marketing plus ou moins conscient.

---

[23] J'ai montré comment ces pressions jouent sur la gouvernance à plus court terme mais en arrivent à changer la nature même du droit à plus long terme (Paquet 2002b).

C'est ainsi que les mêmes grandes tensions peuvent être interprétées fort différemment au Québec (et par effet d'écho dans l'Est Ontario francophone) et dans le reste du Canada, et déclencher des agir communicationnels et des actions qui peuvent ne pas avoir beaucoup en commun dans un pan et dans l'autre du pays[24].

Le même clivage peut expliquer des perspectives différentes sur la notion du politique ou pour ce qui est de l'approche aux politiques publiques : tendance utopienne à changer le droit pour modifier les comportements et les mœurs dans le cas du droit civil, tendance à chercher les accommodements raisonnables dans le cas du *common law*[25].

Or la francophonie ontarienne, même si elle vit formellement dans un monde de *common law*, en est arrivée *nolens volens* à être contaminée par des perspectives inspirées du régime droit civil de son voisin – à voir le droit comme un instrument pour réaliser certains objectifs sociaux et politiques. Voilà qui expliquerait en partie la propension plus grande des francophones de l'Est Ontario à se tourner vers les voies judiciaires que vers les voies administratives et politiques que leurs collègues anglophones seront portés à le faire.

Un second phénomène, qui a renforcé encore cette tendance à utiliser le droit comme instrument pour réaliser des objectifs sociaux, a été la tendance à voir émerger un *imperium* bureaucratique nouveau au cours des derniers 50 ans, une flopée de commissaires non-élus à qui on a confié le mandat de veiller à ce que certaines lois soient respectées. Ces super-bureaucrates (depuis le vérificateur général jusqu'au commissaire aux langues officielles) ont non seulement grandi en nombre, mais il y a eu tendance au cours des dernières décennies à voir ces gardiens des lois se transformer en croisés qui ne se contentent plus de voir à ce que la loi en vigueur soit appliquée, mais qui sont devenus des activistes qui se sont arrogés un mandat qui dépasse largement la monitarisation de l'application de la loi.

[24] C'est dans cet esprit qu'on peut mieux comprendre les différentes manières de voir sur certaines questions comme l'affaire SOS Montfort ou l'idée de rendre Ottawa officiellement bilingue.

[25] On verra plus loin comment bureaucrates, juristes engagés, et la présence de l'*homo manipulator* dans l'administration publique peuvent être saisis par l'esprit du droit civil.

En fait, ils en sont venus à non seulement interpréter la loi dans des directions discutables et controversées sans coup férir, mais encore à contester les gouvernements qui ont produit les lois et de les sermonner avec des avis et des opinions sur ce que les gouvernements devraient faire – au nom de leur autorité qui nous est présentée par ces commissaires comme plus légitime que celle des élus (Paquet 2014d).

Ce genre de débordements est devenu consubstantiel pour les commissaires aux langues officielles qui ont été à divers degrés capturés par les groupes de pression dont les perspectives sont fort étroites (Hubbard et Paquet 2013). Certains commissaires provinciaux, comme le commissaire aux services en français de l'Ontario, François Boileau, ont dérivé encore plus loin de leur rôle de moniteur de l'application de la loi pour se prononcer sur des questions de politiques publiques qui débordent largement leur compétence et leur autorité. C'est ainsi que François Boileau est devenu le champion d'une université francophone en Ontario (Unique FM le 6 octobre 2014) et a pontifié que « les obligations linguistiques d'Ottawa ne sont pas suffisantes » (dans *Le Droit* du 30 octobre 2014).

Ces commissaires (dont le rôle se rapproche de plus en plus de celui de *kommissars*) qui en arrivent à s'arroger une autorité morale et politique qu'ils n'ont pas, et qui cherchent par leurs interventions publiques à dicter aux gouvernements élus les lois qu'ils proposent, ont joué un rôle important dans la contamination du *common law* par l'esprit du droit civil activiste dans le domaine de la langue. En fait, ils ont légitimé grandement le travail des agitateurs, et aidé à miner l'autorité des élus. Voilà qui explique en partie la propension exhaussée des agitateurs à orienter leur action dans le sens du judiciaire à cause de cette caution.

Un troisième facteur est qu'Ottawa est une ville de fonctionnaires. Il s'agit là d'une tribu qui est caractérisée par une propension à conserver plutôt qu'à innover. C'est même une notion fondamentale en administration publique que le rôle des fonctionnaires est de maintenir et préserver les fondements de la *res publica* (Terry 2003). Cette notion d'*administrative conservatorship* imbibe la région de la capitale nationale du Canada, et a un impact incontournable sur la tendance à orienter l'action collective bien davantage vers la conservation que vers le dépassement et la métamorphose.

Or, il ne faut pas évoquer longtemps les guerres linguistiques d'antan en Ontario, et le discours victimologique qui les a accompagnées (sans oublier les acquis qui sont sortis de haute lutte de ces guerres, évidemment), pour voir émerger une certaine paranoïa face aux forces qui pourraient menacer ces acquis. L'esprit de conservation jette alors une grande ombre sur la région, et contribue à faire émerger dans l'élite locale l'utopie d'un monde qui ne changerait pas, à alimenter la détermination d'arrêter le temps comme au temps de Josué, et de pérenniser les acquis actuels, en utilisant le judiciaire.

Quatrièmement, ces trois premiers facteurs viennent se greffer sur deux grandes tendances lourdes des démocraties dénoncées, dès le milieu du XIXe siècle, par Proudhon : *la paresse des masses* (qui est à l'origine de tout autoritarisme), et *le préjugé gouvernemental* (la tendance à s'en remettre à « une caste dirigeante promettant à ses fidèles d'exercer le pouvoir de l'État en leur faveur » (Innerarity 2006 : 241). Ceux deux tendances ont été fortement accentuées avec l'état-providence, et ont fait que les citoyens des démocraties en sont venus à ne plus s'impliquer dans le politique et à ne plus s'occuper de leurs affaires, à s'en remettre à leurs élites et à l'État pour s'occuper de tout cela pour eux.

Ce désengagement et cette démission n'ont fait que créer une pression additionnelle pour que le droit prenne la place de la gouvernance, pour qu'on privilégie la voie judiciaire sur la voie politique trop accaparante, mais, et c'est probablement plus important, pour qu'on se contente désormais de chercher une certaine résilience plutôt que de chercher plus aventureusement l'antifragilité et le dépassement (Taleb 2012; Paquet 2014b). Le recours aux tribunaux devient alors une solution au mieux d'impatients qui ont mal jaugé les périls attenants et au pire de paresseux – un refus du fardeau de la charge du citoyen, celui d'être actif, de convaincre, et d'obtenir gains de cause par la persuasion et non la coercition.

Finalement, il y a l'idéologie et l'idolâtrie des droits qui a dominé le discours public depuis la Seconde guerre mondiale. Ce mouvement a fourni un langage porteur aux revendications de tous les groupes mécontents. Il est devenu clair au fil du temps qu'il suffit de traduire ses préférences en termes de droits pour que les revendications acquièrent une légitimité nouvelle. Je me rappelle d'une charte des droits des prisonniers imaginée dans les années 1970 où était inscrit le droit à l'évasion! Sur ce terrain glissant, on en est arrivé à transformer illégitimement bien des inconvénients, des embêtements, des enquiquinements, et des préférences ignorées en violation des droits humains, avec la complicité des apôtres de la judiciarisation (Paquet 2005). Les abus commis à ce chapitre ont été documentés (Leishman 2006). C'est une perversion qu'a dénoncée Ignatieff, mais ses propos n'ont pas eu grand effet (Ignatieff 2001).

Toutes ces prisons mentales expliquent en partie la propension à vouloir tout judiciariser, à s'en remettre à l'État pour orthopédiquement corriger tout ce qu'une certaine rhétorique en est arrivée à consacrer comme difformités inacceptables. Il en est sorti un rejet paresseux du politique, une sorte d'assoupissement du citoyen, une méfiance, un mépris et une peur du politique, et un recours systématique au juridique et à l'État pour imposer de haut en bas son *imperium* même d'une manière contre-démocratique.

ii) Les catalyseurs

Ces grandes lames de fond n'auraient pas eu le même effet d'entraînement n'eut-été une série de faiblesses importantes de l'ordre social.

La première a été la trahison des médias et des clercs. On compte beaucoup sur la liberté des médias et des clercs pour soumettre les diverses options présentées dans le forum à un examen critique. La seule raison pour laquelle on combat farouchement toute contrainte à leur liberté d'expression, et on refuse toute normalisation de ces groupes est afin de leur donner toute la possibilité de remplir le fardeau de leur charge (Paquet 1986). Or, les médias et les clercs francophones de l'Est Ontario sont plutôt devenus soit des groupes aphones aucunement intéressés à remplir leur fonction critique, soit des groupes et individus enrôlés de gré ou de force dans les croisades d'idéologues intransigeants, et s'en faisant les haut-parleurs et les chantres d'une manière servile.

S'il est vrai qu'il y a eu un déclin de l'esprit critique dans les sociétés démocratiques (Paquet 2014c), les affaires SOS Montfort et Ottawa-officiellement-bilingue ont révélé la profondeur de la trahison des clercs et des médias dans la francophonie de l'Est Ontario.

Pour ce qui est des médias importants (*Le Droit*, et Radio-Canada – Ottawa/Gatineau), pas d'effort sérieux pour informer, mais une batterie de pièces toutes destinées à faire la promotion d'une cause (celle des agitateurs). Bien rares ont été les analyses critiques (i.e., montrant les limites des argumentations). Dans les deux cas, et dans les deux médias, il y a eu désinformation systématique, et trahison flagrante du mandat d'éclairer. Journalistes et clercs deviennent trop souvent les avocats d'une cause, et les porte-parole d'une grogne. Le sens critique a disparu.

Comme le soulignait avec verve Jacques Henripin, il existe encore, dans les grandes villes du pays, des journalistes qui enseignent, analysent en profondeur, décortiquent les sujets scabreux, pourfendent la crétinerie sous quelque chapiteau idéologique ou politique qu'elle campe, et forcent le citoyen à sortir de son aveuglement volontaire, à penser de façon critique parce que mieux éclairé (Henripin 2011 : chapitre 20). Cet ilot existe dans une mer où le mélange d'auto-censure, de simplification outrancière, d'irresponsabilité, de persiflage, de désinformation, et d'arrogance ne réussit le plus souvent qu'à engendrer la propagation de dogmes sans fondements, à désorienter le citoyen, et à le décerveler – mais il existe.

Les clercs ne brillent pas davantage par leur présence critique dans les débats qui nous occupent ici. Le gros des troupes de clercs – que les citoyens entretiennent dans un certain confort pour pouvoir compter sur une évaluation critique des enjeux le cas échéant – sont muets. Il faut dire que ce genre d'interventions n'est pas sans danger quand la tribu décide d'utiliser son pouvoir d'intimidation – comme je l'ai expliqué à propos des avaries que m'a causées mon opposition à la stratégie de SOS Montfort.

Donc, absence et silence du gros des clercs ou argumentaire bancal en support de la cause, mais peu de voix pour évaluer sérieusement ce qui est proposé par les agitateurs.

La seconde faiblesse importante est d'une nature plus diffuse mais non moins importante : elle tient au travail de sape du *pouvoir social* et de *l'opinion publique* – deux forces qu'on comprend mal, qui sourdent beaucoup de l'effet des prisons mentales discutées plus haut, ont un grand pouvoir de contagion, et ont eu des effets multiplicateurs immenses sur le convoiement du message des agitateurs relayé par les médias et les clercs.

Ces deux notions ne se laissent pas facilement cernées. Mais la première est plus circonscrite que la seconde.

La notion de *pouvoir social* est l'écho de mécanismes et de relais qui génèrent un effet d'emballement d'une opinion dominante dont on peut à la limite débroussailler l'enchevêtrement, et a été développée par Tocqueville. Raymond Boudon en a donné la définition suivante : « l'ensemble des mécanismes et des relais qui imposent sur tel ou tel sujet une opinion dominante devant laquelle le pouvoir politique se sent comme paralysé ou qu'il doit tenir pour un paramètre essentiel de son action; devant laquelle la critique est par ailleurs impuissante, voire plus ou moins discrètement censurée » (Boudon 2005 : 167-68).

La notion d'opinion publique est encore plus diffuse : certains comme Pierre Bourdieu suggèrent même que « l'opinion publique n'existe pas » (Bourdieu 1984). En fait, le malaise qui entoure cette notion tourne autour du fait qu'il semble généralement clair qu'il n'y a pas d'immaculée conception de l'opinion publique, et qu'elle n'est pas nécessairement rationnelle, compétente et éclairée, qu'elle ne révèle pas nécessairement non plus un consensus quelconque, et qu'elle n'est pas nécessairement effectivement extraite par les sondages, mais qu'elle pourrait bien être manufacturée par les sondages (Sauvy 1949; Blondiaux 1997).

Voilà qui rend plutôt glauque cette notion d'opinion publique, et qui renvoie donc à un processus plus complexe mais tout aussi suspect que le pouvoir social, en ce sens que dans les deux cas – en plus explicite et en moins explicite – il s'agit d'une *fabrication complexe* dont, dans le premier cas, on peut plus facilement identifier les fils que tirent les manipulateurs que dans le second cas, mais dont, dans tous les cas, on peut dire que c'est une sorte de *phénomène de foule* qui a des effets d'entraînement importants, et conforme une opinion dominante.

Tant dans le cas SOS Montfort que dans le cas Ottawa-officiellement-bilingue, le pouvoir social développé par la gentilité franco-ontarienne, et l'opinion publique alimentée par la croisade des médias et des clercs ont contribué à la construction de ce qui a été présentée comme *l'opinion dominante* — une opinion dont on a toutes les raisons de croire, quand on est à l'écoute de la population, qu'elle n'est pas vraiment raisonnée. Cette opinion dominante est produite par la même logique qui engendre la panique : narcissisme et contagion en sont les moteurs (Dupuy 2003). Elle se déploie comme une tornade souvent sans qu'on puisse humainement contrôler ce dérapage qu'on comprend mal. Le grand journaliste Jean Lacouture parle de la même logique qui entraînait les lynchages (Lacouture 2005). Difficile d'arrêter un mouvement de foule!

Mauvaise foi et peur des mots

John Trent, dans une lettre ouverte qu'il m'adressait, et qu'il adressait au quotidien *Le Droit* le 22 octobre (Trent 2014b), m'accuse d'avoir publié (Paquet 2014a) un « article truffé d'erreurs et d'insultes » dans la revue www.optimumonline. ca en septembre 2014, et ajoute que ce n'est pas « un texte professionnel d'un universitaire ».

On me permettra de répondre à cette lettre – dont *Le Droit* a publié le 5 novembre seulement les morceaux choisis les plus calomnieux – succinctement en deux temps : en montrant que mon texte ne contient pas d'erreurs, si ce n'est par l'opération d'une certaine malhonnêteté intellectuelle de son lecteur, et qu'il ne contient pas d'« insultes injurieuses » mais des gros mots pour qualifier des énormités qui méritent qu'on les appelle par leurs noms.

i) Les faits

Trent me chicane pour avoir suggéré qu' « un petit groupe de citoyens » propose le bilinguisme officiel pour Ottawa. Et il suggère, pour me contredire, que toute une flopée de groupes « voit le bilinguisme d'un bon œil ». Je vois moi-même le bilinguisme d'un bon œil, et c'est pour cela que je supporte la politique de bilinguisme de la ville d'Ottawa. Ce que je ne vois pas d'un bon œil, c'est le bilinguisme officiel imposé à une population qui n'en veut pas. Quant à savoir pourquoi les officiels de certains groupes de pression francophones ont senti le besoin d'accorder leur appui, j'ai dit plus haut pourquoi j'avais le sentiment que cela avait passé pour une bonne part par l'intimidation.

Trent me chicane aussi pour avoir parlé du bilinguisme officiel pour Ottawa comme d' « un carcan judiciaire ». Il me semble qu'il faut appeler les choses par leur nom : une telle désignation imposée à la ville d'Ottawa, contre le gré de ses citoyens, serait un carcan. Le fait que Trent – dans l'esprit du droit civil – nomme un ancien juge de la Cour suprême qui pense comme lui que la stratégie de judiciarisation est la bonne (surprise, surprise) – ne suffit pas pour me faire changer d'avis.

Trent m'accuse de parler « d'une façon dédaignante (sic!) et erronée de l'Hôpital Montfort » parce que j'ai parlé d'un « petit hôpital communautaire » il y a quinze ans. Au moment de SOS Montfort, cet hôpital était un petit hôpital communautaire. Le fait que SOS Montfort en ait fait, à l'époque, l'institution qui, si elle disparaissait, mettrait l'Ontario français en danger, m'a semblé excessif à l'époque, et je le pense encore. Quant à savoir si « SOS Montfort a gagné son pari » (comme Trent le déclare), c'est une opinion que je ne partage pas. Les arguments de SOS Montfort ont été déboutés par les tribunaux, et la sauvegarde de Montfort est attribuable au seul fait que la Commission sur la restructuration ait clairement déclaré avoir ignoré la Loi 8 dans ses travaux. La sauvegarde de l'Hôpital Montfort n'a pas été gagnée par les cavalcades juridiques de SOS Montfort, mais par l'incurie de la Commission – une affaire qui aurait pu être réglée administrativement.

Trent attire mon attention sur le fait qu'un des huit points mentionnés dans sa note d'août 2014 n'avait pas à voir avec la fierté et l'honneur comme raisons pour réclamer le bilinguisme officiel de la ville d'Ottawa. Ce point en particulier suggère que le bilinguisme officiel ferait qu' « on pourrait y travailler en français et en anglais » – ce qu'on fait déjà.

À moins qu'il ne veuille dire, ce qui est possible, que, dans son esprit, le nouveau statut officiellement bilingue de la ville d'Ottawa permettrait d'imposer que ce soit obligatoire de le faire partout … En ce sens-là, le statut de bilinguisme officiel serait un cheval de Troie par l'intermédiaire duquel on voudrait bilinguiser toutes les opérations de l'hôtel de ville de fond en comble – que les citoyens en sentent le besoin ou non, et quelques soient les coûts. D'ailleurs pourquoi s'arrêter là, si l'on veut un « visage bilingue » pour Ottawa qui embrasse toutes ses dimensions. C'est bien le même Trent qui suggérait dans une entrevue récente que seulement 20 pour cent des restaurants à Ottawa offraient des menus en français, et que le bilinguisme officiel allait pouvoir corriger aussi cet impair. Serait-ce excessif de dire qu'il semble y avoir une grosse anguille sous la roche d'un bilinguisme officiel dont le contenu demeure dangereusement flou!

Trent prend aussi un moment pour ridiculiser comme « image mirobolante » l'idée d'une région de la capitale nationale qui est effectivement bilingue – plus anglophone à Ottawa, et plus francophone à Gatineau – comme un écho particulièrement bien ajusté de ce qu'est le Canada. Je ne crois pas que c'est une image mirobolante, mais que c'est une réalité déjà en place.

Et Trent de conclure, dans le même paragraphe, « si la communauté anglophone se montrait assez accommodante pour accepter un régime bilingue à Ottawa, ce geste pourrait servir d'exemple pour les autres villes de la région de la capitale nationale ». Cette phrase appelle deux commentaires : d'abord, la ville d'Ottawa a, depuis un bon moment, accepté un régime bilingue, ce qu'elle n'accepte pas pour le moment, c'est un bilinguisme officialisé juridiquement mais au contenu mal défini; ensuite, c'est rêver en couleur que de croire que Gatineau sera jamais prête à devenir bilingue officiellement … et même si elle le désirait, le gouvernement à Québec s'y opposerait. Voilà pourquoi la solution d'une région de la capitale nationale librement bilingue dans les faits est tellement attrayante.

ii) Les gros mots

Dans la dernière portion de son texte, John Trent s'élève contre mon utilisation d' « insultes injurieuses ». Et de faire la liste des mots que j'ai utilisés qui ont heurté sa sensibilité (ayatollahs, croisés, dogmes, délire, intégrisme, suivisme, démagogie d'information, solutions pétrifiantes, hagiographie, psychodrame, opinion publique manufacturée, etc.). Il s'agit là de mots tout à fait acceptables de la langue française qui correspondent non à des formulations injurieuses mais à des réalités troublantes. Or, ces réalités troublantes correspondent exactement aux réalités que j'ai observées, et mis beaucoup de soin à établir dans les travaux mentionnés plus haut. Le fait que ces mots paraissent infamants tient au fait que les réalités qu'ils nomment sont infamantes. Toute référence au dictionnaire prouverait que les faits évoqués correspondent bien à ces appellations.

Cette sensibilité aiguë de John Trent à mes gros mots est assez surprenante, compte tenu du fait que Trent lui-même n'a pas hésité à suggérer, dans son texte d'août 2014, tout à fait gratuitement d'ailleurs, que c'est parce que Jim Watson n'était pas un « vrai Canadien » – utilisant là un langage qui ressemble à celui de Joseph McCarthy aux États-Unis dans les années 1950 – parce qu'il refusait d'accepter qu'Ottawa devienne officiellement bilingue. Il a même répété le tout sur les ondes de Radio-Canada à deux reprises à un Carl Bernier qui avait l'air de ne pas en croire ses oreilles. Voilà un propos infamant qui révèle un manque de jugement et la perte de tout sens de la mesure. Mes petits gros mots un peu mordants ne pèsent pas lourds dans la balance en comparaison avec cette insulte infamante au maire Watson.

Conclusion, coda et postscriptum

La démocratie est une longue conversation ininterrompue. Et cette conversation est d'autant plus fructueuse que les échanges sont vifs et incisifs. J'ai toujours essayé dans mes échanges avec les collègues, et avec ceux qui me semblent avoir tort, d'être le plus clair et incisif possible afin que ma position soit pleinement comprise – ce qui fait qu'on peut la contester et l'attaquer facilement, si en fait, elle s'avère indéfendable. La langue de bois et la langue de coton dans les échanges démocratiques sont simplement des moyens d'immuniser, par le flou de la formulation, des positions indéfendables.

Dans les deux cas mentionnés plus haut, et en particulier dans le cas récent d'Ottawa-officiellement-bilingue, j'ai été amusé de voir qu'on m'a abominé de quolibets méprisants et d'attaques *ad hominem*, mais qu'on a rien apporté au dossier qui m'amènerait à modifier ma position dans ces dossiers.

C'est évidemment un peu déprimant.

On me permettra de reprendre *verbatim* ce que je disais plus haut dans ce texte. Ma notion du droit est que c'est un outil orthopédique pour « prévenir les difformités inacceptables de l'arbitraire et de la partialité » (Paquet 2002b : 369). On ne doit pas l'utiliser légèrement quand les instruments de la gouvernance démocratique sont disponibles, et semblent capables de résoudre les problèmes auxquels on fait face. Je continue à croire qu'il y a danger de se faire enfirouaper par les juristes qui instrumentalisent le droit dans la poursuite de leurs objectifs politiques et sociaux.

Mais ce qui est probablement encore plus déprimant, c'est le *manque d'imagination* qui habite les débats linguistiques dans l'Est Ontario.

Alors que la région fait face à des défis particuliers, et qu'il faudrait inventer des arrangements inédits qui promettent des dépassements qui permettraient de construire un Canada français antifragile (Paquet 2014b : conclusion), il semble que l'on ne soit capable que de réflexes défensifs et de repli sur soi comme des hérissons. Ce n'est pas le Canada français exubérant qui a essaimé à travers l'Amérique dans les siècles qui ont précédé. Aujourd'hui, il semble qu'il y ait déperdition d'énergie en épopées juridiques lilliputiennes, au lieu de paris sur l'imagination pour inventer des arrangements porteurs de valeur ajoutée, de dépassement, et de progrès.

L'invention d'une région de la capitale nationale qui accomplisse la quadrature du cercle linguistique est infiniment plus inspirante que les combats contre-démocratiques pour imposer des conditions linguistiques officielles à une majorité de citoyens qui n'en veulent pas – justement parce que c'est une instance de l'utilisation du droit au service d'une volonté tyrannique de la minorité.

Coda

A la fin de cet effort pour comprendre comment il se fait qu'il y ait tant de tensions dans un dossier où à peu près tout le monde est d'accord sur l'objectif d'avoir des meilleurs services en français dans la ville d'Ottawa, il me semble qu'il ne serait pas utile de conclure sans suggérer un test d'hypothèse qui permettrait de faire un pas en avant dans le processus raisonnable de réconciliation des différentes perspectives.

On aura compris mon malaise devant une utilisation du droit quand l'utilisation d'une saine gouvernance pourrait et devrait suffire. Or, certains collègues, pour qui j'ai beaucoup d'estime, semblent avoir développé pour leur part un malaise tout aussi important par rapport au processus politique – au point de mettre la charrue devant les bœufs et d'opter pour la voie judiciaire en désespoir de cause.

On me permettra de revenir à l'éditorial de Pierre Jury dans *Le Droit* du 15 octobre 2014. Dans le dernier paragraphe de son éditorial, il suggérait que les citoyens à part entière « utilisent la voie politique pour faire avancer cette cause. Si elle n'aboutit pas, d'ajouter Pierre Jury, il restera toujours la voie des tribunaux. Au grand dam de Gilles Paquet ». Or il a tort de croire que je m'objecterais de quelque manière à cette façon de faire. Je n'exclus pas le recours à la voie judiciaire si on fait la preuve que la voie politique et démocratique est bloquée.

En fait, je suggérerais que l'on déclare un moratorium pour le moment sur l'idée de bilinguisme officiel de la ville d'Ottawa, et qu'on mette clairement sur la table les autres demandes essentielles (axées sur les besoins prioritaires les plus importants de la communauté francophone) auxquelles en est arrivé le Sommet des États généraux de la francophonie d'Ottawa de 2012 – besoins en santé, en éducation, etc. qui ne sont ni fantaisistes ni frivoles, parce que leurs manques rendent misérable la vie des francophones d'Ottawa. Cette liste de problèmes précis à résoudre qui n'entraîneraient pas des dépenses déraisonnables pourrait être l'objet d'un mémoire raisonné soumis au conseil de ville, et discuté en détails avec les élus.

Si cette approche, posant clairement la liste des accommodements raisonnables sur laquelle il y a accord parce qu'ils répondent à des besoins criants, débouche sur un plan négocié de mise en œuvre qui répond bien aux besoins prioritaires des citoyens francophones, j'y verrai la preuve que la voie politique et démocratique marche.

S'il s'avérait que ce processus politique, fondé sur une argumentation solide, devait recevoir une fin de non-recevoir ou un accueil qui ne propose rien de concret pour améliorer les services en français à la ville d'Ottawa dans un proche avenir, on aurait fait la démonstration que la voie politique n'est pas praticable.

Dans le premier cas, je rappellerai à mes collègues et amis, avec lesquels j'étais en désaccord, que j'avais bien raison. Dans le second cas, la preuve aura été faite que la voie politique est bloquée, et je considérerai me joindre à eux pour chercher d'autres voies pour atteindre notre but commun. Donc, première étape, une liste de besoins prioritaires éminemment raisonnables. Ensuite, au maire Watson de jouer. Et puis, à nous tous de conclure, et d'en tirer des leçons pour la suite des choses.

Post Scriptum

Cela ne surprendra personne si j'ajoute que je n'ai reçu aucune missive de quelque personne que ce soit en réponse à mon coda.

Post-post Scriptum

Au printemps de 2017, la députée provinciale de l'Ontario, Nathalie Des Rosiers, a déposé un projet de loi privé a Queen's Park qui « permettrait d'enchâsser le règlement actuel sur le bilinguisme d'Ottawa ainsi que la politique linguistique de la municipalité dans la Loi sur la ville d'Ottawa » (Leblanc 2017). Si ce projet de loi est adopté, cela ne change aucunement la situation actuelle, si ce n'est qu'on rigidifie quelque peu la politique en place, puisque toute modification des règlements ou de la politique actuelle voudrait dire que la Loi sur la ville d'Ottawa serait modifiée, ce qui imposerait de revenir devant la législature. Reste à voir si ce compromis qui officialise la politique linguistique de la municipalité sans lui imposer le statut-corset mal défini de ville officiellement bilingue va être approuvé par la législature à l'automne, et si cela va calmer le jeu.

En guise de conclusion à la Partie I et de transition à la Partie II

Il faut convenir que la double série de blocages sur le chemin d'une diaspora canadienne-française robuste et vibrante auxquels on a fait écho dans les chapitres 1 et 2 – blocages émergeant du passé et blocages émergeant d'un apprentissage collectif handicapé – ne semble pas de bon augure au moment d'explorer les meilleurs moyens de construire une diaspora canadienne-française capable d'intégrer le Canada français, et de lui fournir une plateforme qui engage les parties et leur fournit de meilleurs moyens de coordination et de collaboration.

Le terrain des opérations est tel qu'il est clair que l'élimination des empêchements organisationnels et institutionnels ainsi que des empêchements enracinés dans les représentations et dans l'*habitus* ne sera pas mince affaire. Mais il serait indûment pessimiste de penser qu'il s'agit là d'empêchements insurmontables. L'évolution des formes organisationnelles a été telle au cours des dernières décennies que de nombreux empêchements ont commencé à se dissoudre.

La peur de la décentralisation et de l'incertitude n'ont plus la cote qu'elles avaient dans les années 1960. En fait, coordination et collaboration ont abattu de nombreux murs entre les organisations, et sont même devenues des instruments pour faire face effectivement à l'incertitude par toutes sortes de formes de mutualisation. De bien des manières, le design d'organisations hybrides (inédites et paradoxales) est l'une des façons de surmonter les empêchements à la collaboration en inventant des formes organisationnelles qui permettent la maximisation conjointe des avantages, en particulier quand la gouverne peut compter sur un certain degré *d'affectio societatis*.

De la même manière, le partage d'un certain habitus permet plus facilement d'espérer une certaine communauté d'éthos – lequel constitue un terreau propice au développement de contrats moraux.

Le manichéisme de l'État et du marché a voulu faire l'économie de tout un pan des motivations communes. C'est dans l'exploration de cette économie morale et des ressources qu'elle commande qu'on peut espérer trouver les suppléments nécessaires pour avoir en place des organisations qui soient construites sur un éventail plus riche de motivations, et puissent donc surmonter les empêchements fondées sur des notions plus ténues et ébréchées des humains.

C'est le travail de construction que nous entreprenons en Partie II.

Références

Albert, Michel. 1991. *Capitalisme contre capitalisme*. Paris, FR : Éditions du Seuil.

Andrew, Caroline *et al.* (sld). 2012. *Gouvernance communautaire – Innovations dans le Canada français hors Québec*. Ottawa, ON : Invenire.

Barabási, Albert-László. 2002. *Linked – The New Science of Networks*. Cambridge, MA : Perseus Publishing.

Barabási, Albert-László. 2010. *Bursts*. New York, NY : Dutton.

Barrow, Robin. 2006. « On the duty of not taking offence », *Journal of Moral Education*, 34(3) : 265-275.

Becker, Thomas L. (sld). 1991. *Quantum Politics*. New York, NY : Praeger.

Bernard, Roger. 2001. *À la défense de Montfort*. Ottawa, ON : Le Nordir.

Blondiaux, Loïc. 1997. « Ce que les sondages font à l'opinion publique », *Politix*, 39(1) : 117-136.

Bouchard, Jacques. 2006. *Les nouvelles cordes sensibles des Québecoise*. Montréal, QC : Éditions Héritage.

Boudon, Raymond. 2005. *Tocqueville aujourd'hui*. Paris, FR : Odile Jacob.

Bouveresse, Jacques. 1993. *L'homme probable – Robert Musil, le hasard, la moyenne et l'escargot de l'histoire*. Paris, FR : Éditions de l'Éclat.

Bourdieu, Pierre. 1984. « L'opinion publique n'existe pas » dans P. Bourdieu. *Questions de sociologie*. Paris, FR : Minuit, p. 222-235.

Cipolla, Carlo M. 2012. *Les lois fondamentales de la stupidité humaine*. Paris, FR : Presses Universitaires de France.

Commission de la Capitale Nationale (CCN). 2006. *La Commission de la capitale nationale : Ouvrir de nouveaux horizons*. Rapport du groupe de travail sur la revue de mandat de la CCN. Ottawa, ON : CCN.

Courchene, Thomas J. 2012. « Common Law VS Civil Law : Exploring Selected Implications », *www.optimumonline.ca*, 42(4) : 1-13.

Détienne, Marcel et Jean-Pierre Vernant. 1974. *Les ruses de l'intelligence*. Paris, FR : Flammarion.

Dupuy, Jean-Pierre. 2002. *Pour un catastrophisme éclairé*. Paris, FR : Seuil

Dupuy, Jean-Pierre. 2003. *La panique*. Paris, FR : Les empêcheurs de penser en rond.

Dupuy, Jean-Pierre. 2005. *Petite métaphysique des tsunamis*. Paris, FR : Seuil.

Eyriès, Alexandre. 2013. *La communication politique ou le mentir-vrai*. Paris, FR : Harmattan.

Ferry, Jean-Marc. 1996. *L'éthique reconstructive*. Paris, FR : Les Éditions du Cerf.

Fleiner, Thomas. 2011. « Constitutional Underpinnings of Federalism : Common Law versu Civil Law » dans T.J. Courchene *et al.* (sld). *The Federal Idea: Essays in Honour of Ronald J. Watt*. Kingston, ON : Institute of Intergovernmental Relations, Queen's University, p. 99-110.

Fleury, Mathieu. 2014. « Ottawa : le bilinguisme officiel; passe par les anglophones » (citation dans *Le Droit* le 22 octobre).

Gigerenzer, Gerd. 2007. *Gut Feelings – The Intelligence of the Unconscious*. New York, NY : Viking.

Gilles, Willem et Gilles Paquet. 1991. « La connaissance de type Delta » dans Gilles Paquet et Octave Gélinier (sld). *Le management en crise : pour une formation proche de l'action*. Paris, FR : Economica, p. 19-36.

Granovetter, Mark. 2000. « Modèles de seuil du comportement collectif » dans M. Granovetter. *Le marché autrement*. Paris, FR : Desclée de Brouwer, p. 115-148.

Henripin, Jacques. 2011. *Ma tribu – Un portrait sans totem ni tabou*. Montréal, QC : Liber.

Hirschman, Albert O. 1971. *A Bias for Hope*. New Haven, CN : Yale University Press.

Hock, Dee. 1995. « The Chaordic Organization », *World Business Academy Perspectives*, 9(1) : 5-18.

Hock, Dee. 1999. *Birth of the Chaordic Age*. San Francisco, CA : Berrett-Koehler Publishers.

Hubbard, Ruth et Gilles Paquet. 2013. « Single-purpose Entities in the Governance of a Multiplex World » dans Doern, G.B. et Chris Stoney (sld). *How Ottawa Spends 2013-14*. Montréal, QC : McGill-Queen's University Press, p. 198-208.

Ignatieff, Michael. 2001. *Human Rights as Politics and Idolatry*. Princeton, NJ : Princeton University Press.

Innerarity, Daniel. 2006. *La démocratie sans l'État – Essai sur le gouvernement des sociétés complexes*. Paris, FR : Climats.

Innerarity, Daniel. 2012. *La société invisible*. Québec, QC : Les Presses de l'Université Laval.

Jury, Pierre. 2014. « La voix discordante », *Le Droit éditorial*, 15 octobre.

Katel, Peter. 1997. « Bordering on Chaos: The Cemex Story », WIRED, May.

Killick, Tony (sld). 1995. *The Flexible Economy*. Londres, R.-U. : Routledge.

Lacouture, Jean avec Hugues Le Paige. 2005. « Éloge du secret », *Entretiens*. Bruxelles, BE : Éditions Labor.

Leblanc, Daniel. 2017. « Un projet de loi 'rassembleur' pour le bilinguisme officiel », *Le Droit*, 31 mai.

Leishman, Rory. 2006. *Against Judicial Activism – The Decline of Freedom and Democracy in Canada*. Montréal, QC/Kingston, ON : McGill-Queen's University Press.

Lévy, Pierre. 1994. *L'intelligence collective*. Paris, FR : La découverte.

Mandelbrot, Benoît et Richard L. Hudson. 2004. *The (mis)Behavior of Markets – A Fractal View of Risk, Ruin, and Reward*. New York, NY : Basic Books.

Martin, Roger. 2014. « The Big Lie of Strategic Planning », *Harvard Business Review*, 92(1-2) : 78-84.

May, Kathryn. 2014. « Unions grieve new PS performance rules », *Ottawa Citizen*, 7 avril, A1-2.

Mercier, Justine. 2015. « Pierre Bergeron décoré de l'Ordre du Canada », *Le Droit*, 1 juillet.

Minogue, Kenneth. 2010. *The Servile Mind – How democracy erodes the moral life*. Londres, R.-U. : Encounter Books.

Mulaire, Mariette. 2012. « Innovations au Manitoba » dans C. Andrew *et al*. (sld). *Gouvernance communautaire : innovations dans le Canada français hors Québec*. Ottawa, ON : Invenire, p. 43-49.

Musil, Robert. 1956. *L'Homme sans qualités*. Paris, FR : Éditions du Seuil.

Onfray, Michel. 2014. *Le réel n'a pas eu lieu – Le Principe de Don Quichotte*. Paris, FR : Autrement.

Orfali, Philippe. 2014. « Ottawa bilingue : le débat prend de l'ampleur », *Le Devoir*, 19 août.

Paquet, Gilles. 1986. « Requiem pour la normalisation » dans A. Prujiner et F. Sauvageau (sld). *Qu'est-ce que la liberté de presse?* Québec, QC : Boréal Express, p. 71-79.

Paquet, Gilles. 1992. « L'heure juste dans la formation en management », *Revue Organisation*, 1(2) : 41-51.

Paquet, Gilles. 1993a. « Sciences transversales et savoirs d'expérience : the art of trespassing », *Revue générale de droit*, vol. 24, p. 269-281.

Paquet, Gilles. 1993b. « Capital Cities as Symbolic Resources » dans J. Taylor, J.G. Lengelé et C. Andrew (sld). *Les capitals – perspectives internationales*. Ottawa, ON : Carleton University Press, p. 271-285.

Paquet, Gilles. 2001. *Si Montfort m'était conté. Essais de pathologie administrative et de rétrospective*. Ottawa, ON : Centre d'études en gouvernance, Cahier Gouvernance 5.

Paquet, Gilles. 2002a. « Montfort et les nouveaux Éléates », *Francophonies d'Amérique*, n° 13, p. 139-155.

Paquet, Gilles. 2002b. « Le droit à l'épreuve de la gouvernance » dans L. Perret *et al.* (sld). *Évolution des systèmes juridiques, bijuridisme et commerce international.* Montréal, QC : Wilson & Lafleur, p. 363-381.

Paquet, Gilles. 2005. « Le droit à l'épreuve de la gouvernance » dans G. Paquet. *Gouvernance : une invitation à la subversion.* Montréal, QC : Liber, p. 59-77.

Paquet, Gilles. 2008. *Tableau d'avancement – Petite ethnographie interprétative d'un certain Canada français.* Ottawa, ON : Presses de l'Université d'Ottawa.

Paquet, Gilles. 2011. *Tableau d'avancement II – Essais exploratoires sur la gouvernance d'un certain Canada français.* Ottawa, ON : Invenire.

Paquet, Gilles. 2012a. « Deux hoquets de gouvernance : affaire Montfort et grogne étudiante québécoise en 2012 », *www. optimumonline.ca*, 42(2) : 32-60.

Paquet, Gilles. 2012b. « Gouvernance communautaire : axes et parallaxes » dans C. Andrew *et al.* (sld). *Gouvernance communautaire – Innovations dans le Canada français hors Québec.* Ottawa, ON : Invenire, p. 1-26.

Paquet, Gilles. 2014a. *Unusual Suspects – Essays on Social Learning Disability.* Ottawa, ON : Invenire.

Paquet, Gilles. 2014b. « 'Bilinguisme officiel' pour Ottawa? Non et voilà pourquoi », *www.optimumonline.ca*, 44(3) : 45-55.

Paquet, Gilles. 2014c. *Tableau d'avancement III – Pour une diaspora canadienne-française antifragile.* Ottawa, ON : Invenire.

Paquet, Gilles. 2014d. « Radiographie d'une grogne : bilinguisme officiel pour Ottawa *redux* », *www.optimumonline.ca*, 44(4) : 1-20.

Paquet, Gilles. 2014e. « Super-bureaucrats as *enfants du siècle* », *www.optimumonline.ca*, 44(2) : 4-14.

Paquet, Gilles. 2015. « Failure to confront », *www.optimumonline. ca*, 45(3) : 16-32.

Paré, François. 2003. *La distance habitée.* Ottawa, ON : Le Nordir.

Reeves, Hubert. 1986. *L'heure de s'enivrer.* Paris, FR : Seuil.

Salmon, Christian. 2008. *Storytelling – La machine à fabriquer des histoires et à formatter les esprits.* Paris, FR : Éditions La Découverte.

Sauvy, Alfred. 1949. *Le pouvoir et l'opinion.* Paris, FR : Payot.

Shirky, Clay. 2008. *Here Comes Everybody – The Power of Organizing Without Organizations.* New York, NY : The Penguin Press.

Smith, Marie-Danielle. 2014. « Group wants Ottawa to be officially bilingual city », *Ottawa Citizen,* 13 août, A.1-12.

Société Saint-Jean-Baptiste de Montréal (SSJBM). 2014. *Communiqué de presse,* 23 août.

Strogatz, Steven. 2003. *SYNC – The Emerging Science of Spontaneous Order.* New York, NY : Hyperion.

St-Pierre, Guillaume. 2014. « Les avantages d'une capitale bilingue selon Linda Cardinal », *Le Droit,* 16 août.

Taleb, N. Nicholas. 2012. *Antifragile – Things that Gain from Disorder.* New York, NY : Random House.

Terry, Larry D. 2003. *Leadership of Public Bureaucracies – The Administrator as Conservator.* Armonk, NY : M.E. Sharpe.

Trent, John E. 2014a. « Huit raisons pour désigner Ottawa ville bilingue », *Le Droit,* 14 août.

Trent, John E. 2014b. Lettre ouverte à Gilles Paquet et *Le Droit* 22 octobre (un segment seulement de cette lettre – contenant les propos les plus calomnieux, évidemment) a été publié dans le quotidien *Le Droit* le 5 novembre 2014.

Vargas-Llosa, Mario. 2015. *La civilisation du spectacle.* Paris, FR : Gallimard.

Yankelovich, Daniel. 1999. *The Magic of Dialogue – Transforming Conflict into Dialogue.* New York, NY : Simon & Schuster.

Partie II
La ré-imagination du Canada français

L a seconde partie de ce livre veut mettre en place deux séries d'indications qui vont servir dans la ré-invention du Canada français dans l'espace et dans le temps.

Dans un premier moment, au chapitre 3, on suggère la construction d'un *régime d'engagement inédit* qui sache fédérer en une diaspora les divers segments du Canada français. Cela va se faire en trois mouvements : d'abord, une reconnaissance des lieux de cette réalité petite, ouverte, dépendante, balkanisée et kaléidoscopée; ensuite, un examen des moyens à prendre pour faire sauter les œillères des intégrismes locaux et élargir leurs horizons; et en enfin, une revue des mécanismes permettant de donner un rôle intégrateur à la gouvernance culturelle.

Dans un second moment, au chapitre 4, on suggère des voies de réconciliation des temps sociaux : d'abord, en décrivant les défis posés par la mosaïque des temps sociaux; ensuite, en suggérant des manières de marier ces temps sociaux de façon à permettre un renouvellement continu suffisamment différencié pour prendre en compte les caractéristiques particulières des diverses portions de la diaspora, tout en assurant un accord minimal suffisant pour en assurer la cohérence; et enfin, en arguant que cette harmonie dans le temps et les temps n'est pensable que par le truchement d'un pari sur un tissu organisationnel hybride et polyphonique qui accepte un régime permanent de métamorphose.

Ces paris sur une gouverne culturelle hybride et polyphonique, souple et évolutive, doit s'ancrer dans la reconnaissance d'une pluralité de logiques de l'action, dans des engagements pluriels de la personne qui se superposent et qui font qu'elle intègre « des engagements variés sans que l'on puisse postuler une identité sociale ou personnelle stabilisée hors de ces engagements » (Thévenot 2006 : 262).

Finies les assignations faciles et superficielles à des identités réifiées : les vertus fondant la résilience et l'antifragilité ne se perpétuent qu'en permettant aux qualités de surface de s'ajuster à l'environnement. Voilà qui commande une redéfinition de l'essentiel et de l'accidentel : une essence évolutive et pourtant changeant lentement, qu'on maintient et exhausse en acceptant de modifier certaines dimensions moins essentielles – comme changer de peau, ainsi qu'il arrive que les animaux le fassent dans la nature.

L'idée maîtresse de ces chapitres est celle de Charles Darwin, à savoir que les intérêts des membres d'une espèce peuvent fort bien être en conflit avec les intérêts de l'espèce (Frank 2011). Il s'agit de faire comprendre ce principe aux gentilités des diverses communautés canadiennes-françaises qui ne défendent pas nécessairement les véritables intérêts de leurs communautés quand elles choisissent de se braquer sur la défense des acquis ou de victoires symboliques au lieu de construire les infostructures nécessaires au dynamisme des communautés.

Références

Frank, Robert H. 2011. *The Darwin Economy : Liberty, Competition, the Common Good.* Princeton, NJ : Princeton University Press.

Thévenot, Laurent. 2006. *L'action au pluriel : sociologie des régimes d'engagement.* Paris, FR : Éditions La Découverte.

CHAPITRE 3
Le Canada français dans sa diaspora

« L'engagement ne tient pas seulement à une compétence,
une capacité, un capital, une ressource. Il est ce à quoi
la personne est tenue pour se maintenir dans un certain régime :
il offre une certaine continuité dans le temps et dans l'espace ».

Laurent Thévenot

L'image du Canada français est aussi éclatée dans l'esprit du public que celle des Premières Nations ou de la francophonie sur la scène internationale : il s'agit d'entités assez floues auxquelles on réfère nonchalamment sans toujours en bien comprendre les ancrages, la trame et la complexité. À côté des formes administratives comme les pays, les provinces, les territoires et les réserves, qui ont une certaine fermeté, et qui correspondent à des espaces où certaines règles prévalent, les morceaux du Canada français sont des réalités plus fugaces, et donc des vocables plus flous s'imposent pour ces régimes toujours en émergence.

De temps en temps, un observateur ou un chercheur ont tenté d'imposer sur ces réalités fugaces une consistance plus grande, une certaine fermeté. Cela s'est avéré un travail ardu, tout comme ceux qui ont tenté d'insérer les arrangements d'auto-gouvernance des Premières Nations dans le contexte canadien traditionnel (Courchene et Powell 1992). Notre travail pour inventer des formes organisationnelles qui puissent accommoder la complexité de la nébuleuse Canada français dans le contexte canadien est une initiative lancée dans le même esprit. Mais elle reconnaît explicitement dès l'abord qu'il s'agit moins de chercher une 'solution' qui fixerait les choses à jamais que d'identifier un *processus* qui est condamné à rester inachevé mais qui saura au moins produire les accommodements les plus heureux possibles.

La sorte de régime d'engagement susceptible d'intégrer cette diaspora est condamnée à être baroque, hybride et souple. Ce qui plus est, elle devra être par définition 'incomplète' : on ne devra pas permettre que cette diaspora se cristallise totalement afin que la nébuleuse puisse continuer de s'ajuster à un cadre souple lui-même toujours en évolution.

Dans ce chapitre, on va procéder en trois étapes :
- d'abord, souligner l'hétérogénéité fondamentale des divers morceaux du Canada français afin de bien jauger le degré de souplesse qui sera nécessaire pour intégrer ces morceaux dans un même régime d'engagement;
- ensuite, reconnaître la profondeur des intégrismes locaux et des conditions nécessaires pour que les élites locales acceptent de laisser tomber leurs œillères et d'ouvrir leurs perspectives, mais aussi l'impact de l'habitus centralisateur de l'État fédéral; et
- enfin, esquisser les éléments d'une gouvernance culturelle nécessaire pour donner des fondements à une gouvernance diasporique, acceptable et fructueuse à la fois, tant pour les communautés locales que pour la grande communauté canadienne-française.

Petit, ouvert, dépendant, balkanisé et kaléidoscopé

La socio-économie canadienne-française est relativement petite, ouverte, dépendante et balkanisée (Paquet 1984). De plus, elle n'est observable qu'en actes, au fil de ses actions – un peu comme c'est le cas pour les fragments variés de verre colorié cachés au fonds d'un kaléidoscope, et qu'on ne peut vraiment observer que quand le kaléidoscope est en action.

Insister pour épingler chacun de ses morceaux ne peut que donner lieu à un exercice de réification qui fige une situation donnée. C'est aussi se condamner à ne pouvoir imaginer qu'une seule solution aux défis que rencontre la diaspora canadienne-française : c'est ce qui arrive quand on hyperbolise la seule prise en compte de la langue parlée à la maison pour définir la vitalité d'une communauté locale. On observe le même jeu de cristallisation excessive au fédéral quand on se donne cette seule métrique réductrice comme mesure de la vitalité des communautés de la diaspora – la perpétuation de la langue parlée à la maison – une métrique qui ne saisit que bien peu de la vitalité organique d'une communauté.

On me permettra de reprendre ici un court extrait de la conclusion du *Tableau III* dans lequel on a fait écho à une notion plus dynamique et pertinente de la vitalité d'une communauté.

L'approche conventionnelle à la vitalité des communautés est hantée par la notion statique et mécanique d'équilibre : c'est de quoi se satisfont les analyses à la Bernard qui ambitionnent d'éliminer l'incertitude, la volatilité et les tensions, et de chercher une sorte de stabilité à saveur de *rigor mortis*. Or, les communautés sont des entités vivantes justiciables d'une approche infiniment plus riche quand on en comprend la valeur de stimulation et de catalyse de la volatilité, le caractère organique de la réaction aux tensions et aux aléas, et la capacité de dépassement sous l'effet de causes de stress, de tensions, de chocs et de volatilité.

Dans la *perspective mécanique*, on abhorre l'incertitude et le stress; dans la *perspective organique*, on en comprend et embrasse toutes les potentialités de dépassement. Il n'est plus question seulement d'auto-conservation, mais d'un *dépassement continu* (stimulé par le stress et les tensions imposés par un milieu marqué par l'incertitude et les aléas) qui sourd des capacités d'auto-réorganisation et d'autocréation de la socio-économie porteuses de ce que Taleb nomme l'*antifragilité*.

Les disciples de la résilience cherchent par tous les moyens à éviter les crisettes qui pourraient provoquer la perturbation et le désordre – et donc forcer le système à s'ajuster. Voilà qui rend le système vulnérable quand de gros chocs surviendront auxquels on ne saura répondre. *A contrario*, ceux qui cherchent à assurer l'antifragilité du système embrassent les crisettes susceptibles de forcer des ajustements continus au système, et donc de le préparer à faire face aux chocs majeurs. En ce sens, le désordre accroît la robustesse et la capacité à se transformer de l'organisme en général (Taleb 2012 : 34ss).

En fait l'approche de Corrado Gini (Gini 1959) à la socio-économie en tant qu'organisme rejoint ici celle de Taleb en suggérant que c'est le manque de stress et de crises qui, en engendrant un confort dangereux, réduit la capacité à se transformer, à se métamorphoser, à mobiliser la pleine attention de toutes les ressources de la communauté pour faire face à l'adversité, innover, et survivre (Taleb 2012).

Les analyses mécaniques mènent naturellement à des discours sur les mécanismes de défense pour éliminer les situations tendues. L'approche organique comprend que la communauté vit de situations tendues, en tire son dynamisme, et, en amenant à surcompenser face au stress et aux chocs, s'empêche de tomber dans l'atrophie, et ainsi assure son dépassement. Voilà qui commande une prise en compte de la *communauté en tant qu'action au pluriel*, en tant que dynamisme de dépassement (Thévenot 2006).

La caractéristique essentielle des communautés dans cette perspective organique est qu'elles sont continuellement hors d'équilibre, et toujours en processus d'auto-ré-organisation *grâce* aux chocs et au stress. Évidemment, des chocs trop importants, comme un vaccin pris à trop forte dose, peuvent être toxiques et létaux, mais seul un stress suffisamment fort peut espérer assurer qu'il va y avoir constante revigoration. Le danger, c'est le confort et l'atelier protégé. C'est vrai dans le cockpit d'un 747 comme dans les CLOSM.

Dans les mots de Taleb « depriving systems of stressors, vital stressors, is not necessarily a good thing, and can be downright harmful » (Taleb 2012 : 38). On doit donc vouloir et embrasser le stress, si l'on veut que les CLOSM soient antifragiles. C'est de là que va venir *l'enracinement et le sens des obligations en tant que sources vives du ressourcement continu* des communautés.

Les apôtres du dynamisme de conservation – comme l'a bien décrit Schön – sentent seulement le besoin d'assurer un minimum d'ajustement (Schön 1971). C'est l'état d'esprit qui domine toujours dans les débats sur la vitalité des CLOSM – la volatilité, le désordre, et la turbulence sont l'ennemi, et l'objectif est de minimiser les ajustements nécessaires. *A contrario*, assurer l'antifragilité des communautés va présenter le désordre comme la source de la vitalité des communautés au fil des chocs et des crises (Guillaume 1978). Il s'ensuit un renversement de perspectives à 180-degrés[26] : le pari sur une gouvernance linguistique audacieuse qui sache assurer antifragilité.

Cette vitalité des communautés *dépend d'une action au pluriel, d'un enracinement, d'obligations qui soutiennent à la fois la mutualisation et la réciprocité au cœur de la communauté, mais aussi dans les rapports à l'Autre.* Or, cela réclame qu'on aille beaucoup plus profondément que le niveau linguistique, qu'on stimule la vivacité d'une dynamique qui permette à la communauté d'apprendre collectivement, de se gouverner en réseau, de se renouveler, de se dépasser, d'innover et de se régénérer en continu. La langue a un rôle dans tout cela, mais ce n'est pas le rôle omni-déterminant qu'on lui prête.

Cette vitalité de la communauté dépend de la combinaison d'un certain nombre d'éléments qui vont du niveau le plus épidermique au niveau le plus profond de son être.

a) D'abord, il faut un minimum de ce qu'Aristote nommait *homonoia* – concorde – une relation entre des gens qui ne sont pas des étrangers, entre lesquels la bonne volonté est possible mais pas l'amitié, une relation basée sur le respect des différences – pour qu'il y ait communauté. Il s'agit d'une capacité à accepter l'interaction qui en arrive à fonder la *philia* qui, pour Aristote, connote le lien amical entre les citoyens d'une cité : un principe d'intégration qui diffère à la fois du *quid pro quo* des relations de marché et de la *coercition* dans les relations de pouvoir. Cette *philia* est au cœur de la nouvelle socialité mobilisant les vastes ressources interpersonnelles (Foa 1971) par le truchement d'un bon usage des vertus mineures comme le tact et la civilité – une nouvelle socialité *mince* en train de prendre, et dont on a esquissé les contours en termes de renouveau communautaire dans la gouvernance du Québec de demain (Paquet 1999).

---

[26] Vitalité n'est plus ici synonyme de *signes vitaux* prélevés chez un patient en phase terminale, mais connote plutôt la capacité de la communauté à mobiliser ses énergies pour innover et se dépasser face aux défis d'un environnement sujet aux avalanches.

Cette nouvelle socialité ancrée dans le registre *homonoia-philia* prend malaisément la relève des gouvernements qui ne savent vraiment comment s'attaquer aux problèmes des communautés que par l'homogénéisation et la standardisation, alors que la fragmentation nouvelle des acteurs, et leur incohérence même, appellent un bricolage permanent, et des méthodes de coordination plurielles qui respectent les différences. La *philia* fonde un engagement de type différent que celui sur lequel se construit le marché et la politique : un engagement construit sur les normes et les conventions qui a des parentés avec la reconstruction d'une véritable Cité contre un État « qui déracine et interdit à la société d'accéder à sa réalité » comme le rappelle Simone Weil (Rolland 2011 : 85).

Dans son livre, *L'enracinement* (Weil 1949), Weil construit sur le doublet *enracinement-obligations* – l'obligation étant le prélude nécessaire à l'enracinement, et l'enracinement fondant l'obligation (Worms 2011 : 32).

   b) Ensuite il faut un investissement significatif de ressources non seulement financières dans les infrastructures et infostructures de cette communauté sur lesquelles asseoir *l'affectio societatis* (Cuisinier 2008) – l'engagement personnel congru dans la poursuite des objets de la communauté. La vitalité communautaire connote la présence de relations et de liens, d'interactions individuelles et collectives actives. Pour Putnam, ces liens sont le moteur du maintien des communautés : appartenance, confiance sociale, réciprocité, sympathie constituent le capital social (Putnam 2000). La vitalité communautaire a pour pivot central la capacité d'une communauté à résoudre collectivement des problèmes (Scott 2009).

Contre la communauté des créances et des droits – celle qui quémande à l'État protections et prébendes – la véritable communauté de Simone Weil est ancrée dans l'enracinement et les obligations. La première réclame au nom de droits imaginés; la seconde contribue par une action qui mobilise les ressources interpersonnelles pour maintenir les *metaxu* (trésors du passé, pressentiments d'avenir, foyer, patrie, traditions, culture, etc.). Or, rendre les communautés antifragiles ne peut venir que du second dynamisme, pas du premier.

c) Alain Finkielkraut cite d'ailleurs Simone Weil au moment de parler de *patriotisme de compassion* : une expression qui mêle enracinement et obligation – « une tendresse poignante pour une chose belle, précieuse, fragile, et périssable » (Finkielkraut 2013). Ce patriotisme donne priorité aux obligations sur les droits, et évite tout à la fois les formes de nationalismes de passion (qui peuvent conduire à l'exclusion) et de nationalismes d'indifférence (qui tournent le dos au passé comme le multiculturalisme).

On est loin ici de toute *oikophobie* (la haine de la maison natale dont font preuve les gardiens de la maison eux-mêmes), mais on ne s'abime pas non plus dans la contemplation nostalgique d'un passé perdu (Dufresne 2013). On doit compter sur l'investissement des membres pour enrichir la maison en enrichissant le capital social de base. *Pour autant que la communauté n'investit plus, et n'innove plus par la construction de conventions de mutualisation et de réciprocité, et par une mobilisation des ressources interpersonnelles, on ne peut pas parler de vitalité de la communauté.* En fait, quand cet investissement ne se fait plus, et qu'on commence à réclamer que les gouvernements arrêtent le déclin de la communauté en lui assurant un coma artificiel par l'opération de la technocratie juridique, c'est un signe que la communauté se meurt.

En un sens, plus les appels au secours sont hauts et forts, plus on constate qu'il s'agit d'un écho du vide sociologique en train d'anémier la communauté.

d) Quant à la forme et à la sorte d'investissement en capital social ou en encastrement social susceptible d'assurer la vitalité des communautés, il n'y a pas de formule miracle. Mais le rajeunissement continu est essentiel pour la communauté, et il passe par la volonté de considérer toutes les reconfigurations des pouvoirs, des conventions et des normes. i.e., par un *pari sur les réseaux* (Laurent et Paquet 1998 : chapitre 3)[27].

Ce qui donne son tonus au réseau, c'est un certain nombre de *ligatures transversales* qui lui fournissent unité et stabilité, et capacité dynamique à apprendre et à se transformer rapidement

---

[27] Les prochains paragraphes s'inspirent librement du chapitre 3 de Laurent et Paquet (1998) qui développe une approche à l'économie de la relation, et définit les diverses composantes transversales des réseaux.

et effectivement. Un concept transversal est selon Barel « un concept voyageur [...] qui réalise sans doute un certain équilibre entre la halte et le mouvement [...] comporte quelque chose d'*oblique*, quelque chose de l'ordre de la ruse et de la *métis* [...] outillage conceptuel permettant d'assumer une "réalité" paradoxale [...] de sorte que, d'une certaine manière, le travail de transversalisation n'est jamais achevé » (Barel 1993). Le logo de la transversalité est, selon la belle image d'Yves Barel, le Z de Zorro : « Décomposé, ce Z se montre constitué par deux axes parallèles reliés *malgré tout* par une barre *oblique* faisant se rencontrer ce qui ne peut se rencontrer ».

Le pouvoir peut prendre de multiples formes ainsi que le suggérait Rollo May il y a bien longtemps : pouvoir *sur* (tyrannie), pouvoir *contre* (victime émissaire), pouvoir *à travers* (manipulation), pouvoir *autour* (coalition), pouvoir *entre* (médiation), etc. (May 1972). Ainsi, pour chaque situation, on peut différencier toute une gamme d'intensités de la relation de pouvoir en précisant sa source, son lieu et sa forme, et en distinguant la nature de l'influence (modification de comportement sans obligation), de la coercition (contraindre par la force à agir ou ne pas agir), et de la subordination (mesure du degré et de la durée de l'influence ou de la coercition) (Perroux 1974).

Dans le réseau, la variété des combinaisons possibles fait du pouvoir *une réalité diagonale ou transversale* mais fondamentalement *relative* en ce sens qu'aucun participant ne possède du pouvoir si ce n'est à travers une configuration du réseau, et que les relations de pouvoir ainsi conçues sont à la fois le ciment qui fait du réseau une entité propre distincte de ses membres et lui donne sa consistance comme réseau, mais aussi la source même de son dynamisme puisque c'est par le truchement de l'utilisation de leur pouvoir par les membres du réseau que se fera l'apprentissage, c'est-à-dire la reconfiguration du réseau.

Toutes ces dimensions sont sujettes à modification et à amélioration (i.e., à un réaménagement qui va assurer une capacité d'apprentissage plus importante). On peut dire qu'un réseau apprend, c'est-à-dire qu'il se transforme en incorporant des « *patterns* » nouveaux au fur et à mesure que l'environnement impose des contraintes nouvelles et(ou) que des alliances nouvelles aussi se créent et(ou) que des événements ou circonstances donnent à certains acteurs des leviers additionnels ou plus puissants.

Le pouvoir distribué sur tout le réseau va activer ces transformations, mais souvent avec des effets en cascades qui ne sont souvent ni voulus ni prévus. Ainsi, un pouvoir centralisé peut tendre à engendrer une structure en étoile, alors qu'une répartition rectangulaire du pouvoir sur toutes les nodules et les connexions peut conduire à un treillis touffu de relations entre tous et chacun. Mais ni l'une ni l'autre de ces structures n'est stable ou permanente. Si l'on permet au réseau de « vivre » un certain nombre d'itérations, des rapports inédits vont en sortir selon les communications et les valences qui finiront par être privilégiées.

L'émergence, la survie et le développement des réseaux vont dépendre des ressources environnementales, des ressources interpersonnelles, des compatibilités inter-systèmes qui vont alimenter plus ou moins bien l'apprentissage organisationnel. C'est la distribution transversale du pouvoir qui va assurer que les sous-systèmes ne vont pas être trop désalignés, c'est-à-dire en danger de faire que les réseaux se détruisent ou tout au moins cessent de fonctionner efficacement comme mécanismes de coordination.

e) *L'action au pluriel* (Thévenot 2006) est au cœur des communautés et des réseaux. Elle s'organise autour d'arrangements qui sont justiciables des différents principes sous-jacents aux composantes explicitées plus haut : autorité, incitations, confiance. Ce qui conforme une communauté est l'ensemble des arrangements transversaux qui imbriquent les membres, fondent l'intelligence collective et les affects, et suscitent l'apprentissage et l'action collective.

Nous avons eu l'occasion dans un colloque dont les actes ont paru en 2012 (Andrew *et al.* 2012) de faire une sorte de reconnaissance rapide de la diversité des arrangements en place dans les diverses communautés dans le Canada français hors Québec, mais aussi de montrer comment l'innovation communautaire est nécessaire, comment celle-ci commande une collaboration obligée, et comment la collaboration translinguistique constitue une opportunité importante pour ces communautés à la recherche de stratégies qui leur conviennent (Paquet 2012).

La communauté est la résultante d'une réconciliation efficace des forces du contexte avec la trame de la communauté, et cela s'incarne dans un mélange d'autorité, d'incitation et de confiance se cristallisant en une capacité d'action collective.

Le genre de cristallisation qu'on peut attendre, et même espérer, va dépendre d'un double processus de réconciliation efficace *au niveau micro,* mais encastré dans un univers *au niveau macro* qui réconcilie systèmes, structures et cosmologies. Cette double dynamique donne la clé des arrangements aussi hétérogènes que ceux qu'on observent dans le troisième secteur au Manitoba et au Nouveau-Brunswick. Il n'existe donc pas de pattern optimal si ce n'est ce qui est défini au niveau local. Et la gouvernance communautaire dans la diaspora ne saurait être que bigarrée.

Or l'État ne sait pas bien accommoder une telle diversité. Son esprit est homogénéisateur. Et tant les politiques nationales que les idéologies en place n'arrivent pas à penser une telle diversité, une telle complexité, et donc une telle incertitude. Au lieu d'embrasser cette incertitude et de mettre en place un système d'enquête qui prenne pleine conscience de cette complexité, de mettre l'accent sur la capacité à apprendre le plus vite possible, on simplifie, on impose un plan (i.e., un aplatissement de la réalité) pour la rendre plus facile à déparadoxifier (Martin 2014). Ce faisant, cependant, on déracine et on *désâme* les communautés.

f) Toute la dynamique de la communauté tient dans le mouvement et la métamorphose. Cette approche rejoint les sensibilités de François Paré pour qui les communautés minoritaires négocient des accommodements et de nouveaux espaces avec la majorité, et, ce faisant, créent de nouvelles interfaces dynamiques et multiples avec l'Autre (Paré 2003). Il en sort des identités reconstruites qui offrent de nouveaux points d'ancrage à la communauté.

Cette façon d'habiter la distance et de faire l'expérience de l'Autre, de l'apprivoiser, d'inventer des formes inexplorées de vivre-ensemble et d'identités hybrides est inédite. Plus besoin de passer par le nationalisme identitaire : des différences négociées, qui n'ont pas à respecter les barrières linguistiques, suffisent. C'est ce qui se passe dans les expériences translinguistiques au Manitoba et au Nouveau-Brunswick, et qui est à la base de l'émergence d'une identité bilingue[28]. Il en est sorti des arrangements hybrides fondés sur la collaboration et ancrés dans un nouvel enracinement sorti d'un imaginaire du déracinement et d'une conscience diasporale (pour utiliser le langage de Paré), et ce, sans se perdre dans la culture dominante non plus que de se détruire dans la communauté linguistique fermée.

* * *

La notion de vitalité des communautés dépend d'éléments variés dont nous n'avons pas fait l'inventaire complet, mais dont nous avons tenté de donner une bonne idée au fil de ces six niveaux d'approfondissement qui pourraient correspondre à des niveaux de plus en plus essentiels de vitalité de la communauté.

Selon que la communauté n'a pu atteindre qu'une sorte d'*homonoia* (niveau I), ou qu'elle peut compter sur un degré d'*affectio societatis* (niveau II) ou même un *enracinement* tel que les obligations sont plus importantes que les droits (niveau III), ou que des *réseaux* se sont consolidés (niveau IV) ou qu'une *action au pluriel* est en place (niveau V) ou que même une *culture du mouvement et de la métamorphose* s'est installée (niveau VI) – une communauté aura une vitalité de plus en plus grande.

Il s'agit d'un *approfondissement culturel* auquel il faut travailler et qui prend bien du temps. De plus, cet approfondissement est grandement contraint par l'environnement qui, plus ou moins porteur, ne va souvent adopter aisément qu'un degré d'approfondissement limité. Tout alors dépend de la volonté et de la capacité de la communauté à faire l'ingénierie d'une transformation qui s'ajuste au contexte, c'est-à-dire assure un arrimage heureux entre la forme des arrangements et les circonstances de la communauté.

Les œillères

La cosmologie compréhensive décrite plus haut ne correspond généralement pas à ce qu'on trouve dans les communautés de la diaspora canadienne-française – même les plus grandes. Toutes souffrent d'une certaine *peur de la disparition ou de l'érosion* qui les

---

[28] Voir les contributions de Mariette Mulaire et de Thierry Arseneau dans C. Andrew *et al.* (2012).

amène à choisir un horizon temporel relativement court et à se focaliser sur un monde relativement limité – plus limité qu'il ne faudrait. On peut dire la même chose des instances fédérales qui, pour des raisons différentes – tenant davantage aux impératifs d'un habitus centralisateur – sont amenées à gommer les différences pour ajuster la réalité à leurs préférences administratives.

Cela donne lieu à une grande variété d'interventions toxiques ou tout au moins dysfonctionnelles aux deux niveaux – interventions dont les sources peuvent varier énormément, mais dont on peut dire qu'elles émanent bien souvent de deux grands travers qui dominent la scène, et constituent des œillères génériques qui alimentent ce que Stendhal nommait *les passions tristes* et expliquent en bonne partie des approches qui ne conviennent pas.

Comment se défaire de ces œillères génériques qui empêchent tant les gentilités locales que les instances fédérales de sortir de leur enlisement dans leurs épistémologies infirmes : dans le premier cas, *l'esprit du droit civil* qui amène les gentilités des divers fragments de la diaspora canadienne-française à penser leur état de manière indûment locale et à s'en remettre, comme des utopistes, à leur foi qu'on va pouvoir changer la réalité en changeant les lois; et dans le second cas, *l'habitus centralisateur*, qui amène le gouvernement fédéral à insister pour penser un Canada fondamentalement hétérogène et bariolé en termes d'un cadre unique et réducteur.

Ces deux forces toxiques s'entremêlent curieusement pour donner lieu à des complicités malheureuses entre pouvoirs locaux et nationaux pour conjuguer leurs efforts dans des stratégies étatistes et réductrices condamnées à ne pas convenir.

L'esprit du droit civil

On a mentionné plus tôt dans ce livre la différence fondamentale entre l'esprit des deux régimes de droit qui cohabitent au Canada : le *common law* qui se contente d'arbitrer les conflits entre individus et groupes, et ce faisant engendre une jurisprudence au cas par cas pas toujours clairement prévisible, et *le droit civil* où l'État définit le droit pour encadrer les actions des hommes et des groupes, et l'utilise pour changer les hommes.

La notion de démocratie dans l'esprit du droit civil n'est pas une conversation continue qui amène les citoyens à clarifier, au fil des débats, ce qui va émerger comme règles du jeu, mais un effort continu par ceux qui ont un certain pouvoir pour *imposer* des règles qui leur semblent convenir. Le droit civil a une propension à tout formaliser, et à vouloir tout constitutionnaliser. Quand une règle de droit n'est pas dans la constitution, on n'hésitera pas – comme Roger Bernard dans l'affaire Montfort – à spéculer sur un droit non-écrit qui censément permettrait d'imposer des règles qui semblent convenir à la gentilité.

Et quand on ne permet pas à l'État d'agir unilatéralement, la gentilité ne va pas hésiter à utiliser désinformation et intimidation pour influencer les définisseurs de situations ou les élus locaux, quitte à ce que le vote d'une pluralité de membres embraye une instance publique sur la base d'une majorité 'formelle' fort souvent illégitime pour imposer une règle socialement contestée par une majorité de citoyens.

C'est ainsi qu'après la grogne en faveur du statut de 'ville officiellement bilingue' qui n'est allée nulle part – pour le moment – on a commencé à « travailler » les échevins de la ville d'Ottawa, « l'un après l'autre », en utilisant la persuasion ou l'intimidation – per exemple, menace d'être attaqué comme francophobe, ou 'collaborateur' (au sens pétainiste du terme) avec la majorité anglophone, ou de 'traître à la cause'). Pour éviter d'être ainsi embarrassé ou mis au pilori, certains ont été amenés à accepter de donner leur accord même à contrecœur à un processus d'officialisation dont on dit qu'il est sans grandes conséquences, et purement symbolique, alors que tel n'est pas le cas. On obtient alors à l'arraché un *noui* : non pas par le truchement d'un argumentaire raisonnable, mais en jouant sur les sensibilités électorales ou sociétales de chacun pour les amener à supporter une décision condamnée à mal servir la communauté[29].

---

[29] Ce sont des procédés de *shaming* qui ont bien fonctionné dans l'affaire SOS Montfort et que les mêmes acteurs ont repris dans de nouveaux oripeaux dans l'affaire du bilinguisme officiel pour Ottawa, avec à la clé les propos orduriers du patriarche De Courville Nicol à l'endroit des contradicteurs ou des accusations de 'collaborateur' ou de 'traître' sorties des boules à mites de l'affaire Montfort, et allègrement brandies dans les colonnes du quotidien *Le Droit* ou sur les ondes de Radio-Canada dans les débats sur Ottawa officiellement bilingue – à l'endroit des opposants.

Voilà qui creuse un clivage entre fiction légale et réalité : le droit en arrive non seulement à prévenir orthopédiquement les difformités inacceptables de l'arbitraire et de la partialité, mais ambitionne d'imposer la tyrannie des minorités, et de réduire la réalité à une instanciation de la règle (Paquet 2002 : 369).

Cet esprit du droit civil est omniprésent dans toutes les communautés de la diaspora canadienne-française, même si elles vivent dans un reste du Canada opérant formellement sous le régime du *common law*. L'esprit du droit civil est au cœur des guerres linguistiques au Canada.

Par exemple, c'est dans l'esprit du droit civil, que la loi canadienne sur les langues officielles a statué ce qu'il valait la peine de supporter et de développer. Il en est sorti des instruments de combat pour tout groupe qui se considère mal servi par les objectifs fumeux inscrits dans un langage également fumeux. Or, le vague de ces objectifs est tellement grand que chaque groupe va chercher (et trouver) aisément moyen de présenter un argumentaire qui le présente comme *victime*, et donc se qualifiant pour protection et compensation.

La clause 41 de *la Loi sur les langues officielles* (faire la promotion et appuyer le développement du français et de l'anglais), tout comme la section 27 de la Constitution (*preservation and enhancement of the multicultural heritage*), qui pouvaient avoir au départ pour objectif de préserver certains droits, sont devenus au fil des ans la base d'un perpétuel effort pour extraire de ces textes fondateurs toutes sortes de privilèges.

Un impact important de cet esprit du droit civil a fait que la formalisation par le droit est devenu un instrument de combat pour circonvenir le politique.

Le discours et la logique des ténors des communautés francophones hors Québec (mais aussi des groupes radicaux du Québec) ont une saveur civiliste. Ils sont ancrés dans une conviction profonde que toute préférence ne peut être assurée politiquement, et que donc la seule manière de la pérenniser est de la traduire en droit formel, qui peut être utilisé comme instrument de combat. De là la floraison de causes apportées aux cours de justice pour les amener à formaliser et à édicter, afin que, par ce moyen, on arrive à changer les conduites et les comportements. Ce tour orthopédique donné au droit de tous les jours n'est pas sans désavantages au plan de la gouvernance (Paquet 2002).

Désenclaver ces perspectives locales ne pourra venir que d'une ouverture sur un contexte plus large et à un horizon temporel plus long. Faire sauter les verrous de ces prisons mentales va nécessiter la mise en place d'une grue qui élève les observateurs au-dessus de la mêlée pour leur permettre de voir plus grand et plus loin. Or ce n'est pas une opération impossible : c'est même au centre des préoccupations des entreprises comme on le verra au chapitre 4 (Normann 2001 : partie V).

L'habitus centralisateur [30]

Au niveau du gouvernement fédéral, l'hétérogénéité pose problèmes à cause de l'habitus centralisateur du gouvernement fédéral qui l'entraîne à résister à la décentralisation même quand elle semble nécessaire.

Un habitus est un système de dispositions qui réfère en même temps a) au résultat d'une action organisatrice, b) à une manière d'être, et c) à une prédisposition et inclination (Bourdieu 1972). Il s'agit là d'une triple force dont nous avons montré ailleurs qu'elle a fait dévier les projets décentralisateurs (Paquet et Roy 1995; Paquet 1995, 1996; Paquet et Shepherd 1996).

Dans un livre important de 1974, Herschel Hardin a exposé les racines profondes de cette culture économique canadienne traditionnelle, c'est-à-dire les valeurs fondamentales qui sous-tendent le système de dispositions de la collectivité canadienne, et l'ont amené à réagir de manière caractérisée aux défis qui lui ont été posés au cours du dernier siècle (Hardin 1974). Selon Hardin, les deux éléments-clés de la culture économique canadienne sont (1) une propension à se tourner vers l'entreprise publique chaque fois que la socio-économie donne des signes d'essoufflement; et (2) une tendance à utiliser la redistribution des revenus *ex post facto* comme mécanisme régulateur pour corriger les anomalies qui peuvent s'ensuivre plutôt que d'essayer de les anticiper et d'y obvier *ex ante*.

---

[30] Cette section emprunte librement à Paquet, 1995.

Au cours du dernier siècle, les Canadiens ont pris l'habitude de réagir aux défis qui leur ont été posés en ayant recours constamment à ces deux stratagèmes chaque fois que le pays s'est trouvé menacé par des circonstances inédites commandant des réaménagements dans les stratégies canadiennes. Ces deux valeurs fondatrices expliquent la structure centralisée de l'appareil de gouvernance du Canada : quand la redistribution est une valeur centrale, et quand le bon usage de l'état est à la mode, on ne peut qu'être amené à vouloir centraliser les pouvoirs à Ottawa puisque c'est nécessaire d'apporter les ressources au centre si l'on veut pouvoir redistribuer la richesse canadienne entre régions ou entre groupes.

Cette culture économique traditionnelle atteint son zénith en 1957 quand on signe les accords fédéral-provinciaux sur la péréquation : un arrangement par lequel les diverses provinces du Canada s'entendent pour permettre au gouvernement fédéral de subventionner les régions moins bien nanties en vue d'assurer une certaine homogénéisation du niveau des services publics livrés aux citoyens à travers le pays.

Le livre de Hardin est publié au moment même où cette culture économique traditionnelle commence à s'effriter à cause de la multiplication des crises de l'état keynesien qui en est l'instrumentation fondamentale : inflation systémique du tournant des années 70 quand tous les pays industrialisés tentent en même temps de relancer leur croissance économique par des politiques monétaire et fiscale de type keynesien; déficit de légitimité à proportion qu'il devient clair que l'état n'a plus ni l'autorité morale ni la compétence technique pour faire face aux défis des années 70; crise budgétaire qui révèle l'incapacité de l'état à réconcilier sa double obligation d'atténuer les difficultés sociales et de supporter le processus d'accumulation du capital sans engendrer des déficits insupportables à long terme. Ces ratés montrent clairement que les succès mitigés de l'état keynesien sont obtenus au prix d'une paralysie de plus en plus grande de la capacité créatrice de valeur ajoutée du système économique (Hirsch 1976). L'égalitarisme démocratique, fondant un centralisme compulsif dans le but de redistribuer de plus en plus de ressources, va donc s'essouffler.

On va commencer au Canada dans les années 70 à réagir à cette crise, mais maladroitement et avec beaucoup de lenteur parce que le soubassement socio-culturel de notre économie continue à être dominé par notre *habitus centralisateur.* Mais ce n'est ce n'est qu'au début des années 90 qu'on va commencer à voir émerger une philosophie économique de rechange fondée sur le principe de subsidiarité qui prend le contrepied de l'état centralisateur. Posant au centre du tapis le citoyen, on suggère que celui-ci va devoir accepter bien davantage de responsabilités personnelles pour sa survie, son mieux-être et son développement. L'état ne vient à son secours qu'en tant qu'armée de réserve quand le citoyen a épuisé ses moyens. L'aide fournie est alors accordée de préférence par la communauté; sinon, on doit s'en remettre à une instance de gouvernement aussi près du citoyen que possible. C'est uniquement s'il est impossible de fournir efficacement cette aide à un niveau local, régional, provincial, etc. qu'on cherchera à la fournir à un niveau plus englobant (national, international, etc.) (Millon-Delson 1992).

A l'ère de la dominance des *droits sociaux identiques* pour tous les citoyens que promulguent de haut en bas les chartes, va succéder une ère de la centralité des *besoins particuliers des citoyens,* souvent différents d'une région à l'autre du pays, et réclamant par conséquent des actions supplétives diversifiées. À l'ère de l'égalitarisme de droit va succéder l'ère de la négociation pour déterminer ce qui constitue l'inégalité inacceptable. À l'ère de la vache sacrée de l'unité nationale par l'opération de ses politiques sociales et culturelles normalisées va succéder l'ère d'une acceptation explicite de différences entre les politiques sociales et culturelles des diverses portions du pays. On passe du fédéralisme homogénéisateur de haut en bas à un fédéralisme de coordination de bas en haut.

Le vieil habitus centralisateur bloque toutefois systématiquement le développement de la nouvelle culture. Deux sophismes reviennent constamment à la surface des débats pour défendre la centralisation : son efficacité sociale, et le fait que la normalisation est un principe intégrateur.

Or, comme il est devenu de plus en plus difficile de défendre la centralisation comme une instrumentalité économique efficace, on a commencé à la présenter comme la condition nécessaire pour l'existence de la communauté nationale. La redistribution serait gage de solidarité et créatrice de communauté, et l'existence de normes nationales ne pourrait que renforcer cette solidarité. Or, comme il ne peut y avoir de redistribution sans centralisation, on est donc amené à favoriser la centralisation au nom de son efficacité sociale.

Si la coordination heureuse ne passe pas par la centralisation et l'homogénéisation, comment s'accomplit-elle dans un univers où le pouvoir est dispersé? Il nous semble que cette coordination passe d'abord par *une nouvelle socialité.* Précisons avec Jean Baechler la différence entre la sociabilité qui est « la capacité humaine à tisser des réseaux » et la socialité qui est « la capacité humaine à inventer des morphologies, des ciments sociaux qui fassent tenir les individus, les réseaux et les groupes en ensembles stables et fonctionnels » (Baechler 1994 : 21).

Au cœur de la nouvelle socialité ne se trouve plus une seule logique dominante mais une série de *logiques entrelacées* qu'il s'agit d'articuler harmonieusement. En effet, alors qu'on a pris bien du plaisir à dénoncer les simplismes et les dangers d'une logique dominante de marché ou d'une logique dominante de la tribu, on a été porté à vouloir les dépasser dans la mise en place d'une logique dominante syncrétique bâtie sur l'état et fortement ancrée dans des valeurs imposées d'en haut comme principes d'intégration. Ces mécanismes restent nécessairement déficients parce qu'ils veulent laminer un pluralisme incontournable. La nouvelle socialité doit être syncrétique, mais doit aussi échapper à l'hégémonie de toute logique dominante : elle doit être une résultante souple et évolutive d'une combinaison de forces qui l'immunise contre tout genre de monisme, et être construite sur une logique transversale.

Les seules assises fermes pour la nouvelle socialité semblent être la société civile, cet ensemble bariolé d'institutions non gouvernementales assez robustes pour faire contrepoids (1) à l'état sans empêcher celui-ci de jouer son rôle de gardien de la paix et d'arbitre entre les intérêts majeurs, mais en l'empêchant de dominer ou d'atomiser le reste de la société et (2) à la tribu sans empêcher celle-ci de jouer son rôle de sociabilité mais en l'empêchant de tyranniser les citoyens et de les soumettre au carcan paralysant de la tradition (Gellner 1994).

Reste à se demander (1) comment vont se cristalliser en une socialité nouvelle au Canada le degré de confiance mutuelle et le goût de la coopération nécessaires pour que la coordination soit heureuse, et (2) comment ce genre de coordination pourra s'accomplir grâce à un *stewardship* de bas en haut, c'est-à-dire sans qu'on ait à recourir à la coercition de l'état pour produire les normes et les mécanismes capables d'assurer la résolution heureuse du jeu socio-économique.

Dans un système de gouvernance distribuée, cette sorte de *stewardship* ne peut s'accomplir à moins que se développe une capacité à apprécier les limites qu'imposent les responsabilités mutuelles. Quant aux conditions permettant l'émergence de ce type de *stewardship* transversal, il faut que la conversation soit conduite dans un cadre propice à l'apprentissage social, où le dialogue se déroule dans un environnement marqué par l'écoute, le tact et la civilité. À cela, deux grandes forces vont contribuer : une nouvelle façon de penser et une nouvelle reconnaissance de la centralité de certaines vertus minimales.

La nouvelle façon de penser ouverte, intégrante et évolutionnaire met l'accent sur la synergie, l'apprentissage organisationnel pour assurer le développement d'une société vivable (Bennis, Parikh, Lessem 1994). Il s'agit d'une perspective qui insiste sur un horizon temporel plus long et sur une prise en compte plus riche du contexte mais qui surtout met au centre du tapis la dimension cognitive des organisations. L'apprentissage organisationnel à deux boucles (on apprend les meilleurs moyens d'atteindre ses fins mais aussi on apprend à modifier ses objectifs à proportion que les circonstances changent) devient donc la force maîtresse qui donne son sens au leadership transversal de bas en haut (Argyris et Schon 1974).

En plus du besoin d'une nouvelle façon de penser, la société doit redécouvrir qu'elle a besoin d'une morale, d'un certain sens des limites qui doit s'incorporer dans les organisations en apprentissage et « au cœur des relations interpersonnelles, au cœur même de la vie publique parce que le droit ne règle pas tout ». Or, cela ne peut se faire que par une importance nouvelle donnée à des vertus comme la politesse et la civilité qui assurent que les gens ont des relations de réciprocité positive. Il s'agit là de valeurs et de vertus minimales qui étaient autrefois injectées dans le système social par l'éducation, la religion ou la communauté. Dans le contexte moderne, ces vertus doivent être réinventées (Comte-Sponville 1995; Gauchet 1996).

On sait que les valeurs s'apprennent et que ce sont en fait des choix habitualisés. On voit donc que l'apprentissage des vertus va devoir se faire à proportion qu'elles deviennent des instruments de survie. Or, s'il est un aspect du discours public au Canada qui a l'heur d'inquiéter, c'est la myopie et les difficultés d'apprentissage aiguës de nos organisations et de nos institutions, l'escalade d'incivilité qui a commencé à les caractériser, et l'insuffisance des filtres qui supposément devraient empêcher la diffusion massive de désinformation et inspirer le genre de retenue capable de supporter et d'encourager un dialogue serein porteur d'apprentissage rapide. Sans ces protections le discours public ne peut que déraper.

Mon optimisme à ce propos prend sa source dans certains signes de retour à un discours au quotidien qui commence à échapper à la langue de bois des idéologues et à la langue de coton des gouvernants. Les gouvernants triturent toujours l'information, mais le contrôle leur échappe; les idéologues semblent s'essouffler et leurs propos deviennent acides; les médias focalisent et manufacturent la distorsion de l'information, mais ils ont perdu leur capacité de mise en scène permanente. La démocratie y gagne : cette démocratie qui refuse de se cantonner dans l'électoral ou le plébiscitaire, et qui exige d'être éthique; cette démocratie qui insiste pour que le citoyen redevienne producteur de gouvernance (Wright 1948)[31].

[31] Au moment d'aller sous presse, l'optimisme des derniers paragraphes me paraît excessif. S'il est vrai qu'une certaine déliquescence des appareils formels et de leurs langue de bois et de coton est indéniable, il faut ajouter qu'un certain *éthos progressiste* qui a infesté les esprits depuis quelques décennies et dont on espérait que ses débordements contribueraient à son essoufflement plus ou moins rapidement semble encore jeter une ombre lourde sur le discours public. En fait il constitue une chape de plomb nouvelle qi n'est pas sans rappeler *l'éthos marxiste* du début des années 1970 sur l'intelligentsia québécoise. Ce grand mal brouille les esprits et semble avoir frappé un segment important de l'intelligentsia et des étudiants en sciences humaines les laissant « *morally insane, 'living' as it were in a fantasy world of self-righteousness* » (Sibley 2013). Ce conditionnement idéologique qui dédouane d'un minimum de rigueur, et laisse le champ libre à la victimisation et la compassion généralisées. Il n'est pas clair qu'il sera aussi facile de se débarrasser de cet éthos progressiste informe que des autres prisons mentales qui ont contaminé les esprits dans le passé.

Un pari obligatoire sur la gouvernance culturelle

L'extraordinaire hétérogénéité de la socio-économie canadienne (et même de la socio-économie canadienne-française) ainsi que les œillères que continuent de porter les autorités tant locales que fédérales conduisent à une impasse : l'aveuglement par rapport aux impacts de la modernité ainsi que par rapport aux impairs des cosmologies en vogue condamne à une gouvernance toxique.

C'est maintenant vastement reconnu depuis un bon moment que Grand G Gouvernement n'est plus une option souhaitable dans notre monde marqué par la complexité et l'incertitude, cela a commandé (Newman 2001) :

- un déplacement de la structure des organisations purement fondées sur la hiérarchie, la concurrence ou la solidarité vers des partenariats, des réseaux et des équipes opérant aux frontières des secteurs public, privé et sans but lucratif;
- un changement du rôle du gouvernement devenant entremetteur plutôt qu'acteur principal;
- l'avènement de l'auto-gouvernance négociée des communautés, des villes et des régions par le truchement de réseaux et de partenariats;
- l'innovation de formes hybrides d'organisations en réponse à la complexité et à la fragmentation de l'autorité.

Mitchell Dean a suggéré l'étiquette « gouvernance culturelle » pour référer à ce phénomène en émergence : une gouverne qui, opérant à travers réseaux et flux plutôt qu'à travers structures et hiérarchies, est inclusive, individualisante, pluraliste, sans frontières, et polycentrique de manière à inclure, à travers choix et agences, les transformations et l'évolution de l'identité et de la différence (Dean 2003 : 122).

La gouvernance se définit ici comme système de communication politique (Bang 2003) qui opère de plus en plus à travers les capacités d'auto-gouverne, et doit agir sur les conduites individuelles et collectives pour y arriver. La réforme des institutions et des pratiques doit se faire sur un mode discursif ne succombant ni aux antagonismes qui minent le politique ni aux tendances homogénéisantes au cœur de la tribu, et se libérant des hypothèques de l'État providence sur sa gauche et de la Nation exclusive sur sa droite.

La gouvernance culturelle a émergé dans notre société moderne parce que celle-ci est devenue tellement complexe, dynamique et différenciée, qu'aucun système expert ne peut par lui-même la contrôler par des moyens hiérarchiques et bureaucratiques. Cela ne peut s'effectuer que par un *code de gouverne* et via *l'exercice d'auto et de co-gouvernance*. L'objectif de la gouvernance culturelle est moins la discipline et la sujétion, et bien davantage de limiter le contrôle explicite de haut en bas, de transformer les intervenants en partenaires, de responsabiliser les agents publics, et d'affiner les institutions pour leur inculquer une *culture du dialogue*[32].

[32] Au moment d'aller sous presse, le gouvernement de l'Ontario lance formellement le projet d'une université franco-ontarienne à Toronto. Il s'agirait d'une institution qui s'ajouterait aux trois institutions bilingues (Université d'Ottawa, Université Laurentienne à Sudbury, et le Collège Glendon à Toronto) et que se distinguerait en ce qu'elle opérerait exclusivement en français. C'est une demande de la communauté franco-ontarienne. On peut donc comprendre la signification électorale de cette annonce pout un gouvernement ontarien assez malmené et devant aller en élection sous peu.

Mais il est difficile de comprendre la logique d'une telle initiative d'enfermement sur une langue dans un univers où la connaissance est globalisé et polyphonique. Au moment où HEC Montréal a commencé à offrir ses programmes en français, anglais et espagnol, où Winnipeg a inauguré un World Trade Centre où le français est la langue de base mais où français, anglais et espagnol sont les langues de travail, et où l'Université de St-Boniface, une université opérant exclusivement en français dans le Grand Winnipeg, semble peiner à se donner une clientèle suffisante, on peut se demander si, au cœur d'une ville aussi polyphonique que Toronto, il ne serait pas plus sage de créer une université qui se donne une vocation franchement plus polyphonique – et ce faisant contribuerait à construire un lieu de haut savoir bâti sur la polyphonie plutôt que sur l'usage exclusif du français.

Une telle expérience pourrait avoir une place privilégiée pour le français mais devenir une nouvelle institution post-secondaire annonçant vouloir ouvrir ses portes à une clientèle polyglotte – comme le font certaines grandes écoles européennes. Ce n'est peut-être pas ce que la gentilité franco-ontarienne dit vouloir, mais il se pourrait que ce soit ce dont elle a besoin : non pas une stratégie de repli, mais le pari sur un contexte polyphonique qui exhausserait la communauté francophone de l'Ontario et la servirait mieux sans lui imposer l'obligation de se couper de son contexte. Le fait qu'on parle déjà d'une clientèle étrangère pour cette nouvelle université franco-ontarienne suggère qu'il se pourrait qu'elle ne soit pas immunisée contre le syndrome St-Boniface. Comme j'essaie de l'expliquer dans le prochain chapitre, il me semble que l'avenir ne doit pas parier sur la ghettoïsation du français mais sur son expansion en symbiose créatrice avec les vernaculaires du continent.

On a montré au dernier chapitre comment la gouvernance culturelle a été au fondement de la création de VISA. Bang dans sa conclusion a aussi montré comment Microsoft et l'Union européenne ont construit sur les mêmes principes (*Ibid.*). Il me semble que le Canada français ne pourra éviter cette voie si on veut donner force de frappe à la diaspora.

Cela va nécessiter non pas la mise en place de lois exécutoires du fédéral ou de contraintes idéologiques imposées sur les communautés, mais plutôt la *négociation* d'une séries de principes devant présider à la définition d'une dynamique propre à chaque pan de la diaspora séparément, et des accords différenciés de ces portions de la diaspora avec les divers niveaux de gouvernement pour en arriver à assurer que les normes, conventions, règles et autres arrangements, tant avec les divers niveaux de gouvernement qu'avec les autres portions de la diaspora, vont s'inscrire dans le cadre de ces principes, mais vont savoir préserver les marges de manœuvre susceptibles d'assurer son antifragilité – et donc pouvoir être différenciées.

Pour les *traditionalistes*, la vitalité de la communauté se réduit au nombre de gens qui parlent le français à la maison, ou au nombre de francophones dans une région. Pour les *modernes*, la vitalité de la communauté se définit par sa capacité à apprendre et à progresser collectivement, à sortir toujours plus forte des épreuves grâce à son antifragilité – c'est-à-dire, sa capacité d'auto-réorganisation dynamique en réponse aux obstacles, aux chocs et aux bouleversements.

Or, pour devenir antifragile dans un monde en mouvement, l'union fait la force, et une communauté doit savoir faire bon usage de sa capacité à collaborer :

- pour **agir** localement grâce à la coopération des membres;
- pour **négocier** des accommodements raisonnables avec la majorité non-francophone afin d'assurer un arrimage heureux entre les communautés linguistiques;
- pour **collaborer** avec la diaspora des autres groupes de langue française au pays.

La communauté et la diaspora sont ici deux leviers complémentaires.

La communauté locale a des perspectives, des ressources, et des potentialités limitées. La diaspora voit plus grand, et a accès à des expériences complémentaires qui peuvent renforcer la communauté locale, et l'aider à faire face aux avaries qui le plus souvent ne menacent pas une seule communauté mais sont des avaries communes. L'antifragilité est ancrée dans le double renforcement de la communauté locale et de la diaspora.

Comment va se faire ce renforcement?

Au niveau des communautés locales par :

- la reconnaissance des obligations réciproques au sein de la communauté;
- la volonté de travailler ensemble pour résoudre collectivement les problèmes;
- la priorité donnée aux obligations sur les droits dans la communauté;
- la négociation continue de nouveaux espaces et de nouvelles interfaces avec la majorité dans un esprit d'accommodements raisonnables et non de confrontation.

Au niveau de la diaspora des communautés de langue française au Canada par :

- la communication inter-communautés qui est un préalable à toute collaboration;
- un sens de l'enracinement, de l'engagement et des responsabilités non seulement au niveau local mais aussi au niveau de la diaspora;
- la capacité de réponse collective de la diaspora en tant que telle;
- un sens des problèmes communs auxquels on peut mieux faire face ensemble.

Conclusion

Ce genre de recadrage commande des transformations importantes dans la manière de penser les rapports entre les communautés locales pour les empouvoirer en tant que membres de la diaspora canadienne-française. Cela requiert des accommodements dans l'architecture des arrangements organisationnels, mais aussi la mise en place d'un arsenal de moyens inédits pour que la collaboration en sorte agrandie.

C'est le problème sur lequel se penche le chapitre 4.

Références

Andrew, Caroline, Ruth Hubbard et Gilles Paquet (sld). 2012. *Gouvernance communautaire : innovations dans le Canada français hors Québec*. Ottawa, ON : Invenire.

Argyris, Chris et Donald Schön. 1974. *Theory in Practice*. San Francisco, CA : Jossey-Bass.

Baechler, Jean. 1994. *Précis de la démocratie*. Paris, FR : Calmann-Lévy/Éditions Unesco.

Bennis, Warren, J. Parikh et R. Lessem. 1994. *Beyond Leadership*. Oxford, R.-U. : Blackwell.

Bang, Henrik P. (sld). 2003. *Governance as Social and Political Communication*. Manchester, R.-U. : Manchester University Press.

Barel, Yves. 1993. « Propos de travers ou de la transversalité » dans L. Sfez (sld). *Dictionnaire critique de la communication*. Paris, FR : Presses Universitaires de France, Tome I, p. 181-188.

Bernard, Roger. 2001. *À la défense de Montfort*. Ottawa, ON : Le Nordir.

Bourdieu, Pierre. 1972. *Esquisse d'une théorie de la pratique*. Genève, CH : Droz.

Breton, A. (sld). 1999. *Explorer l'économie linguistique*. Ottawa, ON : Patrimoine canadien.

Comte-Sponville, André. 1995. *Petit traité des grandes vertus*. Paris, FR : Presses Universitaires de France.

Corbeil, J.P. et al. 2006. *Les minorités prennent la parole : résultats de l'Enquête sur la vitalité des minorités de langue officielle*. Ottawa, ON : Statistiques Canada.

Courchene, Thomas J. et L.M. Powell. 1992. *A First Nation Province*. Kingston, ON : Institute of Intergovernmental Relations.

Cuisinier, Vincent. 2008. *L'affectio societatis*. Paris, FR : Lexis-Nexis Litec.

Dean, Mitchell. 2003. « Culture governance and individualisation » dans Henrik P. Bang (sld). *Governance as Social and Political Communication*. Manchester, R.-U. : Manchester University Press, p. 117-139.

Dufresne, Jacques. 2013. « Le patriotisme de compassion », *Lettre de l'Agora*, 6(3), novembre.

Finkielkraut, Alain. 2013. *L'identité malheureuse*. Paris, FR : Grasset.

Foa, U. 1971. « Interpersonal and Economic Resources », *Science* 171(3969) : 345-351.

Gauchet, Marcel. 1996. « Entrevue sur la morale civique », *Le Point*, n° 220, 3 février, p. 54-56.

Gellner, Ernst. 1994. *Conditions of Liberty*. Londres, R.-U. : Hamish Hamilton.

Gilbert, Anne et Marie Lefebvre. 2008. « Un espace sous tension : nouvel enjeu de la vitalité communautaire de la francophonie canadienne » dans J.Y. Thériault, A. Gilbert, L. Cardinal (sld). *L'espace francophone en milieu minoritaire au Canada*. Montréal, QC : Fides, p. 27-72.

Gini, Corrado. 1959. *Pathologie économique*. Paris, FR : Payot.

Guillaume, Marc. 1978. *Éloge du désordre*. Paris, FR : Presses Universitaires de France.

Hardin, Herschel. 1974. *A Nation Unaware*. Vancouver, C.-B. : J.J. Douglas.

Hirsch, Fred. 1976. *Social Limits to Growth*. Cambridge, MA : Harvard University Press.

Jackson, M.L., et P. Doucet. 2006. *A Sharper View – Evaluating the Vitality of Official Language Minority Communities*. Ottawa, ON : Office of the Commissioner of Official Languages.

Kingwell, Mark. 1995. *A Civil Tongue*. University Park, PA : The Pennsylvania State University Press.

Laurent, Paul et Gilles Paquet. 1998. *Épistémologie et économie de la relation – Coordination et gouvernance distribuée*. Paris/Lyon, FR : Vrin.

Martin, Roger L. 2014. « The Big Lie of Strategic Planning », *Harvard Business Review*, 92(1-2) : 78-84.

May, Rollo. 1972. *Power and Innocence*. New York, NY : Norton.

Millon-Delsol, Chantal. 1992. *L'état subsidiaire*. Paris, FR : Presses Universitaires de France.

Newman, J. 2001. *Modernizing Governance, New Labor, Policy and Society.* Londres, R.-U. : Sage.

Normann, Richard. 2001. *Reframing Business – When the map changes the landscape.* New York, NY : Wiley.

O'Keefe, M. 2001. *Minorités francophones : assimilation et vitalité des communautés.* Ottawa, ON : Patrimoine canadien (Deuxième édition).

Paquet, Gilles. 1984. « Bilan économique d'une dépendance », *Autrement* 6, p. 29-36.

Paquet, Gilles. 1995. « Gouvernance distribuée et habitus centralisateur », *Mémoires de la Société Royale du Canada,* Série VI, Tome VI, p. 97-111.

Paquet, Gilles. 1996. « Le fruit dont l'ignorance est la saveur » dans A. Armit et J. Bourgault (sld). *Hard Choices, No Choices: Assessing Program Review.* Toronto, ON : Institute of Public Administration of Canada, p. 47-58.

Paquet, Gilles. 1999. *Oublier la Révolution tranquille – Pour une nouvelle socialité.* Montréal, QC : Liber.

Paquet, Gilles. 2002. « Le droit à l'épreuve de la gouvernance » dans L. Perret *et al.* (sld). *Évolution des systèmes juridiques, bijuridisme et commerce international.* Montréal, QC : Wilson & Lafleur, p. 363-381.

Paquet, Gilles. 2012. « Gouvernance communautaire : axes et parallaxes » dans Caroline Andrew *et al.* (sld). *Gouvernance communautaire : innovations dans le Canada français hors Québec.* Ottawa, ON : Invenire, p. 1-26.

Paquet, Gilles et Jeffrey Roy. 1995. « Prosperity Through Networks: The Economic Renewal Strategy that Might Have Been » dans S. Phillips (sld). *How Ottawa Spends 1995.* Ottawa, ON : Carleton University Press, p. 137-158.

Paquet, Gilles et Robert Shepherd. 1996. « The Program Review Process: A Deconstruction » dans G. Swimmer (sld). *Life After The Cuts: Doing Less with Less.* Ottawa, ON : Carleton University Press, p. 39-72.

Paré, François. 2003. *La distance habitée.* Ottawa, ON : Le Nordir.

Perroux, François. 1974. *Pouvoir et économie*. Paris, FR : Bordas.

Putnam, Robert D. 2000. *Bowling Alone – The Collapse and Revival of American Community*. New York, NY : Simon & Schuster.

Rolland, Patrice. 2011. « Simone Weil et la politique au XXe siècle » dans Valérie Girard (sld). *Simone Weil, lectures politiques*. Paris, FR : Éditions rue d'Ulm, p. 71-88.

Schön, Donald A. 1971. *Beyond the Stable State*. New York, NY : Norton

Scott, Katherine. 2009. « La vitalité communautaire : ce qu'il importe de mesurer », *Transition*, 39(4) : 1-5.

Sibley, Robert. 2013. « Young men can be turned to good or evil », *Ottawa Citizen*, 29 avril.

Taleb, Nassim N. 2012. *Antifragile – Things that Gain from Disorder*. New York, NY : Random House.

Thévenot, Laurent. 2006. *L'action au pluriel*. Paris, FR : Éditions La Découverte.

Weil, Simone. 1949. *L'enracinement – Prélude à une déclaration des devoirs envers l'être humain*. Paris, FR : Gallimard.

Worms, Frédéric. 2011. « L'obligation dans l'enracinement » dans Valérie Girard (sld). *Simone Weill, lectures politiques*. Paris, FR : Éditions rue d'Ulm, p. 17-33.

Wright, David M. 1948. *Democracy and Progress*. New York, NY : The Macmillan Company.

CHAPITRE 4
Le Canada français dans ses temps sociaux

M a critique des traditionalistes et de leur engagement dans la réalité canadienne-française a surtout porté jusqu'à maintenant sur le caractère réducteur de leur définition du problème (quand ils se concentrent sur une notion fort étriquée de 'vitalité des communautés') et sur les solutions mécaniques à caractère juridique qu'ils proposent pour corriger orthopédiquement et impérialement les difformités inacceptables de l'arbitraire et de la partialité (selon leur point de vue seulement) dans le comportement des personnes et des groupes (Paquet 2002a).

Cette approche réductrice et orthopédique à saveur dirigiste est inadéquate. Futilement, à la fois le gouvernement fédéral et les gentilités des communautés canadiennes-françaises se sont convaincus qu'on peut réduire les faits à la règle, et que, si on change la règle, les comportements vont changer. Par les jeux de ces perspectives utopiennes, les deux groupes d'élite se sont arrogés le rôle de Josué dans la saynète biblique où il commande au soleil de s'arrêter pour qu'il ait le temps de mener à terme son combat.

Une prise en compte plus réaliste de la dynamique du contexte, et des conditions particulières de ces communautés, obligent à reconnaître qu'on ne peut pas se complaire de manière jubilatoire dans ce genre d'entourloupettes juridiques.

Une problématique plus prometteuse part du système complexe tel qu'il existe, et d'une situation où à la fois les communautés locales et la diaspora sont des réalités ouvertes en concurrence avec d'autres arrangements, qu'elles sont condamnées à subir constamment divers chocs, et qu'on peut espérer seulement qu'elles pourront imaginer des stratégies susceptibles non seulement de les protéger mais de les amener à sortir grandies, et encore mieux préparées pour faire face à des chocs encore plus grands. Antifragilité est donc l'objectif, et le moyen d'y arriver est une capacité à explorer pour apprendre, et à faire le meilleur usage possible des ressources et pouvoirs mobilisables, de l'information et de la connaissance disponibles (Taleb 2012).

Cette problématique plus vaste ouvre sur un exercice d'exploration et d'apprentissage qui doit :

- d'abord en arriver à *harmoniser les perspectives et à syntoniser les longueurs d'ondes* des divers intervenants qui sont les collaborateurs incontournables dans ce genre de gouvernance efficace;
- ensuite, à se dégager de la propension à homogénéiser et à centraliser que suggère la facilité, et reconnaître qu'il faut *faire des arbitrages entre le progrès du tout et les progrès très différents des différentes parties* (parce que c'est le progrès conjoint du tout et des parties qui est l'objectif recherché) et donc mettre au cœur d'exploration la notion de *co-développement*;
- enfin, face à cette double complexité du terrain et des objectifs, accepter de *miser sur des stratégies contre-intuitives* comme la polyphonie pour faire qu'une langue particulière prospère.

Une mosaïque de temps sociaux

Le cadre juridique et certaines tendances des organisations étatiques à centraliser et à formaliser ont souvent l'heur de rendre plus difficile la capacité à accepter l'ouverture et la souplesse nécessaires et les arrimages obligés dans un monde où l'incertitude d'un monde darwinien est incontournable. De même, l'encadrement de temps sociaux fort différents pour les divers groupes engendre des perspectives souvent tellement incongrues, qu'il rend l'harmonisation des perspectives et des engagements fort difficiles.

Or, dans nos sociétés de plus en plus fragmentées, l'ouverture est souvent perçue comme un péril, une fatalité qui déclenche un mouvement de retour à la tribu et à la recherche de la solidarité perdue. Ce genre de repli constitue une fermeture aux possibilités qu'offre l'exploration de voies de rechange, même si c'est à certains risques. En général, tout ce qu'on peut espérer c'est que les petites communautés tendent à chercher une voie mitoyenne – la *recherche de tribus ouvertes* – qui préserve un degré important de liberté dans l'exploration tout en maintenant une possibilité de collaborations diverses avec d'autres communautés – permettant de mutualiser les risques, et de tirer profit des avantages comparatifs dans des espaces agrandis (Goss 2014).

Cette balance est constamment en danger d'être dévoyée soit par la fuite aventureuse en avant, soit par le repli sur les acquis. C'est seulement dans le temps qu'on va pouvoir déterminer quel agencement de forces va dominer, et jauger si cette résultante va harmoniser les temps sociaux dominants des groupes en présence.

Le Canada français a eu une tendance à être dominé au niveau de ses communautés par une *stratégie de recours aux forêts*, de repli sur les acquis qu'on cherche désespérément à protéger. Cela se fait souvent sans se rendre compte qu'il s'agit de manœuvres qui souvent peuvent donner l'illusion à court terme de consolider les acquis par des remparts juridiques, mais qui condamnent la grande diaspora canadienne-française à se fragiliser de plus en plus, et à devenir de moins en moins antifragile, c'est-à-dire, de moins en moins capable en tant qu'agrégat de faire face de mieux en mieux à des chocs de plus en plus forts en provenance d'un environnement darwinien (Frank 2011). En conséquence, on peut dire qu'il s'est établi un écart grandissant entre les probabilités célébrées mais fumeuses de vitalité accrue des communautés particulières et la vitalité constamment réduite de la diaspora.

Au cœur de cet écart grandissant est l'écart entre les temps sociaux aux deux niveaux.

Georges Gurvitch a analysé la multiplicité des temps sociaux des divers groupes sociaux à divers niveaux allant du *temps écologique* (de l'environnement externe et des infrastructures techniques), *au temps des organisations* (en des patterns plus ou moins rigides inscrits dans leurs statuts), *au temps inscrit dans les règles de la vie sociale* (patterns, règles, signaux et signes qui constituent autant de directives, prescriptions et normes auxquelles on doit obéir), *au temps des rôles sociaux et attitudes collectives* (combinaison des rôles et attitudes ou dispositions qui commandent un emploi du temps), *au temps des symboles, des idées et des valeurs collectives*, et *au temps de la mentalité collective la plus profonde* (Gurvitch 1964).

Tous ces temps s'entremêlent dans la vie d'une communauté : les uns définissant un horizon temporel dominant presque totalement *rétrospectif*, si une communauté s'investit totalement dans un mode de survivance; d'autres, embourbés dans des patterns de routines cycliques qui leur gardent le nez dans les guidons; d'autres, enfin, sont portés par un horizon temporel dominant plus long qui les entraîne à accepter les défis de l'exploration et de l'innovation avec les risques que cela comporte.

Plus l'ampleur de vue et l'espace pertinent est vaste, plus la longueur de vue est possible. Et plus la communauté est petite, concentrationnaire, et absorbée par la fausse conscience de ses élites, plus elle est susceptible de sombrer dans la recherche de cataplasmes juridiques pour opposer un rempart à des forces inconvenantes qu'on espère ainsi exorciser. C'est alors le danger d'un recroquevillement obscurantiste sur la tribu fermée, et du bonheur dans l'incantation, qui ne peuvent mener qu'à la désaffection pour tout régime d'engagement qui obligerait à faire face à la réalité darwinienne à plus long terme, mais qui aurait refuser de s'attaquer à l'invention de moyens collectifs diasporiques à la hauteur des forces en présence.

On a fait écho plus tôt dans ce livre aux aberrations auxquelles ces stratégies de taupes aveugles et obstinées dans l'Est Ontario. Ces agissements ont révélé :

- un fort degré de fausse conscience des gentilités locales;
- un goût pour la fuite dans le symbolique;
- une propension à faire face aux défis en recourant aux remparts juridiques (en s'illusionnant sur la capacité de ces remparts artificiels à préserver de l'avenir);
- un refus d'utiliser un certain esprit critique et un peu d'imagination pour en arriver à recadrer les questions plus vastement, et à chercher des voies plus imaginatives

et à plus grande longueur de vue pour surmonter les obstacles; et

- une occultation systématique de toute réalité informelle en émergence au profit de la fausse sécurité apportée par les scapulaires de l'embaumement dans des combats locaux aussi formels que douteux[33].

On peut dire que le même phénomène est en train d'envahir toutes les communautés du Canada français hors Québec sous l'égide de juristes qui vivent dans leur bulle. Au Québec, le mouvement séparatiste et sa vision du monde autiste empêche depuis des décennies de prendre au sérieux la diaspora franco-canadienne hors Québec. On monte au créneau pour cultiver toute bribe affriolante de francophonie en Finlande ou dans le reste du monde, mais on occulte les segments de la diaspora canadienne-française qui vivent à côté : on n'est pas prêt à reconnaître quelque réciprocité que ce soit avec le reste de la diaspora canadienne-française hors Québec, car cela équivaudrait à la valoriser, et donc à vouloir favoriser un régime d'engagement qui viendrait en contradiction avec le constat des radicaux (champions du repli intégral) qui n'y voient que 'dead ducks' ou « cadavres chauds ».

En ce sens-là, les prisons mentales des gentilités franco-canadiennes hors Québec et de l'intelligentsia québécoise semblent même plus imprenables que celles des marxistes des décennies passées : en effet, les seconds se sont déjà aperçus de la crise des fondements de leurs anciens évangiles, et sont désormais prêts à considérer qu'il faudrait laisser plus de place à l'imagination (Merrifield 2011), alors que les premiers semblent encore bien incapables d'admettre quelques avantages dans un engagement collectif avec des groupes considérés comme, en tous points, en situation de désavantage comparatif[34].

---

[33] On ne dira jamais trop comment cette occultation de l'informel au seul profit du formel et du juridique (avec pour effet de bloquer toute prise en compte de la réalité au profit de la règle) ressemble à l'occultation des effets à long-terme de politiques de portes ouvertes aux réfugiés fondées à court-terme sur la compassion mais qui simplement encouragent la croissance du nombre des réfugiés en provenance des mêmes pays quand la compassion règne.

[34] On a beau invoquer les théorèmes que les économistes ont développés sur les avantages comparatifs – qui y montrent qu'il y a avantage à établir des liens avec d'autres unités même pour un pays ou une région qui a des avantages absolus dans tous les domaines – il s'agit là d'argumentaires compliqués qui ne font pas le poids contre les séductions du narcissisme, et le confort du repli sur les acquis.

L'accès à une conscience qui déborde
la méso-communauté

Si l'idéologie des gentilités des différentes communautés de la diaspora canadienne-française semble être devenue une chape de plomb qui les empêche de sortir de leurs vases clos et du temps rétroactif, un autre blocage important est la propension à centraliser des instances fédérales[35] qui tolèrent mal que des communautés locales veuillent construire des stratégies particulières quand elles dépendent de généreuses prébendes des instances fédérales. Voilà qui rend sourd et aveugle aux réalités qui résistent à l'homogénéisation. De là à nier la diaspora canadienne-française parce qu'elle ne peut qu'être hétérogène (et probablement réfractaire à la négation des différences), et à refuser de voir les possibilités que l'avenir de cette diaspora pourrait révéler si cela ne cadre pas avec les visées homogénéisantes d'Ottawa, il n'y a qu'un pas à Ottawa. Il faut dire que la résistance à cet habitus centralisateur par les provinces s'est généralisée à proportion que la plupart des provinces ont commencé à se donner des règles différentes pour la gouverne des langues officielles.

Cet habitus centralisateur (Resnick 1996) a constitué au cours des dernières décennies un blocage important aux efforts pour repenser la gouvernance autour du principe de subsidiarité active (Calame et Talmant 1997) qui veut qu'une organisation ou un arrangement institutionnel soit beaucoup plus effectif si l'on peut déporter les décisions au niveau le plus local possible, parce que on pourra ainsi mieux ajuster l'appareil de gouvernance, et les choix, aux besoins différenciés des diverses communautés.

Il reste que cette illusion de totalité du gouvernement fédéral a créé blocage et a empêché la diaspora de pouvoir développer sa présence, et construire une différenciation pourtant essentielle à son travail d'intégration. En fait, on sent

---

[35] Il y a eu un effort herculéen au niveau fédéral au Canada pour tout harnacher dans un schème centralisé : on a tenté de le faire avec le monde du sans but lucratif qui, pourtant dans sa substantifique moelle, résiste à ce genre de centralisation, et l'autorité fédérale a aussi été fort active dans cet effort d'homogénéisation aussi pour ce qui est du monde des langues officielles.

un effort concerté de sabotage tant des instances provinciales que fédérales quand il est question de la diaspora canadienne-française. L'émergence d'une telle diaspora robuste pourrait perturber la scène : il y a là une communauté de communautés largement fondée sur des relations informelles et des conventions floues qui échapperaient aux contraintes formelles et au carcan du droit. Les possibilités d'ententes hybrides et variées n'y seraient limitées que par l'imagination des parties prenantes.

On sait combien les patriotismes locaux et l'habitus centralisateur d'Ottawa ont empêché pendant bien longtemps que ne se crée un Forum des provinces et territoires où ils puissent débattre de leurs problèmes communs. Et on sait combien ce qui se passe à ce niveau est encore bien fragile. De plus, la fausse autorité que gardent le droit et ses pompes continue à délégitimer toutes les ententes informelles, alors qu'il existe une riche histoire d'arrangements extra-étatiques informels se développant en des réseaux de coopération fort efficaces.

Pour espérer mettre en place une diaspora qui va se donner un rôle d'intégration, il va falloir revenir aux principes de base, comme ce fut le cas dans la création de VISA (Hock 1999) – une initiative dont on a parlé plus haut. Pour le moment, il n'est pas impensable de pouvoir réunir un aréopage de sages qui pourraient préparer un brouillon de ces principes de base, même si les champions d'une telle initiative ne se sont pas encore manifestés. Il faudra donc peut-être court-circuiter cette étape : tenter de reconnaître l'impasse actuelle et suggérer la sorte de bougie d'allumage qui pourrait faire émerger une exploration de l'« identité diasporique ».

Impasse de la situation actuelle

La raison pour laquelle il faut imaginer une voie de sortie de crise est que les règles du jeu actuelles semblent créer une impasse. Au rythme auquel l'immigration se fait au Canada (et encore plus dramatiquement si les pressions pour arriver à une population de 100 millions en l'an 2100 qui ont le vent dans les voiles ces temps-ci ne s'apaisent pas), on ne peut entrevoir autre chose qu'à une diminution de la valence de la population francophone au pays. Voilà qui ne peut que minoriser la francophonie dans toutes les provinces. Quant au statut des langues officielles au niveau national, il est difficile de croire que l'on puisse continuer à privilégier et à protéger le fait français en tant que politique nationale à proportion que cette valence du français va décliner.

A moins que la diaspora canadienne-française ne se tonifie, on verra s'étioler la présence française déjà minime dans la plupart des régions, on la verra s'affaiblir en Ontario et au Nouveau-Brunswick, et on la verra même flageoler au Québec. Les plus pessimistes pensent ici à la défaite successive des trois Curiaces[36]. Les plus optimistes entrevoient que le repli sur le territoire québécois est peut-être le seul morceau à pouvoir survivre à la fin de ce siècle, encore que c'est bien improbable que ce soit dans sa forme actuelle.

Ceux qui croient que ce sont des vœux pieux exprimés dans les mots de la Constitution ou de la Charte des droits (quand ce n'est pas en en appelant à des « principes non-écrits » dans ces documents) qu'on va pouvoir maintenir à perpétuité des privilèges indéfendables, sont dans l'erreur. Quant aux épîtres d'un agent du parlement, ce n'est guère plus solide. Il s'agit de gens qui croit dans le principe de Don Quichotte qui voudrait que l'idée qui dit le monde soit plus vraie que le monde dit par cette idée (Onfray 2014). Quant à l'utilisation des cours de justice pour consolider les assises francophones de certains comtés pour aider à perpétuer un certain pouvoir politique de certaines minorités, il s'agit de subterfuges qui n'ont pas beaucoup de chance de survivre dans un monde où la valence de la francophonie aura dramatiquement chuté.

Seul un certain romantisme joyeux permet aux traditionalistes de croire que ces barrières symboliques vont résister au tsunami démographique qui s'en vient.

Or, quelle voie autre que le renforcement de la diaspora canadienne-française est pensable pour sortir de cette impasse? – étant entendu que c'est là une solution téméraire, et que rien

---

[36] D'après la légende rapportée par Tite-Live, les trois Horaces et les trois Curiaces se seraient battus en duel au nom de leur ville Rome et Albe respectivement. Supposément les trois Albains furent blessés, alors que deux des Romains furent tués, et le dernier des Horaces prit la fuite poursuivit par les trois Curiaces. Cependant comme les Curiaces étaient blessés plus ou moins gravement, ils ne le rattrapèrent pas en même temps, ce qui permit au jeune Horace de les tuer l'un après l'autre.

n'est moins certain que ce soit une stratégie gagnante, car les conditions pour que l'opération réussisse sont particulièrement difficiles à réaliser.

Une identité diasporique :
quelles sont les conditions d'émergence?

On peut résumer ces conditions d'émergence en trois points :
- d'abord, la prise de conscience de l'impasse dans laquelle se trouve la francophonie canadienne, et de la possibilité qu'une identité diasporique émerge;
- et puis, que cette identité diasporique en arrive à se cristalliser suffisamment pour pouvoir engendrer normes et conventions de collaboration susceptibles de constituer un changement culturel porteur de mobilisation;
- et enfin, que ce changement culturel soit assez puissant pour neutraliser les prisons mentales qui pour le moment empêchent la collaboration et bloquent les possibilités que des protocoles imaginatifs soient explorés et qu'on puisse en faire l'expérimentation.

La prise de conscience de l'impasse dans laquelle se trouve la francophonie canadienne-française va dépendre de la possibilité de porter un regard critique sur la situation qui échappe à l'idéologie en place qui impose un fort degré de fausse conscience. Les deux petits exercices de déconstruction de la rhétorique autour de certaines causes célèbres en Ontario français présentés dans la Partie I du livre, ont montré jusqu'à quel point la gentilité de l'est Ontario français était embourbée dans un état de confusion avancée. Beaucoup de leur textes canoniques sont intellectuellement vides, et pourtant l'argumentaire fumeux a eu un support émotif. Il n'est pas clair que ces positions idéologiques vont pouvoir être minés par des arguments logiques. De plus, Radio-Canada et certains médias locaux ont propagé la désinformation avec verve.

Rien de moins qu'un effort systématique pour délégitimer ces idéologues et dénoncer certains médias pour désinformation vont réussir à faire qu'on va jeter le doute dans les esprits.

La notion d'identité réfère au processus par lequel on définit le groupe auquel on appartient. C'est en partie dicté par l'histoire, le contexte mais aussi par le choix que fait le groupe. Cela a un effet sur les représentations et les décisions, mais l'identité peut aussi évoluer en normes et en conventions qui s'encastrent dans un cadre plus ou moins cohérent, et elles-mêmes vont évoluer lentement et imparfaitement selon les circonstances.

Pour le moment, de nombreuses communautés du Canada français ont bien de la difficulté à mettre de l'ordre dans leurs identités multiples et limitées. Les amener à se délester un tant soit peu du poids de certaines de ces identités pour en reporter la valence sur des appartenances nouvelles à une entité aussi éthérée que la diaspora ne sera pas facile. D'autant plus que cette identité inédite ne sera pas, comme les autres, armée d'un morceau d'État, mais bien plus largement transportée par la société civile et ses forces informelles que sont les normes et les conventions.

L'étonnante lourdeur des identités qui nous ont accompagnés depuis toujours est difficile à secouer. Les immigrants ont à faire ce genre de choix agonique, et à se mettre à investir dans des capacités culturelles nouvelles et développées cumulativement dans la direction de la nouvelle identité. Mais c'est souvent fort difficile, et les identités multiples survivent pendant des décennies. Pourtant des mouvements sociaux ont engendré des vagues idéologiques qui ont emporté l'identité canadienne-française et l'ont porté vers l'identité québécoise en une génération. On dira que bien des facteurs ont joué dans ce transfert, mais cela semble indiquer tout au moins que ce genre de transfert est possible.

Quant à savoir comment une identité diasporique canadienne-française (hypothéquée par le label canadien-français lui-même un peu ringard pour être poli) va pouvoir mobiliser l'imagination et les sentiments et avoir un effet corrosif sur les idéologies dominantes qui bloquent la voie, ce n'est pas clair.

On peut dire que l'idée de stimuler une identité diasporique ne semble pas plus facile à réaliser que celle des Européens qui, il y a des décennies, ambitionnaient de voir l'identité européenne se substituer (ou tout au moins s'ajouter aux identités nationales) comme équipollentes. C'est un pari qui n'a très clairement pas complètement réussi après de nombreuses décennies dans tous les pays.

Ce qui pourrait inspirer le pari sur l'identité diasporique n'est donc pas susceptible d'émerger d'un enthousiasme du côté de la demande, mais d'un certain découragement du côté de l'alternative que constitue la situation actuelle. Pour le reste du Canada français (hors Québec), il faut fantasmer pour être optimiste. Pour ce qui est du Québec, c'est moins désespéré, mais pas grandement prometteur à moins que ce ne soit plus le seul îlot de verdure dans un monde d'où le Canada français hors Québec aura été louisianisé.

C'est dans cet esprit qu'il faut envisager l'identité diasporique comme une alternative mal aimée pour l'instant, mais susceptible de séduire à plus long terme.

Que faire à court terme pour préparer le terrain?

Proposer une stratégie qui construit sur l'idée d'identités multiples et limitées dans notre monde post-moderne, une stratégie contre-intuitive – celle d'un pari sur la polyphonie comme moyen de dynamiser la diaspora canadienne-française.

Un pari sur la polyphonie

Cette stratégie a été esquissée dans le *Tableau II* et a eu l'effet d'un coup d'épée dans l'eau. Sans reprendre ici tout mon sermon d'alors, on me permettra d'en esquisser les grands contours – pour mémoire. À la différence du traitement au *Tableau II* que j'avais mis au dossier – sans sentir le besoin de faire le suivi – je voudrais ici présenter ce pari comme un terrain d'exploration et d'expérimentation qui pourrait carburer à l'imagination – comme je l'explique en conclusion.

Dans un monde où le bilinguisme et le multilinguisme deviennent la norme au niveau mondial, la langue n'est plus seulement un support culturel. La connaissance de plusieurs langues est évidemment un actif important pour les individus. Et ce qui fait la puissance de l'anglais de par le monde est justement qu'il est *vastement adopté comme langue seconde* par des gens qui parlent déjà une langue première.

Dans les écoles de commerce européennes, un grand nombre d'étudiants fréquentent des cours dans leur pays et leur langue d'origine au fil des deux premières années, mais font leur troisième année dans un second pays et une seconde langue, et la quatrième dans un tiers pays. Ils en arrivent ainsi à maîtriser trois langues. Plusieurs langues, surtout quand il s'agit de grandes langues dominantes dans le monde (anglais, français, espagnol, allemand, arabe, chinois, etc.), constituent un actif important pour la personne.

Parler de 'communauté linguistique' dans l'acceptation étriquée dont il semble être question dans la présentation du document de Statistiques Canada (et dans l'esprit de l'article VI de la *Loi sur les langues officielles*) devient alors caduc : on doit parler de communautés concrètes où coexistent *de facto* plusieurs langues, et s'inquiéter de la vitalité linguistique à une autre échelle – moins de ce qui se parle à la maison que de la capacité ou non des *communautés agrandies d'opérer efficacement en plusieurs langues*, moins du « vivotement » d'une langue dans la « réserve » que de la vitalité du numéraire linguistique par l'accrétion de nouveaux locuteurs dans la communauté agrandie.

Au lieu de célébrer un unilinguisme qui encapsule l'individu et limite ses horizons, il s'agit de mettre en place des mécanismes de valorisation des langues comme actifs dans un monde de plus en plus cosmopolite.

La langue (numéraire, actif, et support culturel) et le plurilinguisme

Selon la valence que l'on donne à la langue comme numéraire, actif, ou support culturel, on est évidemment amené à réagir différemment face au cumul de langues.

Pour ceux qui voient exclusivement la langue comme support culturel à la Bernard, un certain apartheid linguistique devient la voie royale. Un contexte bilingue ou multilingue est à combattre. Pour ceux pour qui la langue est un numéraire et un actif, bilinguisme et multilinguisme sont des éléments de valeur ajoutée pour autant qu'ils accroissent le réseau de communication (Paquet 1996).

Or, une stratégie de plurilinguisme semble bien davantage coller au vécu des minorités linguistiques.

On peut se demander jusqu'à quel point c'est une faible sous-minorité agissante, intégriste et malthusienne, qui veut que tout se passe dans la langue de la minorité. Quant au support pour ce genre d'argumentaire qu'on entend dans certains milieux majoritaires, des cyniques pourraient dire qu'il correspond souvent à une volonté d'encapsulation de l'Autre qu'on abandonne au dominium de ses leaders (sortes de nouveau roi-nègre à la Laurendeau) qui prétendent contrôler les enclaves temporairement.

La valorisation du multilinguisme, au lieu d'être fustigée comme un appel au dépérissement de la communauté linguistique minoritaire, pourrait bien être plus prometteuse comme stratégie transculturelle économiquement rentable à la fois pour la communauté et pour les membres.

Puisqu'une territorialisation de la langue de base (à la Suisse) ne semble pas facilement réalisable au Canada – comme on le suggérait pourtant d'une certaine manière dans le rapport du Groupe de travail Pépin-Roberts à la fin des années 1970 – une stratégie de plurilinguisation au Canada (anglais, français, et une troisième langue devant être acquis avant la fin du secondaire) renforcerait la persistance du français dans le reste du pays à proportion que la connaissance du français comme langue seconde s'y accroîtrait, améliorerait la connaissance de l'anglais au Québec, et exhausserait la valorisation des autres patrimoines linguistiques partout au pays (Paquet 2002b, 2005).

Or, les questionnements de Statistiques Canada dans l'étude Corbeil et al semblent strictement considérer la langue comme support culturel, et mettre l'accent sur une notion de vitalité linguistique relativement étroite. On pourrait arguer que les données révèlent que les CLOSM ont un attachement exclusif à leur langue, et que cet attachement correspond à une volonté de la communauté d'investir des ressources considérables dans le maintien de cette langue. C'est une interprétation abusive.

Pas difficile de comprendre qu'un groupe linguistique déclare son attachement à sa langue maternelle, et, qu'il veuille, dans l'idéal et à coût zéro, avoir davantage l'occasion de l'utiliser puisque c'est l'instrument linguistique qu'il manie le mieux. Le questionnaire offre simplement aux citoyens l'occasion de verbaliser des créances à prix zéro sans chercher à déterminer (1) le prix que le citoyen est ou serait prêt à payer pour pouvoir opérer exclusivement dans sa langue, et (2) jusqu'à quel point il bénéficie de la possibilité d'opérer en plusieurs langues.

Par exemple, il aurait été intéressant de savoir combien des membres de CLOSM ont choisi d'envoyer leurs enfants à l'école de la majorité (quand on leur permet) non pas par effet mécanique d'exogamie, mais pour augmenter leur capital d'actifs linguistiques.

Il aurait aussi été intéressant de mesurer le degré de satisfaction de ceux qui ont appris les deux langues, de définir la nature des gains qu'ils ont faits ou croient faire.

Plurilinguisme en tant que stratégie contre-intuitive

Jay Forrester a étudié les systèmes complexes pendant des décennies, et a montré que le manque à comprendre la dynamique de tels systèmes entraîne souvent les observateurs et les experts à développer des politiques qui, au lieu de corriger les dérapages qu'ils dénoncent, tendent à aggraver les situations qu'ils décrient. Ces travaux ont montré dans divers domaines comment une épistémologie infirme, et une image indûment simpliste des systèmes sociaux (qui sont fondamentalement complexes et non linéaires) ont engendré des politiques destructives inspirées par les motifs les plus louables (Forrester 1971).

Tel est le cas dans la situation qui nous intéresse ici. La stratégie de repli et de 'réserve communautaire' semble suicidaire. Une approche de rechange, qui peut paraître de prime abord contre-intuitive, pourrait donner de meilleurs résultats.

Au lieu de miser sur la langue comme strict support culturel, et sur l'auto-conservation comme stratégie de base, et de compter sur l'État pour préserver à tous prix des communautés linguistiques invivables par un arrosage généralisé de gratifications, et une police plus musclée de la langue, pourquoi ne pas miser sur la langue, numéraire et actif, et viser à rendre le Canada de plus en plus multilingue, à faire des Canadiens de nouveaux Phéniciens.

Cette approche de rechange partirait des postulats suivants :
- d'abord, le fait que la langue est avant tout un actif et un numéraire, et qu'elle apporte un avantage comparatif à l'individu et à la communauté dans sa quête de valeur ajoutée;
- ensuite, le fait que la continuité linguistique d'une communauté se fait bien davantage par la participation de personnes qui font de la langue de la communauté leur langue seconde que par le repli des personnes originales sur leur langue première;

• enfin, le fait qu'une politique active de plurilinguisme de tous les Canadiens par le truchement du système d'éducation aurait l'heur d'être économiquement rentable, de favoriser le français et l'anglais en tant que grandes langues du monde (qui seraient choisies plutôt que des langues moins répandues par ceux qui devraient apprendre des langues secondes), et, par effet de retombée, de contribuer à la continuité linguistique du français et de l'anglais dans les CLOSM au Canada.

Une stratégie de plurilinguisme pourrait être défendue sur la base de trois constatations : (1) le réalisme d'une lingua franca plus ou moins *de facto* territorialisée, (2) la nécessité de reconnaître le statut particulier de l'autre langue officielle au Canada, et (3) la prise en compte des divers patrimoines linguistiques nouveaux en tant qu'actifs.

L'efficacité de la langue-numéraire commande que l'on territorialise autant que possible la lingua franca si l'on veut qu'elle joue son rôle. Cette confortation de la langue de base rassure et élimine bien des anxiétés face aux autres langues. Cela se traduit de manière réaliste par la reconnaissance qu'il y a deux lingua franca au Canada – le français au Québec, l'anglais et le français au Nouveau Brunswick, et l'anglais dans le reste du Canada.

Il s'agit d'une réalité incontournable qui hante les débats publics depuis longtemps. Déjà, le Groupe de travail Pépin-Robarts avait recommandé que chaque juridiction provinciale puisse avoir le droit de déterminer une ou des langues officielles, et que les droits linguistiques soient encastrés dans des statuts provinciaux. Cela avait été fait au nom du respect de la diversité, mais avait reçu une fin de non-recevoir du gouvernement Trudeau pour des raisons idéologiques.

La seconde constatation est ancrée à la fois dans un souci d'efficacité (numéraire, actif) et dans l'engagement historique qui réclame qu'on respecte l'existence des deux langues officielles (support). Pour le français, ce statut particulier est menacé par l'évolution démographique, mais serait renforcé par un effort continu pour favoriser l'apprentissage de l'autre langue officielle, et pour assurer que des services dans l'autre langue officielle sont disponibles là où le nombre le justifie. Ce point d'ancrage n'est pas susceptible d'être remis en question à moins qu'on veuille détruire le pays tel qu'il existe.

La troisième constatation est fondée sur des impératifs d'efficacité (actif) et sur l'engagement multiculturel du Canada (support). C'est le message du *corporate multiculturalism* qui vise à réussir la gestion de la différence en reconnaissant son importance économique, comme l'ont fait Benetton, Coca-Cola et CNN (Semprini 2000). Dans notre monde multiculturel, il est en effet devenu essentiel de donner une certaine reconnaissance linguistique qui s'arrime à la reconnaissance culturelle. C'est un terrain délicat mais incontournable.

Politique linguistique existante bancale

Si l'on définit la gouvernance linguistique comme la coordination efficace quand le pouvoir, les ressources et l'information sont vastement distribués, on doit admettre que les mécanismes permettant d'effectuer cette coordination dans le sens requis par la stratégie proposée plus haut ne sont pas en place.

Dans le cas des deux lingua franca, il y a un incroyable vacuum.

Le degré d'analphabétisme fonctionnel est navrant au Canada et au Québec, et pourtant on ne semble pas s'en soucier. C'est le laisser-faire. Or, non seulement la mauvaise connaissance de la lingua franca diminue-t-elle considérablement la possibilité de tirer profit de ce numéraire, mais elle a aussi des répercussions négatives importantes sur la productivité et la compétitivité. Voilà tout un pan d'activités où il est clair que la performance est déficiente, et où une gouvernance linguistique renouvelée pourrait avoir un impact fort important. Il s'agit d'un appareil de gouvernance à inventer.

Dans le cas de la langue seconde officielle (aussi nommée langue des minorités de langue officielle), une infrastructure institutionnelle est en place mais elle est inadéquate. La structure en place révèle deux séries de défauts. Elle est d'abord fondamentalement construite sur des perspectives étroites et défensives : bien davantage intéressée à la défense des droits acquis, et au maintien des 'réserves communautaires' qu'à la promotion, la défense et l'illustration des patrimoines linguistiques comme source de créativité et d'innovation. Ensuite, elle a des failles de fonctionnement à cause de « l'absence de mécanismes collectifs d'imputabilité, d'un partage des responsabilités clairement énoncées, de règles du jeu ou de critères bien définis et d'une compréhension renouvelée du développement des minorités » (Cardinal et Hudon 2001 : 39). Il s'agit dans ce cas-là de réparer les institutions en place.

Quant aux autres langues, il y a un incroyable manque d'intérêt quand ce n'est pas une hostilité ouverte. Certains individus ont commencé à s'y intéresser un peu plus avec la mondialisation et l'ouverture des frontières. Mais il reste qu'on ne sent ni au Canada ni au Québec une pression pour l'apprentissage de ces autres langues ou pour une promotion du plurilinguisme. En fait, il y a même une certaine méfiance face aux défis du plurilinguisme de la part de ceux qui se sont encoconnés dans le confort des deux langues officielles. Ils voient dans le plurilinguisme une érosion du bastion du bilinguisme. Pour les tenants de l'apartheid, le plurilinguisme connote une attaque sur plusieurs fronts, à combattre encore plus fermement que le bilinguisme.

Mécanismes manquants

Ce n'est pas le lieu pour présenter les devis précis de la nouvelle architecture organisationnelle qui s'impose, mais on peut mentionner quelques mécanismes manquants aux trois niveaux tout au moins pour fixer les idées.

Au premier niveau, une bonne gouvernance linguistique va vouloir assurer, *par un système d'éducation adéquat*, la base institutionnelle requise pour que les citoyens puissent communiquer dans la lingua franca territorialisée. Les autorités provinciales doivent prendre l'engagement ferme de donner une priorité absolue à la qualité de la connaissance et de l'enseignement de la lingua franca.

Il faut s'assurer qu'aucun élève ne puisse obtenir son certificat d'études secondaires sans faire la démonstration d'une excellente connaissance de la lingua franca. Voilà qui n'implique rien de moins qu'une croisade pour améliorer la langue d'usage, enrichir les enseignements de la langue, et poursuivre une campagne de ré-alphabétisation de ceux qui sont pour le moment des analphabètes fonctionnels. Il est difficile de croire que cela puisse créer problème. Cela devrait pouvoir recevoir assez allègrement l'accord de tous.

Il faut aussi en parallèle travailler à *mieux intégrer les immigrants dans la lingua franca* : contrat moral avec les immigrants qui s'installent sur le territoire pour qu'ils s'engagent à développer les compétences linguistiques nécessaires comme condition de citoyenneté (comme l'avait suggéré le document préparé par Mme Gagnon-Tremblay au Québec en 1990). Mais il faut aussi fournir aux immigrants et à leur famille les moyens d'acquérir cette connaissance raisonnable de la lingua franca avant d'obtenir leur citoyenneté en mettant en place les infrastructures requises.

Au second niveau, on doit donner un nouveau souffle à la politique d'encouragement à l'apprentissage de l'autre langue officielle dans chacun des pans du Canada. Il est évident que cela va être plus ou moins vigoureux selon les régions à proportion que les rendements sur ces apprentissages seront plus ou moins importants.

Mais il semble essentiel, pour éviter le piège de l'apartheid, qu'il y ait accord sur un bilinguisme minimal anglais/français, et sur une promotion de ce bilinguisme. Pour ce faire, il faut repenser en profondeur les ententes entre le gouvernement fédéral et les minorités de langue officielle pour en faire des instruments prospectifs de promotion de la créativité dans les communautés minoritaires de langue officielle. Or, cela ne peut se faire vraiment bien qu'au niveau local : par des mécanismes, variant selon les circonstances, qui donnent le pouvoir aux communautés au lieu d'imposer des structures qui contribuent à simplement les atrophier et à bureaucratiser les cadres qu'on impose aux instances locales pour les arrimer aux structures gouvernementales. Comme le suggérait Albert Breton, cela ne peut s'accomplir que si « on investit des ressources dans la créativité – une forme de capital humain dont on peut tirer à la fois un rendement privé et un rendement social » (Breton 1999 : 115).

Au troisième niveau, il semble crucial de développer dans tous les pans du pays une *appréciation de l'importance des patrimoines linguistiques en tant qu'actifs* à fort rendement, et de promouvoir l'apprentissage des langues autres que le français et l'anglais au Canada.

Une façon simple mais probablement utopique de le faire serait de s'assurer qu'on ne puisse obtenir son certificat d'études secondaires nulle part au pays sans une connaissance de deux autres langues en plus de la lingua franca – connaissance minimale de trois langues donc. Voilà qui devrait avoir le double effet de promouvoir l'enseignement des langues au secondaire, de renforcer les infrastructures pour le faire, et de mettre en place des mécanismes de promotion et d'évaluation de la connaissance de ces autres langues. Ce mécanisme aiderait aussi à la préservation du patrimoine linguistique existant, et tendrait à accroître le capital linguistique de base des citoyens. On peut en effet penser que les enfants des nouveaux arrivants préserveraient davantage leur langue d'origine, et qu'ils feraient les efforts nécessaires pour apprendre les deux langues officielles du pays. Pour ce qui est des Canadiens de souche, le fait que d'ici dix ans on puisse avoir des cohortes de finissants du secondaire qui soient trilingues ne peut que contribuer dramatiquement à briser les apartheids linguistiques qui existent, et à donner aux Canadiens les leviers linguistiques nécessaires pour devenir de nouveaux Phéniciens.

Conclusion

On comprendra que ces stratégies de gouvernance ne donnent pas beaucoup de place à l'apartheid linguistique. En fait, cette gouvernance linguistique renouvelée veut plutôt promouvoir un plurilinguisme qui seul correspond au pluralisme qui définit le Canada. Elle a pour but d'accroître les actifs linguistiques des citoyens, de multiplier les numéraires, et d'en arriver, ce faisant, à renforcer la continuité linguistique des CLOSM indirectement.

Pour les tenants du bilinguisme compétitif – du monde où une langue cherche toujours à chasser l'autre, et où on utilise, métaphoriquement et sans bien en comprendre le sens, la loi de Gresham qui veut que la mauvaise monnaie chasse la bonne – cette stratégie n'est pas plaisante. Mais comme les stratégies de conservation ne semblent pas réussir, et que l'idée d'imposer des mesures coercitives additionnelles rebute, il se peut que l'on puisse faire l'accord sur une stratégie qui utilise les deux lames de la paire de ciseaux :

- une stratégie de territorialisation et de concentration des CLOSM qui tend à maintenir et à soutenir la préservation de masses critiques dans des zones propices, mais sans s'adonner, pour la forme, à de l'arrosage généralisé des fonds publics pour maintenir en place tous les îlots de verdure sans exception;
- une stratégie d'accrétion des effectifs d'utilisateurs de la langue minoritaire comme langue seconde (par toutes sortes de moyens) afin de supporter, ce faisant, même si c'est indirectement, la continuité linguistique de la langue minoritaire tout en accroissant considérablement les actifs linguistiques de la Grande Communauté.

On peut croire que le bon usage d'un plurilinguisme de complémentarité qui vient s'ajuster à un pluralisme culturel, qui traverse toutes les sphères de la société canadienne, a des chances de réussir si l'on peut mobiliser l'imagination des parties prenantes, et les amener à inventer les voies du dynamisme d'accrétion.

Stratégie dangereuse diront certains, mais stratégie infiniment plus prometteuse que le recours aux forêts auquel nous invite le dynamisme de conservation.

Références

Breton, Albert (sld). 1999. *Explorer l'économie linguistique*. Ottawa, ON : Patrimoine canadien.

Calame, Pierre et André Talmant. 1997. *L'État au cœur*. Paris, FR : Desclée de Brouwer.

Cardinal, Linda et Marie-Eve Hudon. 2001. *La gouvernance des minorités de langue officielle au Canada : une étude préliminaire*. Ottawa, ON : Commissariat aux langues officielles, p. 39.

Forrester, Jay W. 1971. « The Counter-Intuitive Nature of Social Systems », *Technology Review*, 73(3) : 52-68.

Frank, Robert H. 2011. *The Darwin Economy – Liberty, Competition, and the Common Good*. Princeton, NJ : Princeton University Press.

Goss, Sue. 2014. *Open Tribe*. Londres, R.-U. : Lawrence & Wishart.

Gurvitch, Georges. 1964. *The Spectrum of Social Time*. Dordrecht, NE : D. Reider Publishing.

Hock, Dee. 1999. *Birth of the Chaordic Age*. San Francisco, CA : Berrett-Koehler Publishers.

Merrifield, Andy. 2011. *Magical Marxism – Subversive Politics and the Imagination*. Londres, R.-U. : Pluto Press.

Onfray, Michel. 2014. *Le réel n'a pas eu lieu – Le Principe de Don Quichotte*. Paris, FR : Autrement.

Paquet, Gilles. 1996. « L'Ontario français : *quo vadis?* » dans Anne Gilbert et André Plourde (sld). *L'Ontario français, valeur ajoutée?* Ottawa, ON : Centre de recherches en civilisation canadienne-française, p. 55-73.

Paquet, Gilles. 2002a « Le droit à l'épreuve de la gouvernance » dans Perret, L. *et al.* (sld). *Évolution des systèmes juridiques, bijuridisme et commerce international*. Montréal, QC : Wilson & Lafleur, p. 363-381.

Paquet, Gilles. 2002b. « Pépin-Roberts redux : socialité, régionalité et gouvernance » dans Jean-Pierre Wallot (sld). *Le débat qui n'a pas eu lieu : la Commisison Pépin-Robarts, quelques vingt ans après*. Ottawa, ON : Presses de l'Université d'Ottawa, p. 121-148.

Paquet, Gilles. 2005. « Quel rôle pour l'apartheid linguistique? » dans Jean-Pierre Wallot (sld). *La gouvernance linguistique*. Ottawa, ON : Presses de l'Université d'Ottawa, p. 277-293.

Resnick, Mitchell. 1996. « Beyond the Centralized Mindset », *Journal of Learning Sciences*, 5(1) : 1-22.

Semprini, A. 2000. *Le multiculturalisme*. Paris, FR : Presses Universitaires de France.

Taleb, Nassim N. 2012. *Antifragile – Things that Gain from Disorder*. New York, NY : Random House.

Conclusion
Avant un programme ... de l'imagination et des prérequis

A insi que je le soulevais à la toute fin du *Tableau III*, l'avènement de la diaspora canadienne-française n'est rien de moins qu'un *passage à une nouvelle référence*. Or, ce passage ne se fera pas sans heurts, car des phalanges de francophonistes braqués sur l'autoconservation linguistique absolue et exclusive, et de fédéralistes perclus par l'habitus centralisateur, sont susceptibles d'y faire activement obstruction à moins qu'on puisse les convertir ou les neutraliser.

Cette nouvelle référence passe par un impératif d'ouverture, de métamorphose continue, d'accommodements linguistiques, et d'antifragilité qui sache servir d'astrolabe dans le design d'une gouverne eunomique d'une diaspora canadienne-française non centralisée. Comme il s'agit d'un avenir à construire, rien n'est acquis.

Il faudra évidemment dans un premier temps neutraliser le travail de sape des taupes traditionalistes, persuader tous et chacun de prendre leurs responsabilités dans la montée de la société civile associative dans leur pan de la diaspora, substituer un esprit de gouvernance à l'habitus centralisateur, et garder le cap sur l'antifragilité. Mais cette vaste opération ne pourra pas se contenter de contestation. Il faudra aussi bâtir des capacités d'aller au-delà des données immédiates de la conscience, et de faire bon usage de l'imagination et de la créativité dans la production de l'associativité montante.

Cette sorte de révolution dans les esprits fait souvent éruption dans des sociétés marquées par des doctrines absolutistes – après des décennies de rigidité doctrinale qui menace leur vitalité de catatonie. Voilà pourquoi il y a eu un vent de fraîcheur quand Andy Merrifield a déclaré qu'il fallait sortir le marxisme de ses ornières – miser sur un *marxisme magique* qui se dégage de la mécanique primaire de la lutte des classes pour chercher à imaginer l'imprévu, à anticiper les transformations potentielles de ce qui existe dans la réalité, et à imaginer un communisme du futur (Merrifield 2011).

Ce pari de Merrifield l'a amené à revisiter les écrits du jeune Marx à travers la lentille du réalisme magique de la littérature sud-américaine, et en particulier du roman de Gabriel Garcia Marquez – *Cent ans de solitude*. Il ne s'est aucunement agi de simples extrapolations à partir de la situation actuelle, mais d'un véritable *détournement* apparemment fantaisiste de la réalité en des représentations qui permettent d'explorer toutes sortes de mondes alternatifs pensables et impensables.

C'est à un pareil *détournement* – quoique d'un tout autre acabit – que cette conclusion veut aboutir.

Mon invitation à l'*imagination radicale* ne se décline pas ici en un programme ou même en une démarche programmatique – ce qui serait prématuré et nous amènerait à sombrer dans le velléitaire – mais seulement en une *enquête* qui permette de mieux apprécier ce qui nous empêche de voir les possibles, et ce qui va être nécessaire pour ouvrir la porte au *possibilisme* d'Albert Hirschman dont on parlait au chapitre 2 – un investissement délibéré dans la découverte de sentiers (aussi étroits soient-ils) menant à des avenues censément fermées, interdites ou impensables sur la base du seul raisonnement probabiliste – et en une *approche* construite sur la possibilité d'accroître le nombre de façons d'envisager et de visualiser l'arrivée du changement.

Dans le cas qui nous intéresse ici, face à un environnement hyper-turbulent où la capacité d'ajustement des organisations en place risque de ne pas être à la hauteur, il y a risque que le système résiste mal aux pressions, et qu'il se désarticule en tourbillons et enclaves (McCann et Selsky 1984). Pas de salut dans le simple recroquevillement défensif ou dans l'ajustement superficiel, il faut identifier autour de quels patterns l'organisation pourrait possiblement se reconstruire, et le lien social se réinstituer.

Nous proposons que la diaspora canadienne-française aurait de meilleures chances de survivre (au lieu de disparaître morceau par morceau, l'un après l'autre, comme les Curiaces) si elle pouvait mettre en place des *dispositifs d'association et de collaboration* lui permettant de mieux faire face à la turbulence et aux avalanches dans l'environnement.

Ce pari ressemble à celui que je proposais sur la *philia* dans *Oublier la Révolution tranquille* (Paquet 1999), mais c'est une initiative assise sur des postulats et des prérequis beaucoup moins contraignants – et donc plus réalistes dans les circonstances. En effet, si, il y a quinze ans, on pouvait encore espérer une régénération de certaines valeurs communautaires balayées par l'invasion de l'État dans les années 60 au Québec, et érodées partout ailleurs dans le Canada français hors Québec, aujourd'hui cette régénérescence est bien improbable.

Le lien social demeure la matrice ou l'*habitus* qui conforme notre vivre ensemble, mais le lien social a changé. Le lien communautaire du passé enfermait sociétés et membres dans des traditions statutaires. C'est ce qui obnubile encore les traditionnalistes qui continuent de vouloir forger des statuts légaux formels inédits mais censément inoxydables. Or, la montée en puissance de *l'individu relationnel* a changé la donne. L'individu moderne, qui vit en réseau, a multiplié ses appartenances : il s'est singularisé, il s'engage plutôt qu'il ne se laisse « conscrire », et les liens qu'il choisit ou qu'il tolère sont multiplexes et moins lourds (plus faibles diront certains), souvent intenses à défaut d'être durables. Ce nouveau lien social est un *lien d'association ou d'associativité volontaire* plus ténu et moins rigide, mais pas nécessairement moins fort que le lien communautaire d'antan (Sue 2016 : 15ss, 36ss; Granovetter 2000 : chapitre 1).

Pour surfer sur cette associativité en explosion, il faut changer la façon de penser et la façon d'agir. On voudra montrer la voie.

Le travail en quatre étapes

Pour ce faire, nous proposons que cela puisse se faire en quatre étapes.

D'abord, au plan épistémologique, remettre en selle le sens critique :

- pour faire le ménage dans les dogmes qui continuent à nous empêcher de penser et de confronter les prisons mentales qui sont à la source de beaucoup de nos fléaux; et
- pour inviter à une pensée aventureuse qui non seulement sorte des sentiers battus, mais explicitement relaxe la vénération toxique pour la cohérence.

Ensuite, au plan *praxéologique*, enclencher le processus d'exploration créatrice :

- par un inventaire des ressources humaines de la diaspora canadienne-française si l'on veut vraiment identifier les possibles;
- par le design des formes les plus prometteuses d'association (mais aussi les plus prudentes, au départ) – essentiellement fondées sur la réciprocité et sur une certaine *affectio societatis* (Cuisinier 2008).

Troisièmement, *s'attaquer aux deux grandes prisons mentales* : l'intégrisme et l'habitus centralisateur

L'autocensure qui prévaut dans notre ère de rectitude politique fait qu'on n'ose plus dénoncer l'intégrisme, et qu'on laisse toute la place au pharisaïsme. Voilà qui permet aux médias de désinformer en toute suffisance, et d'en arriver à faire que, par les jeux du *pouvoir social à la Tocqueville,* certaines opinions se répandent dans nos sociétés comme autrefois la vérole sur le bas-clergé. La démocratie se transmue en doxacratie.

Dans une époque antérieure, certains contre-pouvoirs exposaient ces impostures. Aujourd'hui, l'esprit critique s'est étiolé. Utiliser un langage vigoureux pour maltraiter des sophismes ou abattre des vaches sacrées chavire un public hypersensible prêt à tout pour éviter les acrimonies. Résultat : ces temps-ci, l'intégrisme et l'habitus centralisateur que nous avons taraudés plus haut peuvent s'exprimer sans danger d'être éreintés, et leurs évêques se répandre en sophismes … les médias complaisants et les intellectuels accommodants font le reste.

À cause du manque de contre-pouvoirs robustes, s'est installée la mauvaise herbe : une forme subtile d'intimidation qui a encouragé les saltimbanques à encore plus de hardiesse. Il ne sera pas facile de contrer cette vague de molle pensée sans un retour de l'esprit critique et du courage pour confronter les faussaires (Paquet 2014, 2015). Or, esprit critique et courage sont désormais des denrées rares en particulier dans les universités où la rectitude politique est devenue endémique. Les questionnements devront donc venir d'ailleurs – de lieux de communication et de mouvements sociaux bourgeonnant dans les marges de la société civile – de lieux où l'indépendance d'esprit fleurit encore. Ce n'est pas là un phénomène nouveau. Faut-il rappeler que John Stuart Mill, Proud'hon, Marx et Darwin n'étaient pas des membres du corps académique ou des institutions patentées (Katouzian 1980 : 126-127).

Pour récurer le système des prisons mentales que sont l'intégrisme et l'habitus centralisateur, il faudra rien de moins qu'un recadrage des perspectives qui amène les parties prenantes à voir les choses autrement. Pour jouer utilement son rôle dans cette transformation, le spécialiste de gouvernance doit pouvoir explorer par avance les multiples perspectives susceptibles de se développer dans l'avenir pour ausculter notre société en dérive, et suggérer des régimes de gouverne de rechange à l'avenant. C'est un travail toujours incomplet et imparfait, mais un travail qui fait qu'on échappe au despotisme des perspectives dominantes dans le présent.

Au cœur de cette transformation – la créativité – la capacité à déborder le cadre conceptuel en usage, à changer de manière de voir, à remettre en question les postulats sur lesquels sont fondées nos observations. Mais, pour y arriver, il faut travailler à un second niveau : *arriver à mettre en visibilité les postulats qu'on fait inconsciemment* (et donc dont on n'a pas conscience) afin de pouvoir en changer. Pour engendrer la créativité, il faut que le processus d'observation déborde de son lit, qu'il soit forcé de tomber dans d'autres manières de voir. Vouloir la créativité, c'est donc nécessairement vouloir la subversion. Les spécialistes de gouvernance doivent être créateurs et subversifs.

Ce travail a déjà commencé dans les divers tomes des *Tableaux*. On m'en a d'ailleurs voulu d'avoir ironisé trop férocement par moments! Les soubassements de l'argumentaire traditionnel ont donc été suffisamment mis à mal pour qu'on puisse dire que le travail de décontamination est commencé. Reste à remplacer les postulats et les argumentaires traditionnels par des instruments de rechange. Comment fait-on?

Quatrièmement, *parier sur une pensée aventureuse*[37].

Comme disait Gaston Bachelard, « dans le règne de la pensée, l'imprudence est une méthode » (Bachelard 1972 : 11). Cette imprudence nous entraîne dans deux directions.

Faire sauter les verrous

Penser est une activité coûteuse. Dans la vie quotidienne, on développe des automatismes qui font l'économie de bien des raisonnements. On va conduire sa voiture jusqu'au bureau, prendre l'ascenseur, sans avoir à y penser. Ces activités sont aussi routinisées que celles de la digestion dans notre organisme. Le pilote automatique est aux commandes. Créativité zéro.

Mais face à la turbulence, à des circonstances qui pourraient avoir des effets catastrophiques irréversibles sur la survie même de la diaspora canadienne-française, il faut innover. On dit que la nécessité est la mère de l'invention. Ceci n'est vrai qu'à moitié : rien n'assure que la nécessité va enclencher un processus créateur même quand l'environnement réclame qu'on innove. Trop souvent, la nécessité ne provoque qu'incantations ou offrandes aux idoles. La pensée créatrice est bien autre : c'est celle qui permet de regarder la même chose et de penser autrement, de désapprendre, de sortir de nos routines et prisons mentales, et de faire que notre manière de voir se définisse autrement.

Mais pour ce faire, il faut faire sauter les verrous.

Von Oech a le mérite d'avoir identifié un certain nombre de ces verrous, de ces empêchements à être créateur, et d'avoir suggéré des manières simples de les faire sauter (Von Oech 1986).

---

[37] Cette section emprunte librement à la conclusion de Paquet, 2008 : 356ss.

Quelques exemples pour fixer les idées :

Certaines prison mentales et comment faire sauter leurs verrous

VERROU	COMMENT LE FAIRE SAUTER
(1) L'obsession de la bonne réponse (quand on n'a qu'un marteau tout ressemble à un clou)	(1) Insister toujours pour avoir une seconde bonne réponse
(2) L'obsession de la logique, du solide	(2) Chercher la métaphore floue qui court-circuite
(3) L'obsession des règles	(3) Se demander toujours ... et si l'on ne suivait pas la règle ?
(4) L'obsession d'éviter l'ambiguïté	(4) Cultiver le paradoxe
(5) L'obsession de ne pas faire d'erreur	(5) Prendre un risque par jour

Comme l'explique Von Oech, ces verrous qui empêchent la créativité sont tous une forme de sclérose intellectuelle, et le travail pour faire sauter les verrous se résume en un seul mot : *jouer*. Von Oech va même jusqu'à affirmer que le jeu est le père de l'invention. En effet, jouer est probablement l'activité qui suscite la plus grande capacité à nous amener au-delà de nos limites : l'exploration, l'analogie, le questionnement, l'expérimentation.

À la recherche d'autres yeux

Comme on l'a mentionné en introduction à cet ouvrage, l'expérimentation et le 'jeu sérieux' sont l'une des sources les plus importantes de l'innovation et de l'esprit de créativité, et la poursuite de la nouveauté pour elle-même est un élément de motivation bien plus important que la pénurie ou la recherche de l'efficacité. Le reconnaître, c'est aussi reconnaître que la créativité va bien souvent venir d'une exploration ludique des possibles latéraux, et d'une capacité à faire bon usage du mixage des perspectives comme cela se produit dans un cocktail party réussi (March 1988; Schrage 2000; Lester et Piore 2004).

Attendre les diktats de la nécessité, c'est souvent condamner l'innovation à arriver trop tard. Il faut donc adopter une stratégie qui fasse bon usage du « jeu sérieux » de manière non seulement à nous aider à explorer mieux et plus efficacement, mais aussi à nous amener à réfléchir sur notre propre façon de penser, à transformer notre mentalité, à voir les choses avec d'autres yeux sans attendre que les circonstances nous y forcent.

Un livre publié il y a un bon moment utilise l'expérience d'un animal marin qui a toujours l'air de s'amuser pour bien illustrer cette capacité à voir les choses avec d'autres yeux. Dans *La stratégie du dauphin*, Lynch et Kordis comparent le dauphin primesautier à d'autres animaux des mers qui sont fort sérieux – comme le requin (Lynch et Kordis 1994).

Les auteurs montrent que l'invariabilité, l'inflexibilité et le sérieux du requin sont son Waterloo. C'est par le jeu, la flexibilité et la stratégie de dépassement que le dauphin survit : sa capacité à comprendre les faiblesses de l'autre et ses façons de faire ingénieuses sont autant de façons de faire de l'apprentissage innovateur. Le dauphin poursuit une stratégie tant que cela marche. Dès que cela ne marche pas, il change de jeu, poursuivant implacablement quelque chose qui marche.

Quand les dauphins sont en présence d'un requin qui les attaque, ils ne fuient pas mais n'attaquent pas de front, ils tournent autour de lui, et se servant de leur gros nez comme d'un bélier, ils lui écrasent méthodiquement la cage thoracique jusqu'à ce que le requin coule à pic.

Le grand levier est de chercher toujours à mettre les choses en contexte, à utiliser des stratagèmes de recadrage pour sortir des dilemmes. Le dauphin a le *modus operandi* de ceux qui ont internalisé les manières de voir de Von Oech, et qui ont maîtrisé les techniques nécessaires pour que la pression pour innover vienne de soi-même, du jeu lui-même.

Naïf direz-vous! Pas du tout. Car il n'y a là rien de magique. Le dauphin accepte simplement le changement : il ne tente pas de gérer le changement sans changer lui-même – il change. Et son avantage comparatif est qu'il apprend vite, il cherche des solutions de rechange, il croit aux représailles justifiées et au pardon immédiat, etc. Ce ne sont là que quelques-unes des 57 propositions que Lynch et Kordis utilisent pour résumer le comportement du dauphin (*Ibid.* : 241-43).

Au cœur de toutes ces propositions, deux principes : (1) une curiosité continue qui aime l'expérimentation, l'exploration, le jeu pour chercher à savoir, et (2) une impatience qui fait qu'on refuse de s'accrocher à une stratégie qui ne débouche pas, qu'on met l'accent sur une capacité à apprendre vite, qu'il faut s'ajuster, remettre continuellement en question ce qui ne marche pas, recadrer, développer toujours son aptitude à voir avec d'autres yeux.

Un mini-coup d'état en trois mouvements

Pour que cette créativité puisse avoir des chances de réussir, il faut évidemment que la connaissance de base du terrain des opérations soit suffisante pour que l'exploration soit informée. C'est là un problème important quand il s'agit de la diaspora canadienne-française. Comme il ne s'agit pas d'une réalité administrative officialisée, on a assez mal arpenté ces territoires. Or, si l'on veut construire des relations enrichies entre les pans de la diaspora canadienne-française, il est essentiel de bien apprécier les actifs de chaque morceau. Et ces actifs sont avant tout des ressources humaines.

Dans le capharnaüm des concurrences entre communautés ou groupes, dans un monde du savoir où l'information n'est pas toujours existante et fiable, la diaspora ne va pouvoir jouer un rôle important et déterminant dans la division du travail et dans l'émergence des associations et collaborations rentables, que si elle peut acquérir un avantage concurrentiel.

Cet avantage comparatif est pensable à deux niveaux (au-delà des avantages comparatifs de type plus général que peuvent utiliser tous et chacun) : d'abord en pouvant compter sur *une qualité supérieure de l'information à propos des actifs communautaires* des divers morceaux de la diaspora et de leur engagement potentiel, et ensuite en pouvant compter sur *une intensité plus grande de l'engagement des partenaires* à cause du bagage culturel commun.

Dans les deux cas, il s'agit de réalités qui dépendent fondamentalement de l'intérêt des morceaux du Canada français à s'associer à l'effort diasporal. En effet, si l'intérêt est nul parce qu'on n'a aucun sentiment d'appartenance à cette grande diaspora, aucun sens d'une identité commune, *qu'on ne voit pas pourquoi les communautés devraient avoir un degré d'affectio societatis plus grand dans les relations diasporiques que dans leurs autres relations*, on ne verra pas non plus pourquoi les divers pans de la diaspora voudraient investir dans un dispositif ou un appareil qui fournirait à la diaspora une information plus riche à propos des ressources d'un pan de la diaspora que celle qui est disponible au reste du monde.

Or, moins on connaît l'autre, moins on voit des avantages à collaborer; moins l'autre est intéressé, moins on va être porté à collaborer. L'appartenance à la diaspora est d'autant plus approfondie à proportion que les avantages qu'on pense pouvoir en tirer sont importants, et plus grande est l'intensité de l'engagement qu'on peut conjecturer, plus sera grand l'investissement qu'on est prêt à faire dans les moyens pour améliorer les relations diasporiques.

À ce stade-ci, il n'est pas clair que ce cercle vertueux avantages-intérêts-investissements-*affectio* est en place.

Est-ce que le manque d'intérêt profond dans la diaspora vient de ce qu'on n'en n'a pas compris les avantages? Ou est-ce que la concurrence entre régions est suffisante pour occulter tout intérêt pour des collaborations prometteuses entre groupes identitaires? Se pourrait-il enfin que les francophones au Canada n'ont aucun intérêt à investir dans la diaspora à moins que cela soit pris en charge par les gouvernements – auquel cas il serait bien difficile de croire que cette initiative a le moindre avenir puisqu'une action gouvernementale pour stimuler les échanges entre communautés francophones au détriment des autres communautés serait bien difficile à légitimer. Etc.

Première étape : l'inventaire des arbres de connaissances

Présumons pour le moment que l'appartenance à la diaspora canadienne-française fonde *une certaine « identité commune »*, bien qu'on n'en connaisse pas l'intensité. Le test le plus simple de cette intensité serait d'évaluer jusqu'à quel point les différentes portions de la diaspora seraient prêtes à investir des ressources dans la construction d'un appareil qui faciliterait les rapports entre ces collectivités et assurerait des rapports privilégiés entre elles – si on les informait mieux et qu'on leur demandait leur avis.

Un tel projet à propos des communautés de savoir a été imaginé dans un tout autre contexte par Authier et Lévy. L'idée générale du système est présentée dans le graphique ci-bas (Authier et Lévy 1992 : 101).

Le système des arbres de connaissances d'Authier et Lévy

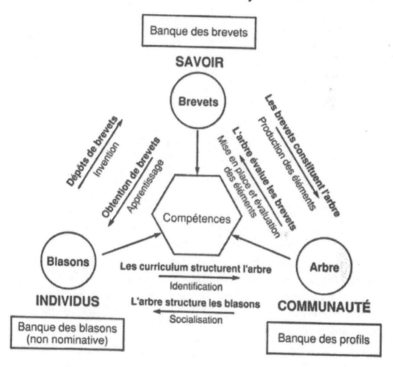

Authier et Lévy ont développé la mécanique qui sous-tend un tel dispositif, et les effets bénéfiques qu'ils conjecturent si son usage se généralisait. Bien que ce ne soit pas ce qui nous intéresse principalement dans notre projet ici, quelques détails pourront aider à fixer les idées sur le dispositif en question.

D'abord, le système d'Authier et de Lévy prend en compte les individus, les savoirs, et la communauté des savoirs.

L'individu qui adhère à une communauté de savoirs peut obtenir un *blason* qui est une représentation graphique résumant ses divers *savoirs, savoir-faire ou savoirs de vie*. Le blason évolue naturellement à mesure que l'individu acquiert et parvient à faire reconnaître de nouveaux savoirs. Ces savoirs peuvent couvrir tout un éventail de *compétences* et pas seulement celles qui sont habituellement reconnues par des diplômes. Le tout peut fort bien être codé sur une carte à puce.

Le blason est constitué de *reconnaissances de savoirs* nommées *brevets*. Ces brevets sont obtenus après la passation d'une épreuve (examen, mémoire, témoignage de personnes compétentes, etc.). L'ensemble des brevets accessibles à une communauté constitue un *arbre de connaissances* (qui capture l'ensemble des blasons) définit la richesse cognitive de la collectivité telle que définie par l'ensemble des blasons des membres de la collectivité : une richesse qui évolue à proportion que sa population évolue, et que les individus acquièrent de nouveaux brevets, et donc ajoutent à leurs niveaux de compétences.

À tout moment, pour une collectivité donnée, existent *une banque de brevets, une banque de blasons, et une banque de profils* – c'est-à-dire, dans ce dernier cas, de patterns de compétences que peuvent rechercher les entreprises et les organisations de la collectivité ou d'ailleurs.

Ce projet n'a rien d'exceptionnel. Il représente seulement un exemple de dispositif facilement réalisable même à la plus petite échelle dans notre ère électronique, et donc susceptible d'être financé facilement par une fondation ou un club social au départ, et la collaboration d'un ensemble restreint d'institutions. L'objectif serait d'établir le portrait cognitif des collectivités de la diaspora canadienne-française. L'intérêt de ce portrait est qu'il donnerait une bonne image des actifs intellectuels de cette collectivité. Voilà qui pourrait servir de base pour définir quelles sortes de *relations d'association* peuvent être mises en place avec profit sur la base des complémentarités existantes.

On peut croire que si une communauté aussi petite soit-elle était intéressée à se donner la peine de contribuer à mettre en place ce genre de portrait évolutif de son intelligence collective, (1) elle investirait de manière intelligente dans un tel processus de définition de son identité, et (2) elle révélerait indubitablement, ce faisant, son intérêt à développer des relations d'association fortement enrichies avec les autres collectivités de la diaspora.

Cet exemple d'action collective pour mettre en place une telle *infostructure* n'est pas fondamentalement différente des infrastructures que les collectivités se donnent déjà pour mettre en place le capital social nécessaire pour attirer les investissements directs qui vont dynamiser la communauté. La différence, dans le cas de cette infostructure, est qu'elle permettrait en priorité d'établir un réseau plus robuste de communications entre les pans de la diaspora canadienne-française si des développements dans cette direction étaient réalisés.

Ce genre d'initiative n'est pas différent de ce qui est en train de se passer dans les municipalités au Canada qui ambitionnent d'être *certifiées* en tant que *communautés ingénieuses* (*smart communities*). Elles prennent conscience de leur actifs, habiletés et capacités, et les font reconnaître afin de pouvoir plus facilement en tirer le plus de valeur ajoutée possible. Cela pose un défi aux *architectes civiques* (qui sont ceux qui construisent les fondements de cette communauté d'interprétation), aux *ingénieurs civiques* (qui vont contribuer à la mise en place de formes de coordination inédites), et *aux entrepreneurs civiques* (les *civic Olympians* ou les champions qui vont fournir l'impulsion créatrice nécessaire pour que se reconfigurent les divers secteurs (Paquet 2001).

Trop souvent, les sites web des municipalités se sont contentés de signaler des services ou des événements aux citoyens sans vraiment chercher à les aider à découvrir *leurs avantages comparatifs*, à *développer leur identité propre*, et à *collaborer avec les autres communautés*. C'est pourtant la véritable force de frappe de ce genre d'initiative – celle qui est susceptible d'engendrer des vagues d'imitation une fois le mouvement lancé.

L'humus dans lequel s'enracine ce genre d'initiative est évidemment la société civile. Le secteur public peut évidemment contribuer à cet effort, mais il est davantage probable que le support à l'associativité va être plus fort dans les contextes de la diaspora où un éthos pro-social (porté à la collaboration) ou des émotions pro-sociales (comme la réciprocité, ou un sens de la culpabilité ou de la honte face à certains comportements répréhensibles) sont relativement plus robustes.

Seconde étape : le défi de l'associativité

Comme Roger Sue l'a dit de façon lapidaire, l'associativité est en train de devenir une forme dominante de la vie sociale, économique et politique (Sue 2001, 2016). Au-delà des organisations associatives, le *lien d'association* s'impose. Là où l'individu traditionnel était conscrit, et même encarcané, par les arrangements communautaires qui le brimaient, l'individu relationnel résiste à de telles contraintes, et insiste pour répandre sa vie en réseaux multiplexes qu'il choisit, et au sein desquels il veut garder sa possibilité de naviguer.

À la communauté contraignante se substitue la collectivité caractérisée par l'association volontaire. À liberté, égalité, fraternité vient se substituer liberté, égalité, association : dans tous les secteurs, la verticalité des arrangements traditionnels est remplacée par l'horizontalité de l'association et du réseau. Dans le privé, le public et le social, il y a contagion associative. L'associativité s'infiltre partout parce que c'est une formule plus souple, flexible et effective (Laloux 2014, 2015).

Ce mouvement rencontre évidemment des résistances : il remet en question les pouvoirs verticaux en place dans chaque secteur, et menace la préservation des positions d'autorité; mais il y a aussi la résistance idéologique et culturelle bien enracinée vis-à-vis l'associationnisme au 21e siècle, comme elle l'était aux idées de Proud'hon et Cie au milieu du 19e siècle; et puis, enfin, aucun opérateur n'a encore pleinement réussi à incarner ce mouvement et à en prendre le *stewardship*.

Dans nos sociétés complexes, la raison pour laquelle cette nouvelle forme d'organisation commence à s'imposer c'est que seuls semblent capable de survivre les systèmes autonomes qui sont disposés à apprendre et à collaborer. Mais l'apprentissage de la collaboration nécessite une *réflexion* – qui « promeut cette forme d'apprentissage qui exige de modifier les processus pour faire advenir une *identité élargie* » (Innerarity 2002 : 212).

Proud'hon considérait que la liberté individuelle était incomplète mais qu'on pouvait y suppléer par les voies de la coopération. Dans les mots de Innerarity, « il s'agissait pour lui d'une liberté qui équivaut à un isolement, la liberté de celui qui n'est pas limité par la liberté des autres. À cette liberté simple, il opposait la liberté coopérative, qui n'est pas contradictoire avec la solidarité puisque la liberté de l'autre ne fait pas obstacle à la mienne mais la favorise. L'homme le plus libre est celui qui entretient les meilleures relations avec les autres ... Proud'hon n'était ni un utopiste ni un réformiste, mais *un partisan de l'expérimentation sociale sur la base du strict volontariat* » (*Ibid.* : 240-241).

Aux modalités organiques de la solidarité que proposait la tribu, et aux modalités mécaniques de la 'solidarité' que proposait l'État-providence (masquant la solidarité réelle derrière des mécanismes anonymes et impersonnels devenant progressivement plus formels, abstraits et illisibles, et donc engendrant inéluctablement « une irresponsabilité diffuse et aveugle face aux conséquences de nos actes »), Innerarity propose des arrangements de rechange construits sur l'*homonoia* – ce qu'Aristote nomme *concorde* – qui n'est pas de l'amitié mais une sorte d'empathie minimale, capable de produire des arrangements plus personnalisés et plus transparents où on n'ignore pas les conflits mais où il semble possible de les transformer en relations d'association productives (*Ibid.* : 244-246).

Pas question évidemment de se lancer dans le genre d'expérimentation sociale que nous proposons si l'*homonoia* et l'*affectio societatis* manquent à l'appel. Le défi est posé : instaurer l'associativité comme fondement de la diaspora canadienne-française, et non pas imaginer qu'elle sera mise en place par décret.

Ce projet permet de mieux comprendre le contraste entre la cosmologie des *traditionnalistes* qui veulent tout judiciariser et insistent pour travailler par décret, et celle des *associationnistes* fondée sur une praxéologie plus souple et sur le volontariat.

Fondements des deux cosmologies

TRADITIONALISTE	ASSOCIATIONNISTE
Travail de haut en bas	Travail de bas en haut
Coercition	Volontariat
Primauté du droit	Primauté du choix
Grand G Gouvernement	Petit g gouvernance
Tyrannie des minorités	Aggiornamento
Formalité et homogénéité	Souplesse et variété
Grande valence à l'intégrisme	Accommodements
Imposition	Négociation

Face à l'hétérogénéité de la diaspora canadienne-française, la cosmologie traditionaliste est condamnée à faire long feu : focalisée sur la préservation des acquis ou l'invention de nouveaux droits immuables, elle ne peut que mener à l'exhaussement du rôle des groupes radicaux, à la confrontation continue, et à la paranoïa des *espèces en voie de disparition.* Ce processus est exacerbé par une présence fédérale qui ne sait opérer que judiciairement avec des solutions univoques mur à mur pour faire face à des réalités bariolées. En fait, dans les institutions fédérales comme CBC/Radio-Canada, c'est plutôt l'apartheid linguistique qui en est arrivé à prévaloir, quand ce n'est pas le rationnement de l'autre langue (comme quand le CRTC prohibe de mettre en ondes une chanson en anglais à Radio-Canada pendant plus qu'un certain nombre de secondes!). La cosmologie traditionnaliste repose sur ces assises.

La cosmologie associationniste est autrement mieux adaptée à la variété des pans de la diaspora canadienne-française, même si les défis sont considérables : un Québec qui semble véritablement incapable (comme l'âne de Buridan) de décider s'il va s'impliquer sérieusement ou non dans la diaspora et reste déchiré entre la possibilité de faire cavalier seul ou de devenir le cœur de cette diaspora canadienne-française; un Manitoba prêt à miser sur l'identité bilingue et se posant explicitement comme solution de rechange à la cosmologie traditionnaliste; un Nouveau Brunswick encore paralysé par une certaine paranoïa dans son combat pour les acquis linguistiques; un Ontario encore trop mal dégagé du dominium des juristes, et hésitant à se lancer dans des expérimentations aventureuses; et enfin les régions où la francophonie est mince et où c'est la valse-hésitation entre l'intégrisme, le saut vers les accommodements créatifs, et le découragement.

Seule une *approche différentialiste* (Lefebvre 1970) à ces réalités diverses pourra dessiner des cadres suffisamment souples pour assurer l'*intégration douce* qui s'impose dans la diaspora.

Pour le moment, les traditionalistes travaillent surtout à empêcher qu'on utilise notre imagination pour faire émerger des arrangements inédits dans les divers laboratoires au pays – arrangements qui pourraient avoir des effets d'entraînement dans toute la diaspora.

Un cas de figure est l'expérience en cours dans le laboratoire de la Région de la capitale nationale (RCN) qu'une certaine gentilité franco-ontarienne de l'est de l'Ontario semble déterminée à *procuster*[38].

Comme on l'a mentionné plus haut, il s'agit de l'effort semi-formel depuis des décennies pour promouvoir le concept intégrateur de RCN pour remplacer souplement la ville d'Ottawa quand on parle de la capitale du Canada dans le discours quotidien – une initiative que les divers gouvernements fédéraux ont semblé tangiblement supporter en répandant les édifices fédéraux des deux côtés de la rivière des Outaouais.

Cette initiative a le triple mérite :

(1) de faire de la RCN un vaste territoire québéco-ontarien dont le bilinguisme est baroque (dominance de l'anglais du côté ontarien avec un effort explicite et actif pour fournir des services en français à sa population; et français exclusivement (tout au moins formellement) du côté québécois avec l'impossibilité de se donner un statut bilingue pour Gatineau même si certains accommodements linguistiques sont possibles);

---

[38] Ce verbe inusité fait écho aux lits de Procuste – un charmant garçon, mais aussi un aubergiste et un brigand, qui avait l'habitude de capturer des voyageurs et de les attacher sur un de ses deux lits : les grands sur le petit lit et inversement, et de couper les membres qui dépassaient pour les gens trop grands ou bien d'étirer ceux des trop petits pour les ajuster à la dimension du lit. Ce processus de mutilation et de déformation pour rendre conforme au moule symbolise l'arbitraire et la rigidité d'une cosmologie incapable de s'adapter aux cas particuliers.

(2) d'inventer une RCN capable d'accommoder les idiosyncrasies énormes de cette région baroque et ainsi de montrer toute la flexibilité d'ajustement possible à la réalité de la région; et

(3) de montrer ainsi la voie aux autres régions de la diaspora canadienne-française dans le design d'arrangements inédits différents, mais aussi innovateurs, pour tenir compte des réalités locales.

Pour les intégristes de la région, ce concept de RCN qui n'a pas de statut juridique est non seulement inacceptable, mais aussi existentiellement agressant : il ne peut pas exister. C'est même pour certains un spectre à exorciser parce qu'il met en péril la problématique qui voudrait faire d'Ottawa une ville officiellement bilingue. Pour ces intégristes, faire advenir une *identité* élargie à la Innerarity est un tabou à proscrire et à combattre. On lui préfère un statut juridique inconvenant dont le flou est consubstantiel, et qui est susceptible d'être toxique : tant à cause de la zizanie linguistique que ce genre d'action entraînerait, qu'à cause de la valence additionnelle qu'elle donnerait aux groupes intégristes, et aux débordements dans l'évolution des relations d'association entre les communautés linguistiques de la RCN qu'elle serait condamnée à entraîner. On en a fait la démonstration plus tôt dans ce livre.

Troisième étape : Nouveaux états généraux du Canada français

Comment savoir le degré d'intérêt dans la création d'une diaspora canadienne-française réjuvénée, et dans le processus d'imagination pour dessiner les contours de cette diaspora à géométrie variable au Canada? Nous croyons que seul le déclenchement du processus d'organisation de *Nouveaux états généraux du Canada français*, dans la foulée des célébrations du 150ᵉ anniversaire de la création du Canada, pourrait vraiment contribuer à tester l'intérêt pour ce projet, et jeter les bases pour sa mise en œuvre si support il y a. Après un hiatus qui dure à toute fin utile depuis 1967, de nouveaux états-généraux qui se tiendraient autour de ces questions pourraient constituer un moment de refondation pour le Canada français.

Pas question d'improviser et de risquer que le projet implose faute d'une bonne préparation. Or, comme on l'a mentionné plus haut, aucun opérateur n'a encore pris le *stewardship* d'un tel mouvement. La Maison Gouvernance, en collaboration avec d'autres groupes, pourrait s'en charger.

Il faudra évidemment obtenir le support moral des instances locales dans la société civile du Québec, de l'Ontario, des provinces maritimes et des provinces de l'ouest – pour créer un comité – *le Groupe des 7* – qui préparerait un *Livre vert* sur les formes d'associations pensables entre les divers pans de la diaspora canadienne-française.

Ce *Livre vert* serait le document central soumis aux nouveaux états généraux du Canada français qui mobiliseraient la participation des forces vives de la diaspora – des jeunes et autres groupes les plus dynamiques, des définisseurs de situation et des personnes bien connectées avec les instances économiques, politiques et sociales – pour participer à des tables rondes portant sur des thèmes couvrant les divers secteurs – économie, politie, société, etc. à ces Nouveaux états généraux sur le Canada français.

Les débats à ces états généraux auraient trois objectifs précis :

- établir un *cahier préliminaire des collaborations les plus prometteuses* (au stade actuel des connaissances) et mettre au test l'idée qu'un pari sur la diaspora canadienne-française est suffisamment prometteur;
- se mettre d'accord sur *un projet mobilisateur* destiné à mettre en place une infostructure comme les arbres de connaissance qui permettrait de se donner une connaissance plus approfondie de la diaspora, et de renforcer le sens de l'identité de la diaspora; le but de ce projet est de jauger l'intensité de la sorte de régime d'engagement envisageable pour la diaspora;
- prévoir *l'organisation d'une seconde rencontre,* une fois que le projet mobilisateur pourra fournir ses premiers résultats, où on pourrait en arriver à des décisions quant aux moyens pour mettre en œuvre cet ambitieux projet d'une diaspora collaborative, si le plus ample informé en a montré la viabilité.

Certains cyniques vont suggérer que personne ne répondra à cet appel aux forces vives de la francophonie canadienne, ou que même, si elles répondent, ce sera pour dire ... non merci! On pourra alors tristement faire le constat de Proud'hon qui dénonçait, au 19ᵉ siècle, la paresse des citoyens et le préjugé gouvernemental – qui font que les citoyens s'en remettent au gouvernement pour régler leurs problèmes plutôt que de s'en occuper eux-mêmes. Comme le relativisme moral s'est encore accru depuis 150 ans, et que l'hédonisme règne, on dira que cela aura confirmé que le citoyen a perdu conscience du fardeau de sa charge de citoyen.

Les nihilistes vont alors ajouter que ce n'était donc pas seulement la faute de la trahison des élites et des clercs : l'expérience récente dans le monde occidental semble montrer que ces groupes sont vastement désavoués pour ne pas avoir été à la hauteur du fardeau de leurs charges, comme les politiques et les technocrates, et qu'on ne peut pas nécessairement attendre beaucoup de leur imagination. Les nihilistes nous diront qu'on ne peut pas attendre davantage du peuple ... qu'on ne peut plus croire que la porte du changement ne va s'ouvrir de l'intérieur.

Et pourtant, même si nos institutions et nos organisations nous font faux bond, un reliquat de fierté et de sens de l'honneur persiste, et fait que bon nombre n'ont pas sombré dans le cynisme et le nihilisme. Ceux-là ont réagi à la remarque ironique de Jocelyn Enders (autrefois *Surgeon General* des États-Unis) à savoir que la collaboration était un acte non naturel entre adultes non consentants, en commençant à se donner comme objectif la recherche de cette *identité élargie* dont nous avons parlé plus haut par toutes sortes de voies (Angus 2001; Merrifield 2008; Jardin 2015).

Ceux-là, peut-être, répondront à l'appel. Et ils sont fort nombreux!

Quant à ceux qui, en dernière instance, se déclareront insuffisamment motivés pour se joindre au mouvement par une expression aussi ringarde que Canada français, il faudra les confronter au fait que c'est un label éminemment déclaratif et puissamment mobilisateur pourvu qu'on y pense un peu!

Références

Angus, Ian. 2001. *Emergent Publics – An essay on social movements and democracy*. Winnipeg, MB : Arbeiter Ring Publishing.

Authier Michel et Pierre Lévy. 1992. *Les arbres de connaissances*. Paris, FR : La Découverte.

Bachelard, Gaston. 1972. *L'engagement rationaliste*. Paris, FR : Presses Universitaires de France.

Cuisinier, Vincent. 2008. *L'affectio societatis*. Paris, FR : Lexis-Nexis Litec.

Granovetter, Mark. 2000. *Le marché aurement*. Paris, FR : Desclée de Brouwer.

Innerarity, Daniel. 2002. *La démocratie sans l'État – Essai sur le gouvernement des sociétés complexes*. Paris, FR : Climats.

Jardin, Alexandre. 2015. *Laissez-nous faire! On a déjà commencé*. Paris, FR : Robert Laffont.

Katouzian, Homa. 1980. *Ideology and Method in Economics*. New York, NY : New York University Press.

Laloux, Frédéric. 2014. *Reinventing Organizations*. Bruxelles, BE : Nelson Parker.

Laloux, Frédéric. 2015. « The Future of Management is Teal », *Strategy + Business*, 6 juillet.

Lefebvre, Henri. 1970. *Le manifeste différentialiste*. Paris, FR : Gallimard.

Lester, Richard K. et Michael J. Piore. 2004. *Innovation: The Missing Dimension*. Cambridge, MA : Harvard University Press.

Lynch, Dudley et Paul L. Kordis. 1994. *La stratégie du dauphin*. Montréal, QC : Éditions de l'Homme.

March, James G. 1988. « The Technology of Foolishness » dans J.G. March. *Decisions and Organizations*. Oxford, R.-U. : Blackwell, p. 253-265.

McCann, Joseph et John Selsky. 1984. « Hyperturbulence and the emergence of Type 5 Environments », *Academy of Management Review*, 9(3) : 460-470.

Merrifield, Andy. 2008. *The Wisdom of Donkey – Finding tranquility in a chaotioc world*. Vancouver, C.-B./Toronto, ON : Douglas & McIntyre Publishing Group.

Merrifield, Andy. 2011. *Magical Marxism – Subversive Politics and the Imagination.* Londres, R.-U. : Pluto Press.

Paquet, Gilles. 1999. *Oublier la Révolution tranquille – pour une nouvelle socialité.* Montréal, QC : Liber.

Paquet, Gilles. 2001. « Smart communities and the Geo-governance of Social Learning », *www.optimumonline.ca*, 31(2) : 33-50.

Paquet, Gilles. 2008. *Gouvernance : mode d'emploi.* Montréal, QC : Liber.

Paquet, Gilles. 2014. *Unusual Suspects – Essays on Social Learning Disabilities.* Ottawa, ON : Invenire.

Paquet, Gilles. 2015. « Failure to Confront », *www.optimumonline. ca*, 45(3) : 16-32.

Schrage, Michael. 2000. *Serious Play.* Boston, MA : Harvard Business School Press.

Scitovsky, Tibor. 1976. *The Joyless Economy.* New York, NY : Oxford University Press,

Sue, Roger. 2001. *Renouer le lien social – liberté, égalité, association.* Paris, FR : Éditions Odile Jacob.

Sue, Roger. 2016. *La contre-société.* Paris, FR : Les liens qui libèrent.

Von Oech, Roger. 1986. *Choc créatif.* Paris, FR : Presses-Pocket.

Sources

Certains chapitres de cet ouvrage ont utilisé un peu de matériel publié dans des écrits antérieurs.

Pour l'introduction :

Gilles Paquet. 2005. *Gouvernance : une invitation à la subversion.* Montréal, QC : Liber, chapitre 8.

Gilles Paquet. 2013. *Gouvernance corporative : une entrée en matières.* Ottawa, ON : Invenire, chapitre 2.

Pour le chapitre 1 :

Gilles Paquet. 2016. « Notes caustiques sur la Grande Noirceur », *www.optimumonline.ca*, 46(3) : 43-56.

Gilles Paquet. 2016. « La Révolution tranquille en tant que sur-objet », *Argument,* 18(2) : 30-36.

Pour le chapitre 2 :

Gilles Paquet. 2014. « 'Bilinguisme officiel' pour Ottawa : Non, et voilà pourquoi », *www.optimumonline.ca*, 44(3) : 45-55.

Gilles Paquet. 2014. « Radiographie d'une grogne : bilinguisme officiel pour Ottawa *redux* », *www.optimumonline.ca*, 44(4) : 1-20.

Pour le chapitre 3 :

Gilles Paquet. 2014. *Tableau d'avancement III – Pour une diaspora canadienne-française antifragile.* Ottawa, ON : Invenire, Conclusion.

Gilles Paquet. 1995. « Gouvernance distribuée et habitus centralisateur », *Mémoires de la Société Royale du Canada,* Série VI, Tome VI, p. 97-11.

Pour le chapitre 4 :

Gilles Paquet. 2011. *Tableau d'avancement II – Essais exploratoires sur la gouvernance d'un certain Canada français.* Ottawa, ON : Invenire, chapitre 6.

Pour la conclusion :

Gilles Paquet. 2008. *Gouvernance : mode d'emploi.* Montréal, QC : Liber, Conclusion.

À PROPOS DE
LA MAISON GOUVERNANCE

D ans le langage familier des collègues qui travaillent
depuis la fin des années 1980 dans le monde des études en
gouvernance dans la région de la capitale nationale à Ottawa, *La
Maison Gouvernance* est le nom donné à un point de ralliement
informel et virtuel autour duquel beaucoup de leurs travaux
en gouvernance se sont organisés. Cette étiquette a servi de
référence pour identifier un groupe disparate de centaines
d'universitaires, de technocrates, de professionnels et de
praticiens qui ont commencé à se réunir semi-régulièrement
pour débattre de problèmes de pathologies de gouvernance. Des
centaines de collègues d'autres régions du pays se sont joints au
groupe à l'occasion dans divers forums organisés à Ottawa.

Tous ces gens n'ont jamais senti le besoin de formaliser ou
d'homologuer ce collegium parce qu'ils trouvaient l'ouverture
et le caractère continuellement renouvelé des membres du
groupe, des intérêts qui évoluaient, et des rencontres organisées
quand elles étaient utiles, bien ajusté à l'humeur vagabonde du
groupe, et aux projets divers qui les mobilisaient toujours plus
ou moins complètement.

Certains se souviendront des travaux organisés autour
du *Réseau canadien de recherche sur l'enseignement supérieur*, des
rencontres de la *Lunar Society*, des travaux de *PRIME* (Program

213

of Research in International Management and Economy), et des événements variés – certains relativement privés, d'autres mobilisant des assemblées fort importantes – en association avec l'Institut de recherches politiques (alors localisé à Ottawa) et le *Centre canadien de gestion*, etc. … autant de moments mobilisateurs et d'arrangements impermanents autour de projets portant sur la gouvernance des organisations privées, publiques et sociales ou civiques

Dans les années 1990, il y a eu changement de la garde : le Conseil économique du Canada et le Conseil des sciences du Canada, deux pôles de discussions critiques qui alimentaient beaucoup de débats chauds, ont disparu, mais d'autres lieux comme le Centre canadien de gestion sont entrés en scène. *La Maison Gouvernance* a, à la fois, grandi, et essaimé, avec pour conséquence que ses travaux ont débouché sur un certain nombre d'avenues nouvelles.

À l'Université d'Ottawa, s'est alors cristallisé un groupe de travail particulièrement actif en gouvernance à la Faculté d'administration (maintenant l'École de management Telfer). C'est le moment où *Optimum* est devenue une revue phare pour la Faculté, où bon nombre de collègues à Telfer et ailleurs à l'Université ont commencé à accueillir des étudiants au niveau supérieur intéressés à la gouvernance, et où l'Université a accepté, à la demande de Gilles Paquet et de ses collègues, de créer le Centre d'études en gouvernance en 1997.

La Maison Gouvernance s'est alors effacée dans l'ombre du Centre d'études en gouvernance.

La gouvernance est une manière de voir, un cadre d'analyse, un appareil clinique et un nouvel outillage mental. Fondamentalement, c'est aussi une approche subversive : elle se veut une analyse critique et permanente de tous les arrangements en place, en particulier les arrangements hiérarchiques et coercitifs comme l'État. Le chantier créé par Gilles Paquet et ses collègues en 1997 a prospéré, et a produit des travaux importants, mais il a aussi, au cours des années, soulevé des résistances dans un cadre universitaire où l'idéologie progressiste et le *politically correct* faisaient bien des avaries. Ce qui était un lieu de pensée critique, autant des excès du marché et des gouvernements que des naïvetés du monde sans but lucratif, est devenu avec le temps l'objet de persiflage, et a été moins bien toléré dans les lieux où le marché, l'État ou la compassion sont vénérés.

Après une vingtaine d'années de travaux éclairants mais aussi décapants, les instances universitaires – insensiblement dans certains cas et sauvagement dans d'autres – ont été amenées à abandonner le support de nos activités hérétiques. Il nous a semblé que le moment était opportun pour faire renaître *La Maison Gouvernance* de ses cendres … comme l'oiseau phénix – le vrai, pas l'avarie gouvernementale! Et comme on est en 2017, un site web est devenu essentiel, et il sera en place à l'automne au www.lamaisongouvernance.org. Entretemps, on pourra se tenir au courant des circonstances de sa renaissance en consultant www.gouvernance.ca ou www.invenire.ca.

Car il faut dire haut et fort que les études critiques en gouvernance vont continuer.

Il serait tragique, cependant, qu'on oublie à l'occasion d'un malencontreux hiatus administratif tout le travail accompli au cours des derniers 30 ans. L'esprit de *La Maison Gouvernance* dans ses aventures de 1988 à 1997, et dans ses oripeaux temporaires du Centre d'études en gouvernance entre 1997 et 2017, a accompli un travail remarquable. Le groupe de collègues qui a animé le Centre depuis ses débuts a été responsable de la publication d'un trimestriel sur la gouvernance et le management public qui pénètre maintenant profondément dans les débats publics sur la gouvernance au pays et ailleurs, en plus de produire des centaines de textes et de rapports au cours des derniers 25 ans, et de publier plus de 70 des membres du groupe et de collègues à travers le pays sous différentes bannières.

Nous ne reviendrons pas ici en détails sur la période d'incubation des études en gouvernance de *La Maison Gouvernance* – dans la décennie 1988-1997 – où des travaux déterminants ont été publiés par le groupe de collègues autour de Gilles Paquet. Ce qui suit est surtout une liste des principaux livres et rapports que ces derniers et leurs associés à travers le pays ont produit depuis 1999 avec la collaboration d'un certain nombre de maisons d'édition. Tous ces livres sont disponibles chez www.amazon.ca.

Sous différentes bannières dans la période d'incubation avant 1998

B. Bazoge, et G. Paquet (sld). 1986. *Administration : unité et diversité.* Ottawa, ON : Presses de l'Université d'Ottawa, 350 p.

G. Paquet et M. von Zur Muehlen (sld). 1987. *Education Canada? Higher Education on the Brink.*

Ottawa, ON : Canadian Higher Education Research Network, 300 p.

G. Paquet (sld). 1989. *La pensée économique au Québec français : témoignages et perspectives.*

Montréal, QC : Association canadienne-française pour l'avancement des sciences, 364 p.

G. Paquet et M. von Zur Muehlen (sld). 1989. *Edging Towards the Year 2000: Management Research and Education in Canada.* Ottawa, ON : Canadian Federation of Deans of Management and Administrative Studies, 130 p.

G. Paquet *et al.* (sld). 1990. Éducation et formation à l'heure de la compétitivité internationale.

Montréal, QC : Association des économistes québécois, 217 p.

G. Paquet et O. Gélinier (sld). 1991. *Management en crise : pour une formation proche de l'action.* Paris, FR : Economica, 162 p.

C. Andrew, L. Cardinal, F. Houle et G. Paquet (sld). 1992. *L'ethnicité à l'heure de la mondialisation.* Ottawa, ON : Association canadienne-française pour l'avancement des sciences, 114 p.

J.A. Boulet, C.E. Forget, J.P. Langlois et G. Paquet (sld). 1992. *Les grands défis économiques de la fin du siècle.* Montréal, QC : Association des économistes québécois, 340 p.

G. Paquet et J.-P. Voyer (sld). 1993. *La crise des finances publiques et le désengagement de l'État.* Montréal, QC : Association des économistes québécois, 380 p.

D. Côté, G. Paquet et J.-P. Souque (sld). 1993. *Décrochage scolaire, décrochage technique : la prospérité en péril.* Ottawa, ON : ACFAS-Outaouais, 135 p.

J. de la Mothe et G. Paquet (sld). 1995. *Technology, Trade and the New Economy.* Ottawa, ON : PRIME, 125 p.

S. Coulombe et G. Paquet (sld). 1996. *La ré-invention des institutions et le rôle de l'État*. Montréal, QC : Association des économistes québécois, 480 p.

J. de la Mothe et G. Paquet (sld). 1996. *Evolutionary Economics and the New International Political Economy*. Londres, R.-U. : Pinter, 319 p.

J. de la Mothe et G. Paquet (sld). 1996. *Corporate Governance and the New Competition*. Ottawa, ON : PRIME, 117 p.

J. de la Mothe et G. Paquet (sld). 1997. *Challenges Unmet in the New Production of Knowledge*. Ottawa, ON : PRIME, 112 p.

J. de la Mothe et G. Paquet (sld). 1998. *Local and Regional Systems of Innovation*. Boston, MA : Kluwer Academic Publishers, 341 p.

J. de la Mothe et G. Paquet (sld). 1999. *Information, Innovation and Impacts*. Boston, MA : Kluwer Academic Publishers, 339 p.

Sous la bannière des Presses de l'Université d'Ottawa (1999-2010)

D. McInnes. 1999. *Taking it to the Hill – The Complete Guide to Appearing before Parliamentary Committees*

G. Paquet. 1999. *Governance through Social Learning*

L. Cardinal & C. Andrew (sld). 2001. *La démocratie à l'épreuve de la gouvernance*

L. Cardinal & D. Headon (eds.). 2002. *Shaping Nations – Constitutionalism and Society in Australia and Canada*

P. Boyer *et al.* (eds.). 2004. *From Subjects to Citizens – A hundred years of citizenship in Australia and Canada*

C. Andrew *et al.* (eds.). 2005. *Accounting for Culture – Thinking though Cultural Citizenship*

G. Paquet. 2005. *The New Geo-Governance: A Baroque Approach* J. Roy. 2005. *E-government in Canada*

C. Rouillard *et al.* 2006. *Re-engineering the State – Toward an Impoverishment of Quebec Governance*

E. Brunet-Jailly (ed.). 2007. *Borderlands – Comparing Border Security in North America and Europe*

R. Hubbard & G. Paquet. 2007. *Gomery's Blinders and Canadian Federalism*

N. Brown & L. Cardinal (eds.). 2007. *Managing Diversity –Practices of Citizenship*

J. Roy. 2007. *Business and Government in Canada*

T. Brzustowski. 2008. *The Way Ahead – Meeting Canada's Productivity Challenge*

G. Paquet. 2008. *Tableau d'avancement – Petite ethnographie interprétative d'un certain Canada français*

P. Schafer. 2008. *Revolution or Renaissance – Making the transition from an economic age to a cultural age*

G. Paquet. 2008. *Deep Cultural Diversity – A Governance Challenge*

L. Juillet & K. Rasmussen. 2008. *À la défense d'un idéal contesté – le principe de mérite et la CFP 1908-2008*

L. Juillet & K. Rasmussen. 2008. *Defending a Contested Ideal – Merit and the Public Service Commission 1908-2008*

C. Andrew *et al.* (eds.). *Gilles Paquet – Homo Hereticus*

O.P. Dvivedi *et al.* (eds.). 2009. *The Evolving Physiology of Government – Canadian Public Administration in Transition*

G. Paquet. 2009. *Crippling Epistemologies and Governance Failures – A Plea for Experimentalism*

M. Small. 2009. *The Forgotten Peace – Mediation at Niagara Falls 1914*

R. Hubbard & G. Paquet. 2010. *The Black Hole of Public Administration*

P. Dutil *et al.* 2010. *The Service State: Rhetoric, Reality, and Promises*

G. DiGiacomo & M. Flumian (eds.). 2010. *The Case for Centralized Federalism*

R. Hubbard & G. Paquet (eds.). 2010. *The Case for Decentralized Federalism*

Sous la bannière de Invenire (2009-)

R. Higham. 2009. *Who do we think we are: Canada's reasonable (and less reasonable) accommodation debates*

R. Hubbard. 2009. *Profession: Public Servant*

G. Paquet. 2009. *Scheming Virtuously: The Road to Collaborative Governance*

J. Bowen (ed.). 2009. *The Entrepreneurial Effect: Ottawa*

F. Lapointe. 2011. *Cities as Crucibles: Reflections on Canada's Urban Future*

J. Bowen. 2011. *The Entrepreneurial Effect: Waterloo*

G. Paquet. 2011. *Tableau d'avancement II – Essais exploratoires sur la gouvernance d'un certain Canada français*

R. Chattopadhyay & G. Paquet (eds.). 2011. *The Unimagined Canadian Capital – Challenges for the Federal Capital Region*

P. Camu. 2011. *La Flotte Blanche – Histoire de la Compagnie de la navigation du Richelieu et d'Ontario 1845-1913*

M. Behiels & F. Rocher (eds.). 2011. *The State in Transition –Challenges for Canadian Federalism*

R. Clément & C. Andrew (eds.). 2012. *Cities and Languages: Governance and Policy – International Symposium*

R. Clément & C. Andrew (sld). 2012. *Villes et langues : gouvernance et politiques – Symposium international*

C.M. Rocan. 2012. *Challenges in Public Health Governance: The Canadian Experience*

T. Brzustowski. 2012. *Why we need more innovation in Canada and what we must do to get it*

C. Andrew *et al*. 2012. *Gouvernance comunautaire : innovations dans le Canada français hors Québec*

M. Gervais. 2012. *Challenges of Minority Governments in Canada*

R. Hubbard *et al*. (eds.). 2012. *Stewardship: Collaborative decentred metagovernance and inquiring systems*

G. Paquet. 2012. *Moderato cantabile: Toward principled governance for Canada's immigration policy*

G. Paquet & T. Ragan. 2012. *Through the Detox Prism: Exploring organizational failures and design responses*

G. Paquet. 2013. *Tackling Wicked Policy Problems: Equality,Diversity, and Sustainability*

G. Paquet. 2013. *Gouvernance corporative : une entrée en matières*

G. Paquet. 2014. *Tableau d'avancement III – Pour une diaspora canadienne-française antifragile*

R. Clément & P. Foucher. 2014. *50 years of official bilingualism : challenges, analyses and testimonies*

R. Clément & P. Foucher. 2014. *50 ans de bilinguisme officiel : défis,analyses et témoignages*

R. Hubbard & G. Paquet. 2014. *Probing the Bureaucratic Mind: About Canadian Federal Executives*

G. Paquet. 2014. *Unusual Suspects: Essays on Social Learning Disabilities*

R. Hubbard & G. Paquet. 2015. *Irregular Governance: A Plea forBold Organizational Experimentation*

L. Cardinal & P. Devette (eds.). 2015. *Autour de Chantal Mouffe –Le politique en conflit*

R. Higham. 2015. *What would you say? … as guest speaker at the next Canadian citizenship ceremony*

D. Gordon. 2015. *Town and Crown – An Illustrated History of Canada's Capital*

G. Paquet & R.A. Perrault. 2016. *The Tainted-Blood Tragedy in Canada: A Cascade of Governance Failures*

G. Paquet & C. Wilson. 2016. *Intelligent Governance: A Prototype for Social Coordination*

R. Hubbard & G. Paquet. 2016. *Driving the Fake Out of Public Administration: Detoxing HR in the Canadian Federal Public Sector*

C. Maule (ed.). 2017. *A Future for Economics – more encompassing, more institutional, more practical*

G. Paquet. 2017. *Tableau d'avancement IV : un Canada français à ré-inventer*

Chez d'autres maisons d'édition

Éditions Liber

G. Paquet. 1999. *Oublier la Révolution tranquille – Pour une nouvelle socialité*

G. Paquet. 2004. *Pathologies de gouvernance – Essais de technologie sociale*

G. Paquet. 2005. *Gouvernance : une invitation à la subversion*

G. Paquet. 2008. *Gouvernance : mode d'emploi*

G. Paquet. 2011. *Gouvernance collaborative : un anti-manuel*

Éditions Vrin

P. Laurent & G. Paquet. 1998. *Épistémologie et économie de la relation – coordination et gouvernance distribuée*

Éditions H.M.H.

G. Paquet & J.P. Wallot. 2007. *Un Québec moderne 1760-1840 : Essai d'histoire économique et sociale*

Gouvernement du Canada

G. Paquet. 2006 (en collaboration). *The National Capital Commission: Charting a New Course*

Report of the NCC Mandate Review Panel

Une sélection des principaux rapports de recherche

J. Roy & C. Wilson. 1998. *Strategic Localism and Competitive Advantage*

COG. 1999. *Corporate Governance & Spin-in Ventures*

COG. 1999. *The Borough Model: Municipal Restructuring for Ottawa*

COG. 2000. *Governance in the 21st Century* (The Royal Society of Canada)

COG. 2000. *The Governance of the Ethical Process for Research – A study for the Tri-council*

G. Paquet. 2001. *Si Montfort m'était conté ... Essais de pathologie administrative et de rétroprospective*

Talentworks Project (under the supervision of Christopher Wilson)

COG. 2001. *Evaluating TalentWorks: Creating a Foundation for Successful Collaboration*

COG. 2002. *Ottawa's Workforce Environment, Report I of Ottawa Works: A Mosaic of Ottawa's Economic and Workforce Landscape*

COG. 2002. *Profiling Ottawa's Workforce, Report II of Ottawa Works: A Mosaic of Ottawa's Economic and Workforce Landscape*

COG. 2002. *Ottawa's Workforce Development Strategy, Report III of Ottawa Works: A Mosaic of Ottawa's Economic and Workforce Landscape*

A. Chaiton & G. Paquet (eds.). 2002. *Ottawa 2020 – A synthesis of the Smart Growth Summit*

G. Paquet & Kevin Wilkins. 2002. *Ocean governance ... An inquiry into stakeholding*

B. Collins, *et al.* 2003. *Assessment of Public Internet Access in Ottawa: Report of Key Findings*

COG. 2003. *SmartCapital Evaluation Guidelines Report*

COG. 2003. *SmartCapital Baseline Assessment*

R. Hubbard, G. Paquet & C. Wilson. 2004. *CIPO: Reaching the World of SMEs*

COG. 2004. *SmartCapital: A Smart Community Assessment*

G. Paquet & J. Roy. 2005. *CIPO as an Innovation Catalyst*